À Jasmine
Pour se
rappeler
à pleine
vie

16.11.03

Une vie
à se dire

Avec des remerciements émus à Chris Huck, qui passa de longues heures sur son « Mac » à déchiffrer mes ratures, mes repentis et mes ajouts et à Maryse Legrand, dont le regard profond, la sensibilité et l'enthousiasme ont enrichi considérablement les propos du départ.

Catalogage avant publication de la Bibliothèque nationale du Canada

Salomé, Jacques
    Une vie à se dire: ce n'est pas en perfectionnant la chandelle qu'on a inventé
    l'électricité

    Réédition.

    1. Famille.   2. Couples.   3. Communication dans la famille.
    3. Communication interpersonnelle.   I. Titre.
    HQ518.S24 2003   158.2'4   C2003-941018-8

Pour en savoir davantage sur nos publications, visitez notre site: **www.edhomme.com**
Autres sites à visiter: www.edjour.com • www.edtypo.com • www.edvlb.com • www.edhexagone.com • www.edutilis.com

Gouvernement du Québec – Programme de crédit d'impôt pour l'édition de livres – Gestion SODEC.

L'Éditeur bénéficie du soutien de la Société de développement des entreprises culturelles du Québec pour son programme d'édition.

Nous reconnaissons l'aide financière du gouvernement du Canada par l'entremise du Programme d'aide au développement de l'industrie de l'édition (PADIÉ) pour nos activités d'édition.

DISTRIBUTEURS EXCLUSIFS:

• Pour le Canada
  et les États-Unis:
  MESSAGERIES ADP*
  955, rue Amherst
  Montréal, Québec
  H2L 3K4
  Tél.: (514) 523-1182
  Télécopieur: (514) 939-0406
  * Filiale de Sogides ltée

• Pour la France et les autres pays:
  VIVENDI UNIVERSAL PUBLISHING SERVICES
  Immeuble Paryseine, 3, Allée de la Seine
  94854 Ivry Cedex
  Tél.: 01 49 59 11 89/91
  Télécopieur: 01 49 59 11 96
  Commandes: Tél.: 02 38 32 71 00
                   Télécopieur: 02 38 32 71 28

• Pour la Suisse:
  VIVENDI UNIVERSAL PUBLISHING SERVICES SUISSE
  Case postale 69 - 1701 Fribourg - Suisse
  Tél.: (41-26) 460-80-60
  Télécopieur: (41-26) 460-80-68
  Internet: www.havas.ch
  Email: office@havas.ch
  DISTRIBUTION: OLF SA
  Z.I. 3, Corminbœuf
  Case postale 1061
  CH-1701 FRIBOURG
  Commandes: Tél.: (41-26) 467-53-33
                   Télécopieur: (41-26) 467-54-66
                   Email: commande@ofl.ch

• Pour la Belgique et le Luxembourg:
  VIVENDI UNIVERSAL PUBLISHING SERVICES BENELUX
  Boulevard de l'Europe 117
  B-1301 Wavre
  Tél.: (010) 42-03-20
  Télécopieur: (010) 41-20-24
  http://www.vups.be
  Email: info@vups.be

Dépôt légal: 3e trimestre 2003
Bibliothèque nationale du Québec

ISBN 2-7619- 1840-1

Jacques Salomé

Une vie
à se dire

LES ÉDITIONS DE L'HOMME

Présentation des personnages

Anne, la narratrice. Mariée à Laurent, infirmière en congé parental, mère de trois enfants : Lucie, Arnaud et Simon.

Laurent, mari d'Anne et père des enfants. Analyste informaticien.

Arnaud, le cadet, 13 ans, auteur des contrepoints personnalisés.

Lucie, l'aînée, 14 ans.

Simon, le benjamin, 10 ans.

Simone et **Fritz,** parents d'Anne. Fritz est atteint d'un parkinson.

Jeannine et **Louis,** parents de Laurent.

Andrée, sœur d'Anne et tante des enfants.

Irène, sœur d'Anne, mariée à Clément, mère de Clarisse et de Joséphine.

Julia, Dany et **Hélène** et bien d'autres, membres du groupe de parole.

Olivier et **Boris,** copains d'Arnaud.

Autre personnage important : la vie mouvementée et banale d'une famille au début du XXIe siècle.

« Comment, d'une part, initier, conduire, construire et vivre son propre changement dans la durée et, d'autre part, éveiller, susciter, stimuler et accompagner les êtres significatifs qui sont les plus proches de vous ? »

Si je ne suis pas en mesure de répondre à cette double question, du moins ai-je acquis l'intime conviction que chaque évolution recèle ses secrets, chaque cheminement ses mystères, chaque découverte son rythme propre.

J'ai aussi découvert que chaque quête porte ses possibles et j'ai compris que chaque destinée reste foncièrement personnelle et unique.

J'ai construit ces récits à partir de différents témoignages d'hommes et de femmes qui m'ont écrit pour partager leurs tâtonnements, leurs enthousiasmes, mais aussi leurs réserves, leurs réticences et leurs déboires, ou plus simplement pour me parler de leurs émotions et de leurs interrogations face aux imprévisibles et aux aléas d'un changement amorcé après une lecture, une rencontre ou une session de formation.

Rien ne semble plus difficile en effet que de réaliser une démarche individuelle de changement personnel qui finit par impliquer et concerner ses proches.

Rien n'est plus hasardeux que de sortir d'un système relationnel qui s'avère soudain inadapté… surtout quand on découvre que l'on a participé activement à sa pérennité !

Rien n'est plus pathétique et bouleversant que d'être en toute circonstance renvoyé à soi-même.

Rien n'est plus douloureux mais aussi plus salutaire et porteur d'espérance que de s'autoriser ce grand nettoyage pour accéder au meilleur de soi.

« Oui, j'avais rêvé d'un atelier familial de communication relationnelle. Je souhaitais changer, mais je ne voulais pas me retrouver seule au monde, dans un désert d'incompréhension », soupirait-elle d'un air plein d'incertitude ! C'est en écoutant, bien au-delà des rêves, la pratique et le déroulement au quotidien d'un processus de changement personnel et familial que m'est venue l'idée d'écrire ce livre. En laissant parler librement une femme qui pourrait être vous.

Il peut nous arriver de nous égarer mais se perdre sans arrêt suppose beaucoup d'acharnement et de compétences.

Il y a quelques années, quand je vous ai entendu parler pour la première fois sur la communication parents-enfants, j'ai été effrayée, scandalisée, et même révoltée. C'était toute mon éducation, mes croyances et ma bonne volonté qui se voyaient remises en cause.

En vous écoutant, j'avais le sentiment trop douloureux, insupportable de « ne plus rien savoir », comme si je naissais après une traversée de 38 années sur le bateau fragile de ma vie, cahotée par une mer d'incommunications et d'incohérences. Aussi, durant plusieurs semaines, vous en ai-je voulu. Je me suis aussitôt empressée de répandre dans mon entourage proche quelques jugements de valeur, quelques évidences négatives sur vous. Je me disais : « Anne, ma grande, il ne faut pas te faire avoir par ce type ! » Cela m'a fait du bien… mais évidemment n'a rien résolu ! La graine devait quand même être semée, car dans les mois suivants se sont réveillés tempêtes, raz de marée et cataclysmes intérieurs. Des souvenirs oubliés sont remontés à la surface. Des situations que je croyais réglées, apaisées, se sont révélées encore pleines de souffrances, de ressentiments et de colères enfouies. Ma relation à mon père reste pleine de violences rentrées.

Mon père voulait que je sois « bonne en classe » pour être bonne-à-tout-faire-à-la-maison. « Qui peut le plus, peut le moins » était un de ses dictons favoris, aussitôt suivi par cette affirmation péremptoire : « Pour se marier, on n'a pas besoin de faire des études prolongées. »

Ma mère, elle, connaissait une stratégie à toute épreuve pour éviter les conflits : « On doit faire des efforts pour s'aimer et rester unis. » Son souci constant était : « Il faut être heureux ensemble, sinon on est perdu, on n'est plus rien ! » Elle donnait ainsi à la famille la mission de nous maintenir vivants, l'âme fossilisée, mais vivants. « Si on s'entend, on n'a pas besoin de tout ça », affirmait-elle, péremptoire ! Cette simple phrase condensait déjà la plupart des malentendus de son couple : l'usage abusif du « on » et toute la collusion qu'il entretient : « puisqu'on est censé ressentir la même chose ! »

Dans sa phrase favorite, le mot « s'entendre » était utilisé alors comme « se mettre d'accord » et non pas partager, recevoir ou accueillir nos différences, nos sensibilités diverses ou nos dissemblances.

Le mot « ça » recouvrait pour elle les miasmes dangereux de tout ce qu'il ne fallait pas faire, ni avec son corps ni avec sa tête. Le « ça » était dangereux pour l'équilibre, la santé et le lien familial.

Mais j'ai décidé de ne plus me battre sur les détails, seulement d'œuvrer, ô naïveté de ma part, sur la durée, sur les choses essentielles : apprendre à mettre en commun, oser me dire et me donner les moyens d'être entendue ! Je me bats, au-delà de la survie, sur le long terme d'une qualité de vie.

J'ai encore à entreprendre tout un travail personnel de dépollution, vis-à-vis des relations essentielles à ma vie. Papa, maman, mari, enfants, amis proches vont découvrir des aspects de moi qui risquent de ne pas leur plaire.

Aujourd'hui, j'ai beaucoup de plaisir à partager avec vous ce que je vis avec mes enfants au quotidien d'une vie familiale balisée par mon travail, ma vie d'épouse et ma vie de mère. Car ils sont toujours, vous l'aviez deviné, au cœur de toutes mes tempêtes.

Tout d'abord, après de nombreux tâtonnements, j'ai tenté de créer avec eux un atelier familial de communication. Au début, mon mari n'a pas souhaité y participer. J'ai organisé mes propositions autour de trois axes qui m'ont paru prioritaires, avec le souci de m'en tenir dans un premier temps à des balises claires.

C'est notre contrat commun avec mes trois enfants.

1 – Repérer, débusquer et démystifier (pour pouvoir aussi en rire) les pièges et les malentendus du système SAPPE[1], comme vous l'appelez.

2 – J'ai proposé à mes enfants et à mon mari de mettre en pratique, entre nous, en famille et ailleurs, l'utilisation d'outils relationnels tels que l'écharpe relationnelle (gros succès avec les enfants), le bâton de la parole (devenu indispensable à table) et la visualisation externe (utilisée avec plus ou moins de réussite). Ce dernier point est plus difficile à intégrer, car il déclenche de la méfiance et même des rejets chez l'homme qui est censé partager ma vie.

— Tu fais de la magie maintenant ! Tu me prends pour un retardé mental, tu crois que je ne peux pas comprendre sans ça !

Il regarde l'écharpe d'un air dégoûté, comme s'il allait se salir les mains en la prenant.

---

1. Le système SAPPE (S comme sourd, A comme aveugle, P comme pernicieux, P comme pervers et E comme énergétivore) est représentatif des dominances relationnelles qui régissent aujourd'hui la communication interpersonnelle dans la famille, à l'école et dans le monde du travail. C'est certainement le système antirelationnel le plus pratiqué au monde.
Le système SAPPE se reconnaît à la pratique à la fois abusive et sincère de six attitudes que nous adoptons, mais que nous voyons surtout chez les autres !
 • Parler sur l'autre et non à l'autre.
 • Menacer ou inquiéter avec des menaces réelles ou fantasmées, explicites ou latentes. Déposées dans beaucoup d'échanges, elles restimulent la peur très primitive d'être abandonné, rejeté, moins aimé… Elles donnent du pouvoir à celui qui les profère.

Le système SAPPE engendre aussi avec succès :
 • La disqualification et la dévalorisation, associées à des jugements de valeur, à des étiquettes, à des pronostics négatifs sur l'avenir.
 • Le chantage affectif, avec une mise en doute sur la valeur des conduites ou des sentiments d'une personne, et par là même, de la personne elle-même.
 • La culpabilisation, qui tente de laisser croire à l'autre qu'il est responsable de notre ressenti, de notre vécu et même de nos sentiments.
 • Le maintien des rapports dominants-dominés, qui se concrétisent par des conduites de soumission ouvertes ou larvées et d'opposition manifestes ou cachées, avec la prédominance des rapports de force au détriment des rapports de réciprocité.

Je sais, je sais, c'est réactionnel chez lui et il vaut mieux que je ne me laisse pas entraîner par mes propres réactions, même si j'ai envie de l'étrangler quand il me parle sur ce ton !

Avec vos outils, ma difficulté personnelle reste le choix de l'objet pour représenter, pour visualiser ce dont je veux parler. Ce qui me tombe sous la main n'est pas toujours suffisamment représentatif de ce que je ressens. Et si j'hésite trop, la situation m'entraîne parfois au-delà de ce qui me préoccupe. Par exemple, j'ai voulu montrer à Arnaud, l'un de mes enfants, l'énorme colère que j'ai ressentie quand j'ai appris qu'il avait manqué l'école tout un après-midi, sans raison aucune. Nous étions à table, j'avais pris un quignon de pain pour symboliser mon ressenti. Mon fils réellement étonné m'a dit : «Ce n'est que ça ta colère ?» J'ai éclaté de rire avec lui ! Mais j'ai pu lui dire, cependant, ce qui était touché au profond de moi. Il y avait, bien sûr, une vieille blessure qui s'était réveillée. Ah ! les blessures de notre enfance réactivées en permanence par l'un ou l'autre de nos enfants ! C'était celle provoquée par mon père m'assénant d'une voix pleine de bonté compréhensive, alors que j'avais 16 ans : «De toute façon, pour te marier et élever des enfants, tu n'as pas besoin de faire des études très poussées ! Le bac te suffira… Regarde ta mère !»

En fait, à travers cet épisode, j'ai pu parler à mes enfants de ma jeunesse, de mon enfance surtout, de mes rêves et des difficultés que j'ai souvent rencontrées à ne pas me sentir toujours respectée par mes parents. J'ai pu leur dire combien leur réussite scolaire était importante pour moi. Simon m'a alors lancé : «Tu nous as faits pour qui ? On n'est pas là pour réparer ton enfance, mais pour vivre notre vie !»

Je l'ai confirmé et je l'ai aussi remercié de me rappeler que la vie doit rester un don.

Ce n'est que la semaine suivante que j'ai pu leur présenter, enfin, le dernier volet d'un contrat familial possible. Je ne savais pas jusque-là comment leur présenter ce troisième point.

3 – La mise en pratique, entre nous, de quelques règles d'hygiène relationnelle, telles que j'ai pu les repérer dans vos livres[2] ou vos articles.

---

2. Voir en particulier : *Pour ne plus vivre sur la planète Taire*, Albin Michel, 1997.

Les enfants sont des énigmes lumineuses.

DANIEL PENNAC

La plus difficile de ces règles ou de ces balises à respecter, celle qui me remet sans cesse en cause c'est : **d'apprendre à gérer mon bout de la relation.**

Cette découverte fut éprouvante pour moi et pour chacun des membres de ma famille, car elle touchait à des enjeux si différents, si contradictoires. Cette règle, par exemple, allait à l'encontre de tout ce que j'avais appris dans mon éducation :

- qu'il faut d'abord faire pour l'autre ;
- qu'il doit passer avant nous, sinon on est égoïste ;
- que lorsqu'on est mère, il faut d'abord penser aux enfants ;
- quand on est une épouse… à son mari, quand on est un ex-enfant à ses parents plus âgés… Bref qu'il faut attendre longtemps son tour pour enfin exister face aux autres !

Mais depuis que je pratique en improvisant laborieusement quelques-unes des pistes proposées par la méthode ESPERE[3], je me sens beaucoup plus libre, dans le sens de moins angoissée. Depuis que je ne tente plus de répondre tout de suite aux désirs de chacun de mes enfants, quelle ouverture ! J'accepte de les entendre, sans les rejeter ou les disqualifier, sans m'approprier tous leurs propos. Seulement les entendre et

---

3. Méthode ESPERE : Énergie Spécifique Pour une Écologie Relationnelle Essentielle.

reconnaître leurs désirs ou attentes comme étant chez eux, comme leur appartenant. Simplement reconnaître que le désir appartient à celui qui l'éprouve, qui le vit. Que je ne suis pas responsable ni de son éveil ni de sa satisfaction. Mon mari tique un peu sur ce principe. Toutes ses propres références sont bousculées. Pour lui, s'il a des désirs sur moi… c'est que j'en suis responsable ! Et donc, que je dois y répondre ! « Tu n'as qu'à être moins séduisante. Si tu étais moins sexy j'aurais moins de désir ! » a-t-il le culot de me dire !

J'ai eu moi-même trop souvent honte de mes désirs. Enfant, j'étais bouleversée d'être assaillie de « mauvaises pensées ». Les mauvaises pensées étaient toutes celles que je n'aurais jamais dû avoir. C'est dire si j'en avais ! Ça bouillonnait sans cesse dans ma tête et dans mon corps. Les adultes se rappellent-ils les désirs et les émois de leur enfance ? Imaginez-vous mon malaise et mon désarroi, chaque fois que surgissait une ombre de pensée, un embryon de désir, qui aurait pu faire de la peine à ma mère ! De plus, je suis, avec mes enfants, dans la répétition d'une croyance. Tout comme ma mère le pratiquait avec moi, je ne peux m'empêcher de vouloir « savoir pour eux ». Avec les meilleures intentions du monde, puisque c'est « en sachant ce qui est bon pour eux, que je me révèle une excellente mère » !

Aujourd'hui je comprends mieux le moteur du système. En ayant des désirs pour moi, ma mère m'empêchait d'en avoir à moi ! Du moins pouvait-elle l'imaginer. Vis-à-vis de mes propres enfants j'ai repris le modèle avec, j'ose le croire, des intentions différentes. Et je ne peux m'empêcher de savoir et de faire pour eux ! Pratiquement sans arrêt. Si ma fille Lucie m'interroge, rencontre une difficulté, je plonge immédiatement dans le dictionnaire en quête d'un savoir ou dans mes ressources pour lui donner la réponse. Si mon fils Arnaud a peur d'une petite bosse qu'il a sur le pied, tout de suite je tente d'expliquer, de rassurer, de supprimer ! Sitôt que l'un ou l'autre exprime une demande, je me précipite dans la réponse, dans le faire. Je suis une véritable « soi-niante » avec eux !

Avec Simon, le plus petit, c'est pire. Je le surprotège alors qu'il me paraît le plus solide de nous tous. Allez savoir, dans les labyrinthes de l'affection, où se trouve le point d'équilibre ? Je comprends mieux maintenant ma vocation « d'infirme-hier » !

Je sais bien qu'au travers de toutes ces conduites apparemment tournées vers eux, je cultive, je nourris, j'entretiens une image de bonne mère, de maman parfaite. Car je ne veux pas être avec eux ce que ma mère a été pour moi ! Et paradoxalement, j'arrive au même résultat ! Par exemple, je découvre aujourd'hui avec ma fille, qu'elle est l'enjeu, la preuve vivante d'un défi que je me suis lancé dès sa naissance. Elle avait quelques heures à peine et je regardais ma mère inspecter et ranger ma chambre à la maternité. Cette pensée m'a traversé l'esprit : « Je ferai mieux avec ma fille, que tout ce que ma mère a fait pour moi ! » Lucie est, en quelque sorte, une arme dont je me sers pour démontrer de la façon la plus définitive que ma propre mère m'a mal élevée, ou du moins qu'elle aurait dû m'élever autrement si elle m'avait vraiment comprise ! Et surtout que moi, aujourd'hui, mère à mon tour, je dois être capable de mieux faire qu'elle ! C'est terrible de découvrir les jeux et les scénarios que nous sommes capables de répéter... avec une bonne foi terrifiante. Mais c'est aussi très stimulant pour l'avenir de le savoir !

J'ouvre grand les yeux sur toutes les chausse-trapes que je me suis imposées.

Je trouve à la fois merveilleuses la sincérité et la franchise, et éprouvants le courage, l'amour et l'humilité que demande la pratique quotidienne de la méthode ESPERE. Vos outils sont simples, les règles d'hygiène relationnelle relativement faciles à comprendre, mais quelles résistances internes et externes elles suscitent, en moi, dans mon entourage proche et chez les autres ! Quelle rigueur, quelle cohérence faut-il inscrire en soi pour simplement les proposer ! Quelle force et quelle constance pour les maintenir ! Parce que mes petits agneaux sont d'une habileté incroyable pour me déloger de ma pratique encore tâtonnante. Chaque fois qu'ils sont renvoyés à leur propre responsabilité, ils n'hésitent pas un seul instant à recourir au système SAPPE. Disqualification de la méthode, de moi, de tous les « psycho-machin-choses » (dont vous faites partie !), comme ils disent. Tout cela de façon quasi automatique avec une constance à toute épreuve.

— Ouais, tu veux encore avoir raison !

— Tu vas encore me dire que j'ai tort !

— Toi et ton Salomé, ras-le-bol !

— On peut plus se parler normalement maintenant...

— On ne veut pas être des cobayes pour expérimenter une autre façon de communiquer. On veut rester naturels, spontanés, nous !

Le plus effrayant et le plus surprenant a été la réaction de certaines de mes amies. De Laura, amie de toujours, celle à qui je me confie dans mes moments de crise ou de déprime. Celle dont je me croyais proche et complice. L'incident a été soulevé par mon changement d'attitude vis-à-vis de mon fils. J'avais enfin compris qu'il fallait que je cesse de faire la guerre à ses mauvais résultats scolaires. Que j'arrête le harcèlement des devoirs, des leçons, des reproches, des commentaires acerbes chaque fois qu'il rapportait une note au-dessous de la moyenne. J'en avais parlé à Arnaud, 15 jours plus tôt, en lui disant : « Tu sais, je ne m'aime pas du tout comme mère anxieuse, colérique et sans arrêt sur ton dos dès le retour de l'école, toujours à te reprocher, sitôt que tu as un moment libre, de ne pas réviser, lire ou travailler pour l'école. C'est vrai, j'ai le désir que tu améliores tes résultats. C'est un vrai désir que j'ai en moi et j'ai décidé de m'en occuper, d'en prendre soin. »

Tout un dimanche après-midi, j'ai découpé des pétales de fleurs dans du papier de couleur, puis j'ai inscrit sur chacun une belle petite phrase résumant tous mes rêves de réussite pour mon fils. J'ai ainsi réalisé une splendide fleur en papier qui symbolisait mon désir de voir Arnaud, mon fils aîné, réussir sa scolarité. Le plus étonnant, c'est que depuis plusieurs jours déjà, son comportement avait changé. J'étais fière de moi, je me trouvais plus cohérente, plus centrée, moins mère abusive, et j'ai voulu partager cela avec Laura, ma meilleure amie, qui s'écria : « Ah bon ! parce que tu crois que c'est avec cette fleur en papier que ton fils va mieux travailler en classe ! Tu es devenue cinglée. Tu es sûre que tu n'es pas entrée sans le savoir dans une secte ? »

Le coup de la secte, on me l'a déjà fait à plusieurs reprises. Oh ! pas méchamment mais comme un déni, une disqualification de mon nouveau positionnement de vie. On me fait le coup de la secte chaque fois que je dérange. Avec bonhomie, avec sympathie ou avec un peu d'aigreur parfois, par ceux-là mêmes qui ne s'interrogent pas un seul instant sur leur propre sectarisme.

C'est la violence des propos de mon entourage qui me dévalorise, qui me blesse au-delà de tout ce que je pouvais imaginer avant. Je me sens « débilisée » par des remarques de ce genre.

— Alors, Anne, tu veux peut-être changer le monde ?

— Tu crois que ta méthode va permettre aux gens d'être plus heureux, moins requins les uns pour les autres ?

— S'il suffisait de trucs aussi simples, il y a longtemps qu'on les aurait trouvés !

Comme si j'étais une véritable demeurée de croire en un changement possible dans les relations humaines !

Je suis souvent déstabilisée aussi par la peur, le doute, bref, par tout ce que vous nommez la répression imaginaire. Si je continue comme ça, j'imagine parfois que je vais faire le vide autour de moi. Je vais me retrouver seule, exclue, rejetée.

Mon mari reste discret, stoïque pour l'instant. Habituellement si ironique, si sceptique pour tout ce qui touche ce qu'il appelle « la mouvance psy », il n'abuse pas trop de la situation. Il ne se hasarde pas trop en commentaires, se contente de hausser les sourcils. Depuis peu, il prend facilement mais ostensiblement du bout des doigts l'extrémité de l'écharpe relationnelle pour me dire : « J'ai rien à dire. » J'insiste, je l'invite à en dire plus, à s'exprimer.

— Qu'est-ce que tu ressens, quand je te dis que c'est important pour moi d'avoir ton opinion, ton ressenti, d'avoir des reflets ou un retour de ta part ?

— Oui, je comprends, c'est normal que tu veuilles savoir ce que j'éprouve, mais j'ai rien à dire !

Un soir, un peu excédé, il a bien voulu m'expliquer « son fonctionnement d'homme ».

— Quand ça va bien, j'ai rien à dire. Quand je trouve que c'est bon, que ça se passe bien, je n'ai pas besoin d'en dire plus !

— Ah bon, tu ne t'exprimes alors que lorsque ça ne va pas ?

— Je crois que tu me cherches des poux dans la tonsure…

Nous étions repartis l'un et l'autre en plein système SAPPE !

Je suis souvent atterrée par l'ampleur de nos différences, par la profondeur de nos malentendus. Et surtout par le retour des répétitions.

Comme si nos scénarios étaient préfabriqués et que nous les emboîtions quasi automatiquement l'un dans l'autre, pour arriver à un résultat qui nous désespère l'un et l'autre !

Je suis bouleversée par l'incroyable méconnaissance mutuelle qui nous habite. Alors je temporise. Je ne peux me battre sur tous les fronts !

Je le rejoins dans le domaine où il est toujours présent : la tendresse, l'humour affectueux avec lequel il cicatrise mes petits et mes grands bobos de femme, et surtout d'épouse !

Le vrai bonheur ne cite pas ses sources...
pour ne pas rendre le Bon Dieu jaloux.

DANIEL PENNAC

Quand je vous entends parler d'écologie relationnelle, c'est exactement ce que je ressens au plus profond de moi, avec la recherche d'une harmonie, d'un accord vibratoire entre ceux que j'aime et moi. Je me retrouve en accord avec moi-même, dans cette aspiration à proposer à la personne la plus proche de soi, le meilleur de soi-même. Dans ce désir aussi de rencontrer le meilleur de l'autre. Mais comment faire pour ne pas se heurter, se blesser ou être frustrée par l'énorme décalage qui se glisse entre nos attentes, nos demandes et les réponses de l'autre ! Comment ne pas être ébranlée par le double fossé d'incompréhension qui ne se comble jamais entre ce que je sens et ce que je dis, entre ce qui est dit et ce qui est entendu !

Les sentiments d'amour réciproques ne semblent diminuer en rien le fait que nous soyons si différents, si étrangers parfois, et d'autres fois si joyeusement complémentaires et même semblables, accordés enfin. Mais si rarement, trop rarement.

Je reviens à mes enfants. Je bataille pour conserver le contact, pour ne pas me laisser déborder, pour garder le respect des sensibilités de chacun, le maintien des échanges, un équilibre fragile entre leurs demandes et les miennes, entre leurs refus et mes exigences, entre leur imaginaire de toute-puissance sur la réalité et mon imaginaire sur eux, tout aussi impérialiste !

Que de combats à éviter, de conflits à désamorcer pour être au plus près des réponses à leurs besoins et rester à l'écoute de leurs désirs.

Distinguer le besoin et le désir, je n'avais jamais réalisé jusqu'alors qu'il s'agissait d'une réalité. Ce dernier point fut pour moi une révélation. Encore m'a-t-il fallu repérer la différence entre l'un et l'autre.

Je me croyais la plupart du temps obligée de répondre à toutes leurs attentes en essayant de les combler. Ou d'autres fois, je tentais de tempérer, de leur montrer que leurs demandes étaient injustifiées ou excessives. Qu'elles pouvaient être différées dans le temps. Et puis d'autres fois encore, j'ai essayé de les rejeter comme pas bonnes ou de les disqualifier, suivant une échelle de références internes extrêmement émotive, car la plupart du temps en relation directe avec mon angoisse, avec mes propres frustrations ou avec l'image que j'avais d'eux à tel ou tel moment de la journée. Le nombre de fois où je me suis entendue les bousculer avec des injonctions négatives qui, dans mon esprit, étaient censées les aider à faire une prise de conscience décisive! «Tu n'es pas fou, tu n'y penses pas, tu crois que tu as besoin de ça maintenant. Tu ne crois pas qu'il y a d'autres priorités! Tu devrais penser à autre chose.» D'accord j'étais une spécialiste de la relation klaxon, et en plus j'étais sincère et appliquée! Oui, j'ai vraiment saisi que nous, les parents, sommes là pour répondre à leurs besoins et cela jusqu'à un certain âge, mais pas à leurs désirs. Qu'ils en aient des désirs, des grands, des beaux, des surprenants, c'est formidable! Tant mieux! Le désir, c'est la vie ardente, source du plaisir d'être. C'est le mouvement, c'est une aspiration vers un mieux-être. Nous, les adultes, avons à être présents pour leur donner envie de faire quelque chose de ces désirs. Bien sûr, chaque fois qu'ils sont recevables! Mais qui décide s'ils sont recevables ou pas? Il n'existe pas de grille de référence en la matière, sinon des modèles anciens, périmés par rapport aux désirs renouvelés de cette génération. Bon d'accord, c'est à moi de prendre la responsabilité de la recevabilité d'un désir en fonction de mes propres limites. C'est à eux de m'éclairer, d'argumenter, de valider (et parfois de me rassurer) sur les conséquences découlant de la réalisation éventuelle de leurs désirs! J'ai vraiment intégré votre proposition, si souvent énoncée à vos propres enfants (vous avez dû le mentionner dans une conférence): «Qu'est-ce que tu es prêt à faire pour ton désir?» La réponse de mes enfants à cette stimulation, qu'ils n'ont pas vécue comme un refus, a été étonnante. Par exemple, ma fille Lucie réclamait un nouveau jeu électronique, le dernier qui fait fureur dans sa classe ! À mon invitation : « Qu'est-ce que tu peux faire pour ton désir ? », elle est allée chercher son cochon-tirelire. Elle est revenue triomphante, prête à le casser. Il m'a suffi de dire : « Est-ce bien cela ton désir ? Est-ce que tu sens un accord réel entre le moyen que tu vas prendre et la réalisation de ton désir ? » Elle a hésité longuement, puis a confirmé : « Oui, oui. » Le cochon cassé contenait à peu près le montant requis pour le jeu. Elle a cependant attendu trois jours avant de réaliser son désir. Quel chemin parcouru pour chacune de nous et que d'échanges à partir de cette situation, qu'autrefois j'aurais réglée par un refus ou une pseudo-acceptation qui n'aurait satisfait ni l'une ni l'autre ! J'apprends doucement à sortir de mes certitudes et de mes schémas.

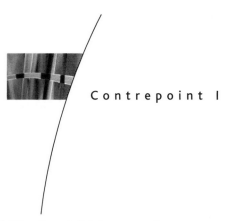

Contrepoint I

N'hésitez jamais à laisser grandir vos parents tout seuls !
ou
Comment, malgré les parents, les enfants ne s'en sortent pas si mal !

C'est Lucie, ma sœur, qui m'a alerté en premier : « Arnaud, tu vois ce que je vois ? Je ne sais pas ce qui se passe à la maison, mais depuis quelque temps, ça carbure dur ! Ça bouillonne et ça explose de partout. Chez Maman d'abord, chez Papa ensuite ! » J'ai confirmé. C'est Maman qui a démarré en premier, elle a soudain changé de vitesse, en se mélangeant un peu dans les pédales d'ailleurs ! D'un seul coup, un matin, au petit-déjeuner entre son yaourt et son thé amaigrissant, elle m'a dit : « C'est difficile pour moi de l'admettre, mais j'accepte que tes difficultés scolaires soient chez toi ! » Je l'ai regardée stupéfait, je n'en revenais pas d'entendre chez elle une telle banalité dite avec autant d'évidence !

— Mais bien sûr qu'elles sont chez moi. Je ne comprends pas d'ailleurs comment toi et Papa, depuis des années, vous voulez sans arrêt les prendre en charge à ma place. Vous en faites chaque fois une affaire personnelle. Papa surtout, il démarre au quart de tour à chaque bulletin scolaire. Oh ! ça se calme après… jusqu'au mois suivant. Chez lui, c'est très important l'école. Il supporte mal que je sois au milieu de la classe, enfin dans le dernier tiers du dernier tiers ! Je ne sais pas tout ce que ça doit lui rappeler !

— Oui, oui, m'a-t-elle confirmé tout de suite, mais je ne veux pas être confondue avec ton père. Je ne suis que ta mère !

J'aurais voulu lui répondre : « Il n'y a pas de risque de mon côté, que je vous confonde ! » Mais je n'ai pas insisté ! Il faut toujours laisser une porte de sortie ouverte à ses parents, quand ils se foutent en difficulté avec leurs enfants. « Moi, a-t-elle ajouté en me montrant une espèce de boîte peinte, j'ai le désir que tes études se passent bien et, à partir d'aujourd'hui, j'ai décidé de m'occuper de ce désir… Je vais en prendre soin de mon désir ! » Elle a brandi son truc au-dessus de ma tête, j'ai cru qu'elle allait le balancer sur moi, mais non ! Elle s'est contentée de l'agiter devant mon visage perplexe. « Demain j'ai l'intention d'aller au cinéma, avec ça (c'était la boîte en bois avec des dessins dessus). Je prends deux billets, un pour moi, et un pour mon désir… Je vais vraiment commencer à m'occuper de mon désir que tu réussisses en classe, car c'est un désir important pour moi ! » J'ai tenté de lui dire : « Attention, attention, Maman ! Tu es sûre d'aller bien ? Tu n'as rien cogné ? Tu sors d'où là, avec ta boîte à désirs ? » Elle ne m'a pas laissé continuer. « Ce n'est pas tout. » Elle paraissait sûre d'elle, gonflée à bloc, je n'arrivais pas à la décentrer, à la mettre dans son tort, comme je sais souvent le faire !

— Ce n'est pas tout. Je propose que tu prennes toi aussi, Arnaud, un objet symbolique qui représente tes difficultés scolaires, en particulier sur le plan de l'attention en maths, en français et en histoire/géographie, parce que je ne veux plus te confondre avec elles !

— Qui elles ?

Je croyais qu'elle pensait à mes copines, qu'elle ne supporte pas ! « Tu perds trop de temps avec elles », me répète-t-elle sans arrêt alors qu'elle ne sait même pas ce qui se passe avec mes copines !

— Qui elles ?

— Mais tes difficultés scolaires, bien sûr, c'est de cela dont je te parle ! Je ne veux plus te voir sans arrêt comme un mauvais élève, mais comme mon fils. Comme l'enfant que j'ai conçu, porté, qui est sorti de moi, et que depuis quelques années, je confonds sans arrêt avec ce qui ne va pas chez lui ! Tu comprends ce que je veux dire ?

— Maman, tu débloques complètement. C'est pas possible, t'es dans les choux, là ! Je sais bien que tu n'as jamais oublié que j'étais ton fils, tu me le rappelles sans arrêt. Même que j'avais trouvé cela suspect à un moment. Je me demandais si tu ne m'avais pas adopté !

En classe d'ailleurs, pendant toute une année, je suis devenu bon en biologie, je cherchais des signes sur mes origines. Mais il n'y a pas de doute, je suis bien de toi et de Papa. Même si ça me casse parfois les pieds...

— Ce n'est pas tout. Je voudrais te dire aussi qu'à partir d'aujourd'hui, je ne veux plus confondre sentiments et relation.

Elle a vraiment besoin de parler, c'est le trop-plein relationnel qui fermente ! Alors elle me lâche tout, d'un seul coup, sans prévenir. « Oui, j'ai trop souvent mélangé l'amour que j'avais pour chacun de mes enfants et la relation trop envahissante (ah ! elle le reconnaît !) que je vous proposais. Je croyais qu'il fallait sans cesse vous rassurer avec mon amour. J'avais si peur que vous puissiez imaginer que je ne vous aimais plus quand je vous refusais quelque chose... Mon amour pour toi, je l'ai en moi. » Elle a sorti une espèce de perle ronde, brillante. « Le voilà, je peux te le montrer. » Elle était là, plus petite que d'habitude, toute silencieuse, toute grave soudain devant moi, un peu perdue. J'étais tout ému. C'était comme une vraie déclaration d'amour, qu'elle me faisait.

Moi, déjà tout ça m'aurait suffi, mais voilà que Maman entreprend de continuer « à se positionner », comme elle dit ! Jamais elle n'avait fait ça avant, avec autant d'application, de véhémence. C'est pas possible, c'est la révolution chez elle. Elle disjoncte ! Elle pète les plombs ! Et la voilà qui me déclare aussi, mais un peu trop solennellement pour que je la croie vraiment : « Je ne veux plus confondre vos besoins et vos désirs. Je serai là, avec ton père, pour satisfaire ou t'aider à satisfaire tes besoins, mais je ne répondrai plus à tes désirs. Le rôle des parents c'est de confronter les enfants à leurs désirs et de leur demander ce qu'ils ont l'intention de faire eux... pour leurs propres désirs... » Ça tombe bien parce que justement j'en ai plein de désirs ! Le désir d'avoir de nouveaux *rollers* équipés du système américain, avec une boule dans une matière nouvelle étudiée par la NASA, hyperrésistante aux chocs et qui tourne dans tous les sens... pour épater les copains. Fini les roulettes, les roulements à billes. « Tes désirs sont à toi, c'est donc à toi de t'en occuper. » J'ai l'impression que là, Maman, elle récite une leçon qu'elle maîtrise mal. Elle a appris tout ça en stage et elle se croit obligée de nous le resservir tout chaud, sans préparation aucune, en croyant qu'il suffit de nous le dire pour que ça marche !

Papa, lui, c'est plus compliqué. Il a commencé des cours de sophrologie relationnelle. Il s'est fait ouvrir les chakras, stimuler le cerveau droit qui est « hypotrophié », m'a-t-il sorti en me regardant drôlement ! « J'ai envie de vivre à plein temps, tu comprends ! »

Il veut faire du Tantra, c'est un truc sur les énergies sexuelles, « mais sans passage à l'acte », a-t-il précisé pour rassurer Maman.

Je ne sais pas jusqu'où ils vont aller avec tout ça. Il m'inquiète, Papa. En plus, il ne supporte pas bien les changements chez Maman. Nous, les enfants, on amortit mieux que lui ! On s'est habitué depuis longtemps aux « découvertes » de Maman, à ses emballements, sans pour autant se laisser déborder. Mais cette fois, ça prend une tournure plus sérieuse. Elle pratique avec un suivi inhabituel. Faut qu'on fasse attention, nous les enfants, à ne pas nous égarer !

Je l'ai vue changer si souvent, Maman ! La Macrobiotique, le Yoga, la Méditation, le Jogging sensitif, la Bio-Énergie, le Chant Intérieur, les Rêves Éveillés, l'Homéopathie, le Zen et, tout dernièrement, une illumination urgente vers le Bouddhisme. À un moment, elle ressemblait au dalaï-lama. Oui, oui, je ne plaisante pas ! Elle ne s'en rendait pas compte. Elle réfléchissait longuement avant de répondre, plissait les yeux, regardait à l'intérieur d'elle si sa réponse « était en cohérence avec son *insight* et son *feeling* » ou avec son ressenti profond si vous préférez.

Puis elle vous lâchait sa réponse comme ça, en vous regardant dans les yeux, enfin juste un peu au-dessus, au niveau du troisième œil ! Le malentendu était qu'avant même que sa réponse n'arrive à moi, j'étais déjà loin. Je n'avais pas de temps à perdre pour attendre une réponse, dont, tout au fond de moi, je ne ressentais pas réellement le besoin !

Certains soirs, je vous assure, ce n'est pas rien à la maison ! Un vrai bouillon de culture ! La communication circule dans tous les sens. J'avais entendu à la télé « qu'il n'y a plus de références stables, que les valeurs d'autrefois ne sont plus fiables ».

Ils ont dû nous prendre pour modèle ! Pendant des années, mes parents étaient pour la liberté d'expression. En chœur, ils énonçaient gravement : « Chacun doit pouvoir dire sans crainte ce qu'il ressent, éprouve, rêve ou pense ! C'est un droit fondamental ! »

Mais le jour où oncle François a demandé à Lucie, qui avait six ans, ce qu'elle aimerait bien faire plus tard, et que Lucie a répondu : « Je veux faire l'amour tous les jours sans me retenir », Papa et Maman se sont regardés. La liberté d'expression, c'est curieux, elle a beaucoup diminué en grandissant. Je veux dire que plus on grandissait, nous, les enfants, plus on découvrait que c'était devenu vachement dangereux de s'exprimer librement !

Moi, par exemple, je n'osais même plus dire que je voulais telle part de gâteau (celle où le couteau avait dévié d'un demi-centimètre avec la cerise dessus), car aussitôt Maman répondait : « Il ne faut pas être égoïste et ne pas toujours demander en premier, il faut attendre que les autres s'expriment… et soient servis d'abord. »

Oui, mais les autres, vous l'avez peut-être remarqué, ont souvent des désirs aussi gros que les tiens ! Si c'est pour qu'ils demandent avant toi, tu as intérêt à être le premier !

Il n'y a qu'une place où on a le droit d'être le premier, c'est à l'école. Là, au contraire, la pression est forte. Les parents te poussent en avant, ils s'en foutent du second et du troisième, tu peux les écraser sans frémir pourvu que tu sois le premier !

Partout ailleurs, en dehors de l'école, c'est risqué. On devient d'un seul coup égoïste, présomptueux, m'as-tu-vu ou égocentrique (c'est un mot de tante Julie qui a fait de la psychologie des profondeurs). Elle n'a pas dû descendre profond, tante Julie, quand elle affirme : « Il y a ceux qui savent que l'inconscient ça existe et ceux qui ne le savent pas ! » Si bien que j'ai appris très tôt qu'il vaut mieux ne pas dire ce que l'on pense réellement ! Les parents déposent leurs contradictions sur nous, sans trop se préoccuper de comment on les traverse.

Depuis que Maman veut se respecter et s'affirmer, que Papa se développe et s'ouvre, je n'ai pas encore constaté de changements visibles à l'école, ni dans le désordre de ma chambre, ni dans mes relations avec les filles, ni dans mon eczéma ! Sauf chez Lucie, ma sœur, qui dit : « Ça va mieux en piano depuis que Maman m'a lâché les Adidas ! »

Simon, le benjamin, lui, ne bronche pas. Imperméable, il résiste à tous les assauts de la « prise de conscience lumineuse » qui est censée nous traverser. Il garde la tête froide, trace son chemin sans tenir compte ni de la fameuse méthode ESPERE ramenée par Maman ni des inspirs et des expirs de Papa, qui veut devenir à tout prix énergétigène ou hétérogène, je ne sais plus. Mais l'ouverture des chakras l'intéresse moins que l'ouverture prochaine du McDonald !

Moi, je peux vous le confirmer, on ne s'ennuie pas. Je vous l'ai déjà dit, ma priorité c'est Papa. Lui, il m'inquiète vraiment ! Quand Maman lui tend une écharpe (le foulard Hermès qu'il lui a offert) : « Si, si, prends un bout », il consent parfois, pour lui faire plaisir, à prendre du bout des doigts l'extrémité de l'écharpe relationnelle, comme elle a baptisé l'Hermès.

Quand elle lui dit avec un air de sincérité terrible (petits gouzis-gouzis dans la gorge, ancrage dans le sol, plexus et menton volontaires) : « La relation que tu me proposes depuis 17 ans et (accent tonique sur le et) que j'entretiens depuis 17 ans ne me convient plus », Papa qui est la précision même ne peut s'empêcher d'ajouter « 18 ans et 9 mois ! » Maman, elle, qui saute habituellement sur tout ce qui la contrarie et discute infatigablement chaque point de détail, ne bronche pas. Un temps de silence, puis elle reprend sans se décourager : « Je ne compte que les années de mariage, avant c'était de l'aveuglement, de part et d'autre d'ailleurs, des essais quoi ! Donc, cette relation-là (elle montre l'Hermès) ne me convient plus, elle ne correspond plus à la femme que je suis devenue. Je voudrais t'en proposer une autre. »

Elle lâche alors l'Hermès que Papa tient toujours, il s'accroche même, il a fait deux tours avec autour de son poignet. Maman va chercher une écharpe de laine, souple, en angora, qu'elle tend à Papa. « Ça, c'est la relation nouvelle que je voudrais avoir avec toi ! » Papa regarde la « nouvelle relation » mais il la laisse à terre, il ne se penche pas pour la ramasser. Il croit à l'Hermès, lui, c'est une valeur sûre, l'angora c'est fragile, on ne sait pas d'où ça vient ! Cette scène conjugale, touchante et incompréhensible pour tout étranger, se passe dans le salon, déborde dans la salle à manger, se coince dans le couloir, pour se terminer tard dans la nuit conjugale !

Notre maison est devenue en quelques semaines un VLCR, concept énoncé par Lucie qui signifie un Véritable Laboratoire de Communication Relationnelle.

À ne pas confondre avec la vulgaire « communication de consommation » habituellement utilisée par les autres ! Celle qu'on pratiquait, nous aussi, avant ! Avant quoi ? Mais avant la révolution relationnelle ! Celle qu'ils ont rapportée de leurs stages pour « des communications plus vivantes », dixit leurs prospectus !

La difficulté de base, c'est qu'ils n'ont pas fait les mêmes stages, ils n'ont pas suivi les mêmes pistes, les mêmes théoriciens de la relation ! Les références ne sont pas les mêmes. Surtout que Maman, triomphante, a ajouté un soir, après la télé, alors que ce n'était vraiment pas le moment : « Même les grandes thérapies sont dans le système SAPPE ! Tous les ténors de la thérapie, les Freud, les Jung, les Perls, les Berne, les Lowen (elle a dit plein d'autres noms américains, français et allemands), ils ont tous, à leur façon, collaboré à l'entretien du système SAPPE. La preuve ? Mais la preuve, regarde-la autour de toi. Partout, de plus en plus, une incroyable misère relationnelle, des souffrances sans fin, des malentendus, des violences de plus en plus violentes. Et dans nos pays dits civilisés (là, elle va démarrer sur le couplet enfants malheureux…), tu as vu tous les enfants battus, exploités sexuellement, maltraités, conditionnés… On n'a jamais aussi mal communiqué, c'est la guerre, la misère, l'incompréhension partout… Même entre nous ! »

Papa est plus modéré. Il compare le tiers-monde, les enfants de Sao Paulo, de Colombie, de Thaïlande. Il ne veut pas être amalgamé avec les autres couples, tous ceux qui divorcent pour un oui, pour un non. « On est là, on se parle, on ne se tape pas dessus sans arrêt… D'accord il y a beaucoup à faire, mais chez nous quand même… ça ne va pas si mal que ça ! Il ne faut pas focaliser sans arrêt sur les accidents de la route, il y a des millions de gens qui circulent et arrivent chez eux entiers, la preuve nous… ce soir, ici, tous ensemble. »

Je vous assure, c'est pathétique de voir et d'entendre des trucs aussi débiles ! Sûr, Papa il ne comprend pas toujours le pathétique, il survole, il théorise, il analyse. Maman, elle sent, elle éprouve, elle prend à bras le corps les problèmes d'un monde en perdition, de l'humanité souffrante, elle résonne à la misère universelle. Elle entend avec son cœur et répond avec ses tripes. Son credo, c'est la compassion : « Sans compassion, c'est la jungle, c'est le retour à la barbarie... Moi, je ne veux pas que mes enfants soient des barbares, des néandertaliens... J'espère qu'ils s'engageront dans le combat pour un monde meilleur... »

Je vois bien, à tous les coups, quand Papa prend son air faussement compréhensif et qu'il reste songeur ! Quand il oscille entre colère et dérision, puis quand il prend, après avoir fait semblant de réfléchir, sa décision habituelle face à un malaise : la fuite stratégique, supposée apaiser tout le monde !

Mais depuis quelque temps, il prend la fuite pour empêcher l'hémorragie, pour limiter les dégâts, pour colmater la panique.

Je le connais bien Papa, hypersensible, blessé à mort devant l'incompréhension des autres et surtout celle qu'il prête à sa femme. Il est chaque fois meurtri devant la non-reconnaissance de tout ce qu'il fait pour maintenir cette foutue famille en état de marche !

Papa, c'est un garagiste familial. Il ne s'occupe pas de la conduite ou de l'état des routes, mais des révisions, il répare les fuites, il entretient la machine, il veille « à ce que tout soit en état de marche » ! Cette fois-là, il a dit, en repliant l'Hermès, qu'il a foutu tout froissé dans sa poche de veston : « Bon d'accord, on reparlera de tout cela plus au calme, quand les enfants seront couchés. »

Papa, lui, sa spécialité, ou plutôt son terrain favori pour parler avec Maman, c'est le lit. Quand les enfants sont couchés et qu'il peut tenir sa femme dans ses bras « pour discuter des choses importantes ».

Dans la chambre, Maman craque toujours. Je crois qu'il sait lui expliquer gentiment, la convaincre, car le lendemain, ils sont calmes, souriants, attentifs, du moins durant tout le petit-déjeuner.

Mais ces jours derniers, ça semble plus sérieux. Je sens chez Papa que les émotions débordent tous les chakras, celui du cœur, celui du plexus, celui du sexe. Son chakra supérieur, au-dessus du crâne, fume sans arrêt. Ça cogne le tam-tam des jours de perdition au-dedans de lui. Il est en train de nous refaire le coup de la forêt d'Émeraude, le retour aux sources, à la vie originelle, « un endroit de paradis où il serait possible de se comprendre sans même se dire ». C'est le grand rêve humanoïde de Papa ! S'entendre sans se déchirer à se dire !

Il n'y a pas si longtemps, Papa s'était inventé un animal totem. Un animal un peu rare, sorte de léopard de l'Amazonie qui a même mordu Mamie.

Mamie, c'est la mère de Maman, la belle-mère de Papa et donc ma grand-mère.

Mais faut pas croire que c'est la même personne. Pour chacun de nous elle est différente. Pour Maman c'est une mère qui n'est pas assez maman. « Elle est chiante de toujours se mêler de ce qui ne la regarde pas ! Elle m'infantilise sans arrêt. » Pour Papa : « C'est pas grave, au fond elle est gentille malgré son mauvais caractère naturel, faut pas lui en vouloir ! » Pour nous, les enfants, c'est « Mamie bouche d'or », car elle est toujours d'accord avec ce que nous disons et ce que nous faisons.

Il paraît que Mamie est trop maman avec nous, les petits-enfants, avec Lucie surtout, à qui elle passe tout. Maman enrage, mais c'est Mamie qui a été mordue par l'animal totem de Papa. J'ai entendu la conversation dans la cuisine. La cuisine, c'est le quartier général de Mamie quand elle vient chez nous. Elle anticipe, corrige, dirige « tout ce qui ne va pas bien dans cette famille de fous ». Heureusement que je suis là, à garder la tête sur les épaules…

Ce jour-là, elle chuchotait à Maman en parlant de Papa. « Il était enragé, il s'est jeté sur moi pour me dire que ma fille, toi donc, était une femme, une vraie femme. Qu'il fallait que j'arrête de l'infantiliser et patati et patata. Il a dû lire ça dans *Elle* ou *Marie Claire*, c'est pas possible, à moins que ce ne soit dans une revue perverse comme *Cosmopolitan* ! Je t'assure, ma chérie, ça m'a mordu le cœur ! Mais j'ai pas pleuré, j'allais pas lui montrer, à cette brute, qu'il pouvait me faire souffrir comme il te fait souffrir toi. Je le vois bien ! Tu es trop gentille, trop patiente avec lui. D'ailleurs, tu l'aimes trop, c'est ça qui te perdra. »

À la maison, l'amour est utilisé à toutes les sauces, c'est l'ingrédient de base. Soit il est dangereux « on aime trop », soit il est nuisible « on n'aime pas assez », soit il est défaillant « on ne sait plus aimer réellement aujourd'hui. Alors que, de mon temps, on ne gaspillait pas l'amour pour n'importe quoi ! »

Plus tard, j'ai demandé à Mamie de bien vouloir me montrer où elle avait eu le cœur mordu par l'animal totem de Papa. Elle a fait semblant de ne pas comprendre en levant les yeux au ciel.

« Il me déteste parce que j'aime ta mère plus que lui... voilà la vérité. Il n'aime pas ça ton père qu'on puisse aimer plus qu'il ne le pourra jamais. D'ailleurs les hommes d'aujourd'hui, c'est des nains de l'amour. Voilà la vérité ! »

La vérité, dans notre famille, c'est à celui qui la possédera pour tous les autres. D'abord il faut l'énoncer comme définitive, et puis l'imposer aux autres.

— La vérité, c'est que tu ne veux rien comprendre !

— La vérité, c'est que tu es toujours de mauvaise foi dès qu'il s'agit de mes sentiments (ou de mon poids) !

— La vérité, c'est que tu ne veux pas reconnaître que tu as tort et donc (rire triomphant) que j'ai raison !

On est en pleine révolution relationnelle et ça ne s'arrange pas ! Papa, depuis quelque temps, il a souvent des larmes au fond des yeux. Elles ne coulent pas mais elles remontent à la surface et ça vient de loin. Parfois il soupire : « Ce sont tous les pleurs retenus de mon enfance. »

Elle n'a pas dû être drôle l'enfance de Papa. L'autre jour, il a dit comme ça à son père, qui lui faisait une remarque sur sa façon de nous élever, nous les garçons : « Tu t'adresses à qui, Papa ? À ton fils ou au père de tes petits-enfants ? Si tu veux qu'on discute entre collègues sur la meilleure façon d'élever les enfants, c'est possible ! J'ai plein de choses à partager avec toi... Mais si tu cherches encore à m'humilier devant mes propres enfants, je t'arrête tout de suite... »

Grand-père, il ne voulait pas être collègue, il voulait continuer à être le père de son fils, pour pouvoir lui dire tout simplement qu'il ne le trouvait pas assez père ! Qu'il devrait par exemple être plus ferme, plus exigeant avec nous et surtout moins copain !

Ça paraît compliqué tout ça, vu de l'extérieur, mais c'est clair quand on ne se mélange pas avec les mots. Les mots avec les parents, il faut d'abord les entendre, on les comprend après ! Bien entendre qui parle, à qui et de quoi.

Car les phrases qui sont lancées à la cantonade du genre : « Tout le monde s'en fout, personne ne se sent concerné, c'est toujours pareil dans cette famille… » tombent dans le « vide sidéral de l'irresponsabilité » (expression favorite d'un copain de Papa, responsable du rayon jouet chez KIFFERIEN).

À l'école, j'ai eu envie de leur faire le coup des chakras ouverts et de l'émotion pathétique et torrentielle en me plaignant d'avoir des parents qui ne comprennent rien, qui en veulent à leurs enfants d'être plus jeunes qu'eux !

Mais on est tellement nombreux à être dans ce cas que ça risque de ne pas marcher.

Entre la rage d'espérer que l'autre, que tous les autres vont changer ou évoluer et la certitude aveuglante que tout est déjà joué d'avance bien avant toute rencontre, nous avons à naviguer avec constance au plus près du meilleur de nous.

Aujourd'hui, seulement aujourd'hui, je viens d'entendre la différence qu'il y a entre un désir et sa réalisation.

Avant, je ne prenais pas le temps d'entendre le désir de l'un ou de l'autre de mes enfants, car je n'écoutais que ce qui retentissait en moi, c'est-à-dire soit l'obligation ou l'injonction intérieure d'y répondre quand je confondais besoin et désir, soit la nécessité de le rejeter quand il était trop désir, quand il me paraissait une menace ou me faisait toucher du doigt les peurs et les hontes de ma propre enfance.

Quand je ne me sentais pas menacée par un désir ou une demande, je répondais oui; si je me sentais en danger, je répondais non ou je critiquais, disqualifiais ou minimisais le désir de mon enfant pour tenter, surtout, de le convaincre d'avoir à y renoncer!

Que de collusions et de malentendus ainsi entretenus entre eux et moi sur ce seul point!

Vous le répétez sans arrêt: «Les enfants sont d'une incroyable habileté pour réveiller, pour restimuler l'ex-enfant qui est en chacun de nous!» Ainsi ma relation à l'école n'est pas prête de s'achever. Que de blessures anciennes se rouvrent en moi au travers de la scolarité de mes enfants.

Durant toute mon enfance, j'ai été fortement angoissée pendant les périodes d'examens. Même en connaissant parfaitement la matière sur

laquelle j'allais être interrogée, j'avais toujours un doute qui m'empêchait de dormir, j'anticipais le pire qui devait inévitablement m'arriver !
« Vicieux comme il (ou elle) est, le prof va sûrement s'arranger pour me
faire une remarque et me cuisiner là-dessus ! » Ou alors : « D'accord,
j'ai tout appris, je n'ai fait l'impasse que sur trois questions improbables,
mais je suis persuadée qu'on va encore m'interroger dessus ! »

J'ai grandi, vis-à-vis de l'école, dans une insécurité constante, une
non-confiance, et surtout pétrie, imbibée d'un imaginaire plein de
persécutions et du sadisme que je prêtais à tous les enseignants.

Mes études terminées, j'ai poussé un ouf de soulagement ! Fini, tout
ça ! Fini de me tracasser au point de m'en rendre malade et de me priver parfois de tous mes moyens au moment le plus essentiel : celui de la
confrontation avec quelqu'un qui pourrait découvrir que je ne savais pas !

Et puis, mes enfants à leur tour sont allés à l'école ! Et le cauche-
mar a repris pour moi. Pour moi, pas pour eux ! Même si je leur ai
laissé croire pendant longtemps que je me faisais du souci pour eux !
Cela a commencé très tôt pour Lucie.

— Lucie, récite-moi encore ce truc de Victor Hugo que tu dois
apprendre par cœur.

— Mais Maman, c'est fini, on est déjà passé à Verlaine.

— Lucie, redis-moi encore la table de multiplication par neuf.

— Laisse-moi tranquille, Maman ! Tu vas finir par m'embrouiller !

— Simon, comment s'accorde le participe passé avec avoir ?

— Maman ! Tu me l'as déjà fait répéter 100 fois ! Je connais, pas
de panique, tu n'as pas besoin de t'affoler, je ne confonds plus être et
avoir !

Mais si, justement, je paniquais, j'angoissais, je stressais ! Si les profs
de mon époque étaient réputés vicieux, pourquoi auraient-ils changé
aujourd'hui ?

Et mon fiston adoré risquait de se retrouver perdu devant un problème insensé de mathématiques ou englouti dans un cas rare et bien
retors de la grammaire française !

Et mes pauvres petits, totalement inconscients, qui s'en allaient à
l'école en sifflotant, en sautant dans les flaques d'eau ou en se racontant des histoires drôles, bras dessus, bras dessous, sans pressentir tous
les pièges qui les attendaient.

Peut-être ont-ils des rituels comme j'avais à leur âge ? « Si je ne marche pas au bord du trottoir, je ne serai pas interrogée en histoire. » « Si je ne rencontre pas de voiture noire d'ici le portail, le prof oubliera de nous donner une épreuve écrite. » Le pire pour moi, c'est qu'à mon époque, il n'y avait pratiquement que des voitures noires dans les rues !

Aujourd'hui encore, tous les jours de classe, jusqu'à leur retour à la maison, je me ronge les sangs en imaginant tous les obstacles qu'ils auront à franchir, toutes les chausse-trappes qu'ils auront à déjouer !

Et lorsqu'ils rentrent enfin, je me précipite vers eux avide de savoir. Évidemment, je bondis sur eux avec la question qui tue au coin des lèvres.

— Alors ? Comment ça s'est passé ce matin en géo ?

— M'enfin Maman, ç'a été, faut pas t'mettre dans des états pareils ! Il nous a demandé un truc con que tout le monde savait. Bon, c'est après, en grammaire, que j'ai craqué !

— Ah bon ! Que s'est-il passé ?

— Oh rien du tout, mon copain m'a soufflé, j'y suis arrivé quand même !

Je n'y peux rien, je crois que je suis incurable. L'« angoissite exa-minateuse » est une maladie à laquelle je ne connais pas de remède. Ça va un peu mieux depuis que je m'occupe de mes désirs. Mais je sens que le virus est là, tapi au fond de moi, prêt à bondir à la moindre défaillance de ma vigilance : « Alors, ç'a été en maths ? » La réponse toute faite « Ouais, ça devrait avoir été ! » ne me soulage qu'à moitié. Sinon, c'est toute mon enfance de quasi-cancre professionnelle qui remonte d'un seul coup à la surface de ma vie de mère. L'angoissite contrôleuse, l'angoissite réparatrice, l'angoissite peut mieux faire, l'angoissite agres-sante contre moi, contre le système, ne chôme jamais. J'ai plein de variantes maladives à chacune de mes séquelles scolaires !

Il y a un moment où il faut savoir s'arrêter de regarder l'avenir dans un rétroviseur, surtout s'il est derrière nous !

C'est une étonnante et vertigineuse école de vie que la mise en pratique de vos théories et l'utilisation des moyens proposés par votre enseignement.

La méthode ESPERE, que vous avez développée, est en quelque sorte une invitation, un débroussaillage pour tenter d'inventer une autre façon de mettre en commun, de partager et de s'amplifier mutuellement. Elle invite à une plus grande vigilance pour accepter de recevoir des **cadeaux relationnels** (quand ce qui me vient de l'autre est bon pour moi) et pour pouvoir refuser ou restituer à l'autre des **messages négatifs** (quand ce qui me vient n'est pas bon pour moi).

Mais trop souvent je retombe dans la confusion, l'amalgame, en particulier quand j'ai le sentiment d'être la seule à vouloir changer ce système de merde (le système SAPPE).

Je vous avertis tout de suite, quand je deviens grossière, c'est que je viens de me planter.

C'est ce qui vient d'arriver à l'instant. J'attendais de la compréhension, de l'humour et une légèreté dans les demandes, car j'ai eu une journée lourde, et patatras ! Trente-six problèmes surgissent en même temps. Il paraît que je suis celle qui détient les solutions à ces 36 problèmes !

Je n'en suis plus flattée comme autrefois, mais accablée. J'aimerais tant que chacun de mes enfants recherche d'autres solutions ailleurs que chez moi. Mais en même temps, je sais que je suis très habile pour les laisser croire que je vais essayer de les trouver, ces solutions, que je vais une fois de plus arranger les choses, leur montrer qu'ils devraient être fiers d'avoir une mère aussi décisionnelle, aussi efficace, aussi performante devant les petits et les grands bobos de la vie !

Une autre difficulté à laquelle je me heurte, c'est la force de mes **propres désirs** sur mes enfants.

J'ai tellement de désirs sur eux ! Je voudrais qu'ils aillent bien, qu'ils s'entendent entre eux, qu'ils ne tombent jamais malades, qu'ils travaillent bien en classe, qu'ils soient aimés, qu'ils se sentent entendus tels qu'ils sont, qu'ils ne voient pas que les aspects négatifs de leur père ou que mes aspects négatifs à moi ! Et en plus, je voudrais qu'ils voient la vie comme étant aimable et douce ! Pour tout dire, je voudrais qu'ils soient heureux et reconnaissants de l'être !

La liste de tous mes désirs sur chacun est longue, jamais achevée, toujours renouvelée par des manques chez moi féconds, ou par l'une ou l'autre de mes inquiétudes ou de mes aspirations vers eux. Oui, je me sens souvent aspirée par mes enfants. Vous avez écrit une fois : « Comme parents, nous pouvons être inspirés par nos enfants et non aspirés vers eux ! » Ah ! j'aime ces belles phrases, pleines de vérité et de justesse, ces aphorismes pertinents, mais qui ne collent jamais avec ma réalité quand je tente de les mettre en pratique !

Je me rends compte surtout du type de relation dans lequel je les entraîne et que je leur propose. Vous avez nommé cela un jour : « le terrorisme au quotidien des relations mortifères ». Vous en disiez que : « L'essentiel des relations proposées à nos proches, enfants, conjoints, parents, est de type mortifère ! Le désir de changer l'autre est plus destructeur qu'on ne l'imagine, car il contient la pire des demandes, la violence implicite la plus ravageuse, sous forme d'injonctions et d'attentes : "Ne sois pas comme tu es, ne fais pas ce que tu fais, ne pense pas ce que tu dis, essaie de dire ou de faire autrement." »

Ces mots m'avaient choquée, je vous en ai voulu. Je vous trouvais à cette époque injuste (une fois de plus), et surtout pontifiant, comme si vous aviez tout vécu et donc tout connu ! Je n'acceptais surtout pas de me reconnaître dans vos propos. Ils me semblaient une insulte par rapport à tout le mal que je m'étais donné pour faire le bonheur de mes enfants et de mes proches. J'avais déclaré avec fermeté dans un groupe de travail : « Jamais je n'ai eu de relations mortifères avec mes enfants, je les aime, moi ! » Il y avait eu quelques sourires, mais personne ne m'avait descendue en flammes.

Je confondais, à cette époque, bien sûr, sentiments et relations ! Ce ne fut pas ma première dénégation, j'en eus bien d'autres jusqu'au jour où j'ai découvert que je ne proposais en fait que ce type de relation à mes enfants. Quand ils disaient quelque chose qui ne me convenait pas, je critiquais, je rejetais, je censurais. Quand ils faisaient quelque chose qui m'inquiétait, j'interdisais. Quand ils produisaient un symptôme, une somatisation, une peur, un comportement atypique, je me précipitais avec toute ma bonne volonté pour arrêter chez eux le comportement, la conduite ou le phénomène qui me gênait.

En fait, de façon compulsive, sans m'interroger autrement, je voulais supprimer ce qui n'allait pas chez eux : bobos, rhumes, pipis au lit, cris, cauchemars, difficultés scolaires, chagrins de cœur, tristesses petites et grandes. Je voulais aseptiser, cautériser, effacer !

J'essayais d'empêcher par tous les moyens l'irruption de tout ce qui aurait pu me donner mauvaise conscience. Comme je me sentais responsable de tout ce qui pouvait leur arriver, s'ils n'allaient pas bien... c'était à cause de moi ! S'ils allaient bien aussi d'ailleurs.

Sans arrêt, je servais d'écran dans leur relation au monde, au lieu de leur proposer d'être une passerelle, un pont, une médiation. J'aurais tellement voulu supprimer les aspérités de la vie, dérouler le tapis rouge pour leur épargner soucis, obstacles, difficultés, et surtout souffrances et déceptions.

Vous savez, c'est difficile, vraiment douloureux et très déstabilisant de se rendre compte de tout cela ! De prendre conscience que nous, les parents, faisons rarement pour eux, que nous faisons trop souvent pour nous ! Que nous proposons la plupart du temps une relation soit trop laxiste, soit trop terroriste à nos enfants, en prise directe avec nos propres émotions. Avec les meilleurs alibis du monde, avec une spontanéité à toute épreuve, nous voulons faire pour eux plutôt qu'avec eux ! Nous avons une gamme de moyens, assez limitée mais constante dans l'intentionnalité, pour maintenir nos enfants en dépendance. Par exemple, j'ai souvent développé avec eux des relations de pseudo-compréhension,

d'adhésion ou de rejet émotionnel, de surprotection type hypermaman !
Je leur ai imposé des relations faites de contraintes, de limites et d'interdits, par des injonctions, par le dépôt d'inquiétudes, par des menaces,
par des mises en doute. Comme parents tout-puissants, nous disposons
d'un registre très riche de disqualifications, de dévalorisations, sans parler
des jugements de valeur, des comparaisons, des dénégations. Nous pratiquons
aussi la culpabilisation en leur laissant croire qu'ils sont responsables de notre
tristesse, de nos états d'âme, de notre fatigue, de nos découragements et
même parfois de nos conflits conjugaux !

Ce terrorisme relationnel semble être une des constantes de la vie
familiale que nous pratiquons avec le plus de conviction et d'amour.
Nous l'imposons avec une bonne volonté catastrophique, une sincérité tyrannique et une bonne foi à toute épreuve. Notre désir de bien-
être pour chacun d'eux nous fait trop souvent violenter les besoins et les
désirs profonds de nos enfants dans un amalgame qui amplifie tous les
problèmes. Mon mari appelle cela « les solutions-problèmes », et elles
gâchent une grande partie de nos week-ends en famille.

Je comprends mieux ma fille qui, sitôt que je lui parle, se bouche les
oreilles. Elle qui m'a lancé un jour : « Tu ne peux pas savoir, Maman,
comme tu es tuante à vouloir être ma mère 24 heures sur 24 ! » Tuante,
mot boutade, message terrible.

Mon fils Arnaud, qui me conseille gentiment de lui lâcher les Nike,
me propose d'aller faire du vélo, de m'aérer les neurones, de me détendre, de les oublier !

Le plus petit, Simon, qui me dit souvent : « On peut pas discuter
avec toi, tu prends tout au sérieux. C'est toujours le drame… Achète un
anti-monte-angoisse ! »

Tout cela renforcé par mon mari avec des aphorismes ou des commentaires sans appel, car ils me semblent tout à fait justes : « L'imprévisible et l'inattendu ne sont pas toujours catastrophiques. À piétiner
les petits miracles de la vie, on la stérilise… Les petits bonheurs sont fragiles, si on les pressure trop ils rendent l'âme et s'évadent sans retour. »

J'oscille sans cesse entre la position relationnelle de maman compréhensive, bonne, gratifiante, oblative et une position (souvent réac-
tionnelle) de mère qui prive, refuse, interdit, menace. Une position aussi
d'épouse saturée qui voudrait que son mari soit plus souvent présent,

plus père-frustrant, moins papa-copain… plus mari-parent que mari-amant, du moins à certains moments !

Je me suis fait des boléros de couleurs sur lesquels sont inscrits en très gros : Maman, Mère, Épouse, Professionnelle, Ex-petite fille, Fille de sa mère… mais j'oublie parfois de les mettre ! Quand je les porte, ça marche pas mal. J'ai entendu Simon dire : « Bon, tant que la Professionnelle est là, c'est pas le moment de faire appel à la Maman ! » Il a également bricolé quelques casquettes sur lesquelles il a écrit : Élève en congé, Footballeur, Amateur de télévision, Amoureux de…, Fils sadisé par des parents hyperexigeants, Opposant à la méthode ESPERE. Bref, c'est la fête… quand nous sommes les uns et les autres détendus, et qu'il devient possible de rire ensemble de nos excès et de nos maladresses.

Mais le plus souvent dans l'urgence, c'est la cata, le caca relationnel à pleines mains. Tout va trop vite dans un quotidien qui s'emballe. Il y a des moments dans une famille normale où tout s'accélère d'un seul coup, minitempêtes qui bousculent tous les repères.

Vos outils ne me semblent pas toujours adaptés à une famille complexe comme la nôtre ! Nos rythmes d'évolution sont si variables, si imprévisibles aussi. Ce qui me paraît surtout très difficile aussi, c'est de leur apprendre à s'aimer. Là, je bute sur quelque chose d'essentiel et d'important en moi. Comment les aider à se respecter, à s'aimer, à croire en leur valeur ?

J'ai parfois le sentiment qu'ils ont une image trop négative d'eux-mêmes, qu'ils ne s'aiment pas, qu'ils ne se donnent pas de valeur, qu'ils ne s'estiment pas. Je les trouve souvent aigris, emportés dans le réactionnel, enfermés dans le négativisme outrancier, dans une sorte de rejet de la vie et surtout trop portés vers l'autoviolence à l'égard d'eux-mêmes. « Rien n'est bon, tout est moche, la vie est merdique, les autres sont tous cons, on s'ennuie, à quoi bon travailler ça ne sert à rien, le chômage nous attend… » C'est Lucie qui m'annonce en pleurs :

— J'en peux plus, Maman, je me suis trompée d'époque. C'est trop dur l'école, la vie, l'air qu'on respire. Toi et Papa, malgré tous vos efforts vous n'y arrivez pas non plus…

— On n'arrive pas à quoi, ma chérie ?

— À être heureux, simplement heureux. Vous ramez, vous galérez, vous essayez de faire face. Des vrais forçats de la vie, voilà ce que vous êtes devenus ! Je le vois bien, vous recollez sans cesse votre relation qui craque. Je vous admire. Certains jours, je crois que tout est fichu, que rien ne tiendra, et puis vous repartez comme en 14…

Je voudrais confirmer, lui dire qu'elle n'a pas tort. Mais je suis sa mère, si ma fille désespère de nous à 14 ans, où allons-nous ? Alors, courageusement je tente de lui démontrer que la vie a quand même de bons côtés, que nous sommes une famille unie, qui n'est pas si moche que ça… Qu'on se marre bien de temps en temps. Lucie alors triomphe : « Tu vois, tu ne peux t'empêcher de me consoler ! Mais j'ai le droit quand même de me plaindre, de trouver que ça ne va pas, de déprimer un peu ! T'as pas besoin de prendre tout sur toi, Maman, sinon ça me fout le cafard encore plus ! »

Je respire un bon coup, j'ouvre la bouche comme un poisson qui s'asphyxie, je bois la tasse quand même et je me tais au seuil d'une découverte essentielle. Les enfants ont un besoin vital de mettre leurs parents en accusation ; la plainte, chez eux, est un bon tremplin pour rebondir plus haut !

J'ai cru tout au début de ma vie de mère que l'amour maternel et paternel, le dévouement, l'attention, la présence pouvaient régler tous les problèmes et suffisaient au développement et au bien-être d'un enfant. J'ai été, je peux le dire sans m'autoflageller, une mère consciencieuse, sincère, attentionnée mais qui proposait, sans même s'en rendre compte, un ensemble de conduites inadaptées, ou plutôt inadéquates, « à côté de la plaque » comme le rappelle ma fille.

Je proposais, ou plutôt j'imposais le plus souvent, ce n'est pas facile à dire, des comportements antirelationnels qui bloquaient rapidement tout échange… puisque j'étais persuadée que j'avais raison et que ce que je faisais, proposais ou imposais était nécessaire, évident et donc non discutable !

O.K. Aujourd'hui, cela, je l'ai intégré, mais je suis toujours… dedans.

Ce que j'ai fait pendant des années avec mes enfants, c'était plutôt pour les peurs qui m'appartenaient et que je déposais sur eux. J'agissais, je me comportais en fonction de principes que je croyais bons. J'existais avec eux par rapport à une image que je devais donner ! Je croyais leur donner le meilleur, alors que je ne faisais, le plus souvent, que tenter de me rassurer. Et quelquefois quand même, j'existais aussi pour eux bien sûr, quand ils étaient capables de m'accueillir telle que je me présentais à eux.

Et aujourd'hui, pouvoir prendre conscience de tous ces enjeux sans me culpabiliser, sans me dévaloriser ou me sentir mauvaise, est incroyablement libératoire.

Je sais, je sais, la prise de conscience ne suffit pas pour intégrer un changement dans les conduites ! Mais j'avance... avec ce que je suis aujourd'hui ! Et ce que je suis aujourd'hui, c'est une femme en mouvement qui découvre toute la richesse d'une relation à base d'échanges, même conflictuels, toute l'importance d'une communication plus centrée sur l'écoute de l'autre, tous les bienfaits d'un positionnement de soi plus clair, moins dépendant de l'approbation ou du point de vue de mon entourage. Je découvre un autre monde parallèle à celui que je connaissais jusqu'alors et dont la beauté et les possibles de vie me semblent incomparablement plus vivants. Une meilleure respiration relationnelle s'installe, me semble-t-il, entre les uns et les autres.

Je sais aussi, car vous avez beaucoup insisté là-dessus, que l'amour de soi pour un enfant et pour un adulte passe par la qualité des relations que nous pouvons leur proposer.

Cette qualité de relation n'existait pas dans le système relationnel dans lequel j'ai été élevée. Il y avait certes de bonnes intentions mais en totale discordance avec les comportements de vie et les modalités relationnelles imposés par ma famille d'origine. J'ai été pour ainsi dire programmée par un système à base de culpabilisations, de menaces, de disqualifications et d'injonctions. Une mise en pratique parfaitement rodée par plusieurs générations issues du système SAPPE ! Système proposé, je le crois, avec beaucoup d'amour et une sincérité à toute épreuve, avec des convictions inébranlables sur ce qui devait être fait ou ce qui ne devait pas être fait, avec une bonne foi réelle qui caractérisait tout ce que faisaient mes parents pour chacun de nous, et en particulier leurs maladresses. Les maladresses sincères font autant de mal que celles qui ne le sont pas.

J'ai longtemps pratiqué sur mes enfants le même système, le seul que je connaissais, avec une sincérité et une bonne foi équivalentes. Aujourd'hui, je suis au cœur même de cet apprentissage douloureux pour changer ma manière d'être au monde, d'être femme, d'être mère, d'être maman, d'être une ex-petite fille trop souvent apeurée, infantilisée par ses propres parents, par son mari ou par son patron !

J'étais une pseudo-adulte qui s'abritait fréquemment sous les conseils et les recommandations de ses amies, sans se rendre compte que ces conseils et ces recommandations ne faisaient que refléter leur propre indigence, leur propre limite entre peurs et conformisme.

Je viens d'un milieu bourgeois, béquillé par des valeurs et des modèles qui permettaient la survie, sans jamais laisser à la vie la liberté de jaillir et de se répandre dans toute sa générosité.

Oh, je ne suis pas en train de faire la révolution comme mon mari le pense parfois, non, je tâtonne, je bégaie, je cherche, je me plante ! Apprendre à dire à son fils des choses aussi élémentaires que : « Je te demande d'aller au lit » au lieu de : « J'aimerais que **tu** te couches, sinon **tu** seras encore fatigué demain matin et **tu** me mettras bien sûr en retard ! » n'est pas du tout facile pour moi ! Les mots les plus nécessaires, les plus vitaux me manquent quand je suis dans l'urgence, la fatigue ou l'irritation. Alors je retombe vite dans le charabia conventionnel, j'utilise des phrases en conserve, toutes faites, ayant servi et resservi depuis des années. Je ne m'aime pas quand je m'entends parler avec cette langue de lierre qui parasite l'essentiel.

Je veux à la fois apprendre pour moi et leur apprendre à eux, mes enfants et mon mari. Je veux transmettre mon enthousiasme et la croyance que j'ai dans un apprentissage familial, en commun, d'une autre communication. Oser dire à l'homme de sa vie : « Ce soir, je n'ai pas le même désir que toi » sans avoir à imaginer qu'il va croire que je suis frigide, sans craindre de ne plus être aimée, sans penser que je serai rejetée ! Quelle victoire à la fois dérisoire et fantastique sur moi-même !

J'ai décidé d'afficher dans la cuisine, dans la salle de bain, dans le salon et dans mon bureau au boulot, les différentes déclinaisons d'une relation possible. Mon mari a éprouvé le besoin de me demander (fausse question d'ailleurs !) :

— Tu crois qu'ils vont comprendre tous ces schémas ?

— Et toi, qu'est-ce que tu as lu et entendu ? Je t'invite à me parler de ton ressenti !

Mais là c'était trop fort, je suis allée, une fois de plus, trop vite avec lui. Lui demander son ressenti, c'est comme le mettre à nu sur une place publique ! C'est le dépouiller brutalement de toutes ses protections rationnelles et explicatives. Lui, le spécialiste des questions indirectes, l'inviter à parler de lui, c'était renforcer encore plus ses défenses. Voici le tableau que j'ai affiché dans mon bureau.

J'ai des relations ouvertes et créatives quand je sais :
- Demander en proposant, en invitant.
- Donner en offrant, en suggérant.
- Recevoir en accueillant, en entendant et en me positionnant.
- Refuser en sachant m'affirmer et témoigner de mon point de vue.

J'ai des relations plus fermées et infantilisantes quand je ne peux pas m'empêcher de :
- Demander en exigeant, en menaçant.
- Donner en imposant, en culpabilisant ou en manipulant.
- Recevoir en m'opposant, en dénigrant ou en minimisant.
- Refuser en rejetant, en critiquant avec des jugements de valeur sur la personne.

Conclusion :
Je suis coauteur de la qualité de mes relations.

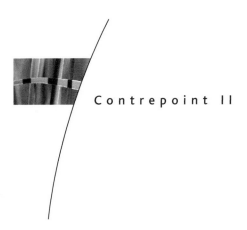

Contrepoint II

La pratique de la méthode ESPERE ne conduit pas,
dans un premier temps, à la tranquillité et au repos.
La découverte ou la redécouverte d'une autre façon
d'être, la réconciliation avec soi, comme avec les autres,
l'approfondissement de son propre respect supposent
de consentir aux tensions, aux confrontations et aux
remises en cause avec les proches.
Ne pas oser le conflit ou chercher à le fuir stérilise, maltraite
et blesse nos forces les plus vives.
Prendre le risque de se définir, de simplement se définir, sans
vouloir convaincre, relève d'une ascèse à pratiquer avec constance.

Comment passer du système SAPPE
à la méthode ESPERE

Prendre conscience de ce que nous faisons habituellement spontanément.	Prendre conscience de ce qu'il serait possible de faire autrement.
Je questionne, j'investigue, j'emploie le ON, j'utilise le NOUS.	Je peux inviter, proposer, j'ose un JE personnalisé.
Je me cantonne dans les idées, je développe des généralités, je fais des discours sur..., j'énonce des concepts.	Je concrétise avec des exemples, je personnalise, je partage mon vécu, je dis mon ressenti, je précise ma position.
Je tente de définir l'autre, de lui attribuer mes croyances ou mes sentiments.	Je laisse l'autre se définir avec ses mots à lui. J'accepte qu'il affirme ses croyances ou ses convictions.
Je me laisse trop souvent définir par l'autre.	Je définis mes idées, mon point de vue, mes désirs, mes projets, ma position...
Je reste dans l'implicite, avec la croyance non dite que l'autre a les mêmes valeurs, les mêmes références ou les mêmes repères que moi.	Je passe plus souvent à l'explicite, avec le risque d'une mise en mots.
Je confonds mise en mots et mise en cause.	Je ne confonds pas la mise en mots (si l'autre accepte de parler de lui) avec la mise en cause de ma personne.
Je crée l'opposition, j'entretiens le désaccord ou l'affrontement.	Je propose l'apposition et favorise la confrontation.
Je parle trop sur l'autre.	Je parle à l'autre.
Je parle sur moi (langue de bois, discours en conserve...)	Je peux parler de moi.

Je pratique la répression imaginaire (en pensant ce que l'autre va dire ou penser de moi).	Je ne prête pas d'intention à l'autre. Je n'interprète pas son comportement.
Je reste trop centré sur le discours ou le problème.	Je reste centré sur la personne.
Je pense souvent à la place de l'autre.	J'invite l'autre à dire avec ses mots à lui.
J'ai plaisir à argumenter, à convaincre, à contrer, à me justifier.	Je peux simplement partager, échanger. Ne pas confondre la confirmation et l'accord.
Je disqualifie, je dévalorise ou je porte des jugements de valeur.	Je donne mon point de vue.
Je recherche trop souvent l'accord, l'approbation.	Je prends le risque d'un désaccord.
Je cherche la semblance, la fusion...	Je peux me différencier, me positionner dans mon altérité.
Je confonds trop souvent désir et réalisation.	Je différencie mieux mon désir de la réalisation de mon désir.
Je mélange fréquemment sentiments et relation.	Je sépare mieux ce qui est de l'ordre des sentiments et ce qui est du registre de la relation. Je reconnais les sentiments qui m'habitent et ne les confonds pas avec la relation que je propose.
J'essaie de comprendre, d'expliciter.	Au-delà des mots, j'utilise des outils et je me réfère plus souvent à des règles d'hygiène relationnelle. Je cherche surtout à entendre.
Je confonds écouter et répondre.	Je me donne le temps d'écouter et, plutôt que d'apporter des réponses, je prends le risque de témoigner.

Le peu que j'ai, je l'agrandis en le donnant !

Vous dire encore quelques-unes de mes toutes dernières découvertes. Je suis toujours impatiente de les noter, car le simple fait de revenir dessus, de me relire, est comme une petite danse intérieure, je bondis, je rebondis à l'intérieur de moi.

Chaque fois qu'un de mes enfants s'enferme dans un comportement ou une conduite répétitive, je sais maintenant, avec une certitude encore un peu inquiète, mais solide, que cela correspond à des conflits inachevés de ma propre enfance qui se réveillent et qui ravivent des souffrances vivaces et insupportables.

C'est cette restimulation en moi (malgré moi) de blessures anciennes qui déclenche des réactions régressives, des colères, des violences et des agressions verbales incontrôlées de ma part. Dans l'instant, ça part tout seul, c'est quasi automatique. Comme si l'un ou l'autre de mes proches appuyait sans le savoir sur un bouton et qu'une connexion instantanée s'établissait avec un souvenir, une situation passée qui explose d'un seul coup. Je disais dernièrement à mon mari : « Cela va plus vite que la vitesse de la lumière. J'ai découvert un phénomène terrestre plus rapide que la lumière, une quasi-instantanéité. » Je ne sais par quels chemins spécifiques, par quelles synapses particulières l'information émotionnelle circule, mais je fais plus que « démarrer au quart de tour » comme me le signale ma fille Lucie.

Aussi j'apprends progressivement à leur parler de l'enfant que j'ai été. Je fais successivement apparaître le bébé, la petite fille, l'adolescente, « mademoiselle âge tendre », pour arriver à la femme adulte que je suis. J'invite leur père à faire de même. Pour l'instant il résiste gentiment, se protège encore, ne souhaite pas dévoiler ou révéler les multiples facettes de son enfance. Il a appris à ne pas se laisser atteindre... « À ne pas se laisser avoir, comme il dit souvent, par les sentiments ! À quoi ça sert de remuer le passé ? De toute façon, mes enfants ne connaîtront jamais ce que j'ai connu ! »

Ce qu'il a connu, je n'en sais qu'une toute petite partie. Il se rétracte aussitôt quand je tente de le faire revenir sur son passé. Son adolescence, jardin secret farouchement interdit, semble une blessure à vif chez cet homme chaleureux et fantaisiste.

Oui, mon partenaire semble en apparence moins vulnérable que moi, et cependant, je redoute le jour où la carapace des apparences va craquer chez lui. Ce sera sans doute un véritable raz de marée. Je sens, j'imagine tant de violences retenues, d'injustices subies, tant et tant de silences imposés en lui, par lui-même surtout !

Vous avez intitulé une de vos premières conférences à laquelle j'ai assisté « Quand il y a le silence des mots, se réveille alors la violence des maux ». C'est devenu pour moi presque un aphorisme, tellement je trouve ce constat juste et sensé. Je sens en effet combien les maux crient en nous dès que nous refoulons l'indicible dans les limbes de l'oubli.

Laurent contrôle tout, se défend contre toute faiblesse, fuit tout abandon, retient toute expression d'un ressenti intime et il somatise ainsi à petit feu, à petits pas, à grand silence. Pas de gros trucs, mais une multitude de petits bobos, rhumes, allergies, aigreurs, douleurs voyageantes.

J'aime cet homme dans sa vulnérabilité sans cesse cachée, niée, déplacée dans un « hyperactivisme » tous azimuts. Il s'emballe souvent, s'engage, se démène, agit, réussit et repart sur autre chose de tout aussi emballant. Son propre enthousiasme le nourrit.

D'accord, vous allez encore me dire que je parle sur lui et que je pense pour lui ! Mais je ne peux m'en empêcher, car j'ai l'impression qu'il passe trop souvent ainsi à côté de lui-même ! Je m'intéresse à lui et à son devenir autant qu'au mien. Sa vie influe beaucoup sur la mienne et la mienne sur la sienne, mais pas assez à mon goût ! Il me donne souvent le meilleur de lui et je voudrais que tout ce bon qu'il m'offre, il puisse se le donner aussi à lui-même.

Je fonctionne souvent, dans mon écriture, par association libre ; si j'étais en psychanalyse, mon analyste serait ravi !

J'ai besoin de revenir sur mon propre désir, qui veut que mes enfants puissent cultiver plus d'amour de soi… en eux. J'ai envie qu'ils apprennent à s'aimer mieux qu'ils ne le font. Mais comment leur apprendre à accueillir le bon de la vie, à capter le positif de toute situation ou de toute autre relation ?

Comment les éveiller à savoir reconnaître le merveilleux, le doux, le tendre quand il est accessible et présent dans leur vie, alors que trop souvent ils passent à côté ou le piétinent sans même le percevoir ? Comment leur faire découvrir qu'ils peuvent aussi le dégager, tout ce bon, quand il est enseveli sous la médiocrité, sous le laid ou sous la violence de la banalisation ? Quand il est enfermé sous la gangue des apparences ?

Pour l'instant, je les invite le plus souvent possible à reconnaître leur ressenti, qu'il soit positif ou négatif. J'ai remarqué que cela les aidait à projeter moins d'accusations ou de jugements de valeur sur autrui et aussi à moins entretenir de ressentiments et d'accusations en eux ! Mon fils Arnaud me disant : « Je suis triste que Noémie ne soit plus ma copine. J'ai de la jalousie en moi depuis qu'elle fréquente François ! » Je trouve cela formidable. Et mon autre fils, Simon, répondant : « Ouais, les nanas ne savent jamais ce qu'elles veulent, on ne peut pas discuter avec elles, elles sont nazes ! Elles ne méritent pas qu'on s'intéresse à elles ! » Simon me désespère. Enfin, un peu. Il me fait penser à son père qui ne peut s'empêcher d'ironiser, de disqualifier gentiment ou froidement les femmes devant ses amis. Ainsi, Simon se protège déjà de la souffrance possible venant des filles. Il les redoute et les recherche à la fois en les agressant.

Comment apprendre à mes enfants à restituer, à remettre chez l'autre ce qui n'est pas bon pour eux ? Comment les initier au b.a.-ba d'une écologie relationnelle élémentaire qui leur servirait de référence, de point d'appui ? Comment leur enseigner à ne pas se blesser au négatif de la vie ? Comment les inviter à ne pas garder toutes les petites violences, les disqualifications, les jugements dont ils sont si souvent l'objet de la part de leurs enseignants, de leurs copains, de notre parenté même ? Simon, lui, sait très bien faire cela. Chaque fois que je crie, que je dépose sur lui une violence verbale, il arrive aussitôt avec un petit caillou qu'il remet dans le compotier du salon. « Maman, je te rends ta violence, elle n'est pas bonne pour moi. »

Et il repart léger, comme si pour lui l'incident était terminé, alors que moi, je rumine des heures sur mon incapacité à me contrôler, sur les excès de mon intolérance ou sur la justesse, «quand même», de ma réaction. «Enfin, c'est normal que j'intervienne quand même! On ne peut pas les laisser tout faire! Plus tard ils ne sauront pas se tenir... Et puis de quoi j'ai l'air si j'accepte n'importe quoi d'eux!» Ces moments de bla-bla autoflagellant m'épuisent et laissent toujours un goût d'amertume sur l'image de mère que je me sens devoir proposer à ma famille!

Certains jours, le compotier de petits cailloux est à moitié plein! L'autre jour, Simon a voulu me rendre deux cailloux à la fois. «Comme tu es de mauvais poil aujourd'hui, je préfère te rendre une violence en avance! Je suis sûr que tu vas encore crier sur moi pour n'importe quoi! Avec toi vaut mieux être prudent.» J'ai résisté. Je ne voulais pas me laisser définir une fois de plus par un moutard de 10 ans, me laisser enfermer dans une image stéréotypée de mégère qui hurle pour un oui ou pour un non. «Non, non, tu me la rendras juste au bon moment, si c'est nécessaire!» Durant trois jours, il est resté avec son caillou dans la poche. Il me le montrait en riant! La vie est belle. Le compotier est moins rempli! Je commence à m'admirer... un peu, juste un peu pour ne pas trop avoir à le regretter.

La révolte, c'est le moment où l'on ressent la honte
d'être un homme.

GILLES DELEUZE

Quand ma fille Lucie, qui est en troisième, a remis à son professeur d'anglais le jugement négatif qu'il avait déposé sur elle, j'ai senti que je touchais à mes limites dans le domaine de la communication relationnelle. Elle a écrit sur un bout de papier, en français et en anglais, la phrase qui était tombée sur sa tête et qui l'avait blessée : « Décidément, tu ne comprendras jamais l'anglais, tu préfères certainement cultiver l'argot ! », et l'a restituée à son professeur, accompagnée du commentaire suivant : « Je vous rends votre jugement de valeur. Il n'est ni bon ni juste pour moi ! »

J'ai dû affronter cette dame qui, m'ayant convoquée « pour me parler des agissements inacceptables de ma fille », m'a dit qu'elle ne supportait pas ce type de « chantage » ! « Alors maintenant, sitôt qu'on va leur dire quelque chose, qu'on va leur faire la moindre remarque, ils vont comme cela nous la rendre ? Nous jeter à la figure nos propres paroles ? Vous vous rendez compte des conséquences, on ne pourra plus rien leur dire ! Et vous pensez certainement qu'il faut les laisser tout faire ! Si c'est comme ça que vous les élevez, ne vous plaignez pas du résultat ! »

J'ai été quand même stupéfaite d'autant de SAPPE d'un seul jet. Et moi, sans me décourager, calme (tout au moins au début) : « Oui, si vous prenez le risque de leur dire des choses négatives, mes enfants ont appris qu'ils peuvent remettre chez l'autre sa propre évaluation, son propre sentiment et son propre jugement s'ils ne se reconnaissent pas dedans. Ils le font d'ailleurs couramment avec nous. Ils n'hésitent pas à nous dire : "C'est comme ça que vous me voyez ! Je vous rends votre regard, ou votre point de vue sur moi, je ne peux rien en faire !" »

Je voyais le prof d'anglais dodeliner de la tête, refusant de laisser entrer en elle de telles inepties. J'ai poursuivi, toujours calme, empathique : « Vous avez certainement le droit de leur dire ce que vous pensez, ce que vous ressentez. Mais pouvez-vous accepter que c'est bien votre regard, votre perception à vous ? Qu'ils ne sont pas idiots ou bêtes parce que vous les voyez, dans un moment d'irritation ou de lassitude, idiots ou bêtes ? Pour reprendre une partie de votre commentaire, je vous rejoins tout à fait. Il ne s'agit pas de les laisser tout faire, mais bien de témoigner de notre position d'adultes en parlant de nous, de notre ressenti et non en parlant sur eux. Il me semble que c'est bien de notre responsabilité de nous positionner positivement avec eux... »

J'avais du temps, je me sentais diserte, pédagogue, confiante. J'ai pu lui témoigner que justement, actuellement je remettais en cause ma façon de les élever et que dans cette phase de tâtonnements, d'erreurs, de transition, rien n'était facile à vivre, ni pour nous les adultes ni pour les enfants. Qu'il y avait encore beaucoup de malentendus, de défaillances et de pièges subtils, mais que les uns et les autres dans notre famille, nous avancions pas mal ! Qu'il y avait depuis quelques mois plus de fantaisie, d'humour et de tendresse entre nous, moins de tensions. Je voulais détendre un peu plus notre échange, créer une réciprocité de partage entre femmes ! Je me sentais prête à faire alliance avec elle, car je peux imaginer le cirque que peuvent faire 28 élèves comme Lucie ! J'ai cru un instant que mon positionnement passait, qu'elle allait se détendre, s'ouvrir, changer de registre. Illusion de mes sens abusés ! Déception une fois de plus dans mon désir de bien faire... pour l'autre !

Lippe très *british*, le professeur d'anglais m'a quittée sur une dernière disqualification (vive le système SAPPE !) : « Ah bon ! Si vous croyez qu'avec votre méthode tout va s'arranger, que les enfants d'aujourd'hui vont changer de comportement, eh bien je vous souhaite bonne chance ! » Et le coup du sabot de l'âne : « On en reparlera à la fin de l'année. Et il ne faudra pas venir pleurer après le Conseil de classe, si votre fille ne passe pas parce qu'elle a des résultats insuffisants ! » Tout cela avec un ton suffisant, et convaincue de son bon droit.

Ah ! C'est le pied les rencontres professeurs-parents, j'adore ! Il y a quelques mois encore, je me serais sentie blessée ou infantilisée, complètement à plat. Mais là, j'imaginais pour le lendemain, en riant à l'intérieur de moi, une manifestation de parents silencieuse (et digne) devant le portail du collège avec un panneau disant : ENSEIGNANTS DE TOUS LES PAYS, FORMEZ-VOUS LES UNS LES AUTRES. Peut-être que je m'y lancerai un jour ! Le soir même j'entendais à la radio le ministre de l'Éducation nationale reprochant aux enseignants de suivre trop de formations (et donc d'être absents) alors qu'ils disposent de quatre mois de congés. Mais à quoi se forment-ils en dehors de leurs congés ?

Peut-être faudrait-il, nous les parents, descendre dans la rue, se mettre en grève pour qu'on enseigne un jour la communication à l'école. Oh ! non pas la pensée unique, non pas un langage commun, mais des balises communes, des points de repère acceptables par les uns et les autres pour une mise en commun plus vivifiante, plus respectueuse aussi des ressources et des limites de chacun. Je crois que j'accepterais bien de militer dans une organisation ou un parti qui défendrait ces points de vue.

Il est arrivé une aventure semblable à Isabelle, qui suit des cours par correspondance pour préparer un concours administratif. La correction d'un devoir de français lui est revenue assortie de cette remarque à l'encre rouge : « Atteinte de logorrhée textuelle ». Isabelle s'est sentie blessée. Dans un premier temps, elle a cherché le mot dans *Le Petit Robert* : « Flux de paroles inutiles. Besoin irrésistible, morbide de parler. » Cette annotation à connotation psychiatrisante a soulevé chez elle, outre de la colère, le désir de baliser autrement sa relation au professeur.

Aussi, appliquant une de nos règles d'hygiène relationnelle favorites, elle a retourné le devoir suivant, avec cette même phrase, en entourant le mot logorrhée afin d'en restituer la disqualification à son auteur. Trois jours après, elle recevait la réponse suivante du professeur qui sans état d'âme lui répondait : « J'ai vérifié la définition du mot logorrhée, je persiste à penser que j'avais raison. Par conséquent, je maintiens mon appréciation. »

La confiance d'Isabelle en son professeur a été considérablement ébranlée ce jour-là. Elle a pu, bien sûr, en rire avec nous, mais soutenue par nos propres rires elle a renvoyé le mot LOGORRHÉE avec une note précisant qu'il ne s'agissait pas pour elle de contester la définition, mais bien de renvoyer le jugement de valeur que cette appréciation contenait. L'échange s'est arrêté là. Les corrections suivantes portèrent essentiellement sur la grammaire, le style, la construction des devoirs. Rien n'était gagné avec cet enseignant, seulement un petit pas de plus sur le chemin du respect de soi.

La véritable révolution dans l'enseignement surgira le jour où les enseignants arrêteront de parler sur les enfants, quand ils renonceront aux jugements de valeur et aux disqualifications, quand ils prendront enfin le risque de parler aux enfants en exprimant leur ressenti.

5

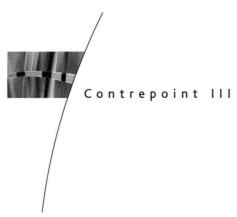

Contrepoint III

L'éducation des enfants a toujours été la grande affaire de ma mère. Elle a lu plein de trucs là-dessus. Tous les Rambo de la relation depuis le Dr Spock, Laurence Pernoud, Françoise Dolto jusqu'aux plus récents, Brazelton ou même les plus obscurs tels que Salomé !

Son rêve de jeune mère était de « nous élever, de nous pousser à grandir pour que nous puissions devenir autonomes, indépendants, auteurs de nos vies respectives ». Le hic, c'est qu'on était justement dépendants et qu'à certains moments on voulait même le rester. Parce que c'est vachement cool et bon d'imaginer que nos parents sont là pour nous, et seulement pour nous. C'est le pied d'espérer qu'ils vont répondre « présents » à toutes nos demandes, qu'ils vont régler aussi toutes nos difficultés, enfin celles qu'on veut bien leur laisser ! D'ailleurs, les enfants d'aujourd'hui sont tellement désirés, tellement attendus, conséquence de la contraception, à quelques défaillances près, qu'ils s'imaginent avoir tous les droits.

Ça leur paraît normal que les parents qui les ont programmés fassent tout pour eux. À l'école, j'en connais plusieurs qui rançonnent leurs parents pour un oui, pour un rien. « J'ai besoin de 100 francs, tu veux pas me les donner, je les prends quand même, j'ai pas demandé à vivre moi ! » « Quand on a été désiré, quand on est aimé, on nous doit tout. Tu me dois un blouson Chevignon, couleur bronze, sinon ça vaut pas le coup de l'acheter ! »

Dans ma classe, beaucoup ne supportent pas un refus. À la moindre frustration, ils cassent tout. Un refus, pour eux, c'est une agression, alors ils cognent. Quand le ministre de l'Éducation nationale nous a fait parler sur la violence, en début d'année, j'en ai entendu de belles. « Moi, quand j'ai envie de quelque chose, je ne m'abaisse pas à demander, je le prends. Je ne vais pas attendre qu'on veuille bien me le donner. J'ai pas que ça à faire ! » « Quand t'es pas content tu cognes, tu discutes après. D'ailleurs t'as plus besoin de discuter après avoir cogné, l'autre a compris. » « Quand t'es pas le plus fort, tu t'arranges, tu vends de la poudre pour les plus costauds, après ils te défendent, t'es devenu toi aussi un crack ! » « L'essentiel dans la vie, faut pas se faire baiser. Quand tu l'as dans le cul, c'est trop tard. Faut se réveiller avant ! »

Dans cette matinée, j'ai découvert que la violence c'était pas que les coups et qu'il y avait plein de violence dans les attitudes, les comportements ou même les mots. D'ailleurs, les mots, on ne les utilise plus beaucoup pour communiquer mais pour se les jeter à la figure. Dans la cour de récréation ou à la sortie de l'école, on se sert des mots pour se taper dessus, pour se faire le plus de mal possible !

Mes copains de classe, ils n'ont pas appris, me semble-t-il, ce que Maman nous répète sans arrêt : « qu'il ne faut pas confondre désir et réalisation ». Beaucoup passent directement, sans état d'âme ni transition, du désir à la satisfaction : « J'ai un désir, il doit se réaliser, sinon je me fâche ! » Ils ne semblent pas connaître la tendresse non plus. Pour eux, c'est de la faiblesse, du sentimentalisme. « Les sentiments, c'est bon pour ceux qui n'ont pas de couilles. » « Avec des sentiments, t'es baisé à tous les coups. » Ou alors c'est du bidouillage : « Avec les nanas, tu les laisses croire que tu en pinces pour elles. Elles aiment ça, un petit coup de sentiment, tu vaporises et elles s'amollissent. Elles peuvent dire à leur copine "il m'a dit qu'il m'aimait, que c'était pas seulement pour s'embrasser…" » J'ai l'air d'un con pas sincère quand je dis à Céline que je l'aime. J'ai peur qu'elle croie que je fais comme les autres. J'ai voulu vérifier :

— Est-ce qu'il y a un garçon qui t'a déjà dit qu'il t'aimait ?

— Ah bon, tu crois que tu es le seul ?

C'était mal parti, ma tentative d'échanges.

Quand je rentre à la maison, je débarque en fait d'une autre planète. Maman nous a expliqué que de son temps, dans les intercours, on ne sortait pas du collège. Aujourd'hui, tout est ouvert, le marchand de frites en face ne gagnerait pas sa vie s'il ne vendait que des frites.

Le plus difficile, c'est de savoir qu'il y a toute cette merde qui nous attend et de faire comme si on ne savait pas. Mais ça pue ! Alors faut se rendre insensible pour survivre. Le blindage commence tôt, même les petits qui arrivent en sixième, j'ai l'impression qu'ils ont déjà vécu plus que moi !

C'est Papa qui a repris l'idée des casquettes, parce qu'il ne pouvait pas porter les boléros de Maman, pour nous montrer qu'il y avait aussi plusieurs personnes en lui. Il a rapporté cinq casquettes américaines sur lesquelles il a inscrit au marqueur : Père, Papa, Professionnel, Mari-de-votre-mère, Ex-enfant. Quand il revenait du travail avec sa casquette marquée Professionnel, lui qui passait sa vie à écouter les autres, il n'était jamais disponible pour nous. Mon frère râlait. « C'est pas le moment de lui parler ! Il est disponible pour les autres, mais sa famille passe en dernier. »

À table, Papa n'osait pas porter sa casquette sur la tête, alors il la fourrait sous ses fesses. Il hésitait souvent entre la casquette « Papa » et la casquette « Ex-enfant ». En revanche, sur le divan, devant la télé, quand il se serrait contre Maman, il mettait la casquette « Mari-de-votre-mère » ! Cela voulait dire : « Évitez de nous déranger, vous voyez bien que nous sommes occupés. »

Mon frère, fidèle à lui-même, résistait à tout changement. « La communication relationnelle, j'en ai rien à foutre… Je veux une famille normale, criait-il, une mère que je peux accuser quand je le veux de ne pas être une vraie Maman ! Un père que je peux admirer devant les copains en leur disant tout ce qu'il sait faire, mais que je peux critiquer à volonté à la maison parce qu'il ne comprend jamais rien à mes vrais besoins ! D'abord un père qui cherche à vous comprendre, c'est nul ! C'est vraiment nul ! Chacun à sa place. Je ne veux pas de mélange. À l'école, on a tous des parents à problèmes. Le conseiller éducatif a dit un jour à Albert "qu'on portait tous sur nos frêles épaules les faiblesses, les manques et les salades de nos parents". Mais nous, les nôtres, ils veulent les résoudre tout seuls leurs problèmes ! Ils veulent pas être un problème pour leurs enfants. Je vais avoir l'air fin moi, avec les copains, si je ne peux plus accuser mon père ou ma mère, si je ne peux plus dire du mal d'eux ! »

Ma sœur, au contraire, elle se sert de tout ce qu'elle apprend et l'utilise même auprès de ses amies. Elles ont formé dans sa classe un groupe que les autres appellent les DOLTONIENNES ou les DOLTONAZES, ça dépend des jours. Elles lisent plein de bouquins de psychologie. Elles découpent des articles, elles réfléchissent sur le sens de la vie, sur les vies antérieures et les vies intérieures ou sur comment être un bon compagnon pour soi-même sans emmerder les autres ! Elles ont comme règle : « On peut régler tous les problèmes par les relations, il suffit d'apprendre à communiquer. »

Elles se font jeter par les autres, mais on les envie quand même un peu, surtout depuis que Marie, une fille de leur classe, a arrêté de prendre de la poudre.

J'ai entendu Lucie et Maman en parler entre « femmes » dans la salle de bain. « Tu comprends, Marie elle avait commencé à sniffer depuis que son oncle n'arrêtait pas de la tripoter. Nous, on lui a expliqué qu'on pouvait restituer quelque chose qui n'était pas bon pour soi. Même si ça n'a pas bien marché avec le prof d'anglais, moi j'y crois. D'ailleurs, depuis que je lui ai rendu sa phrase, elle me fout la paix, cette chipie anglophile ! J'ai pu dire à Marie que si on a reçu une violence physique, morale ou verbale, on peut la redonner à celui qui nous l'a déposée dessus. Y a un copain qui lui a découpé dans du contreplaqué deux mains et un zizi qui symbolisaient la violence de l'oncle. Marie a hésité deux mois, puis elle a fait un paquet avec les mains et le zizi en contreplaqué dedans, et un mot qui disait à l'oncle : "C'est une démarche symbolique, par laquelle je te rends toute la violence que j'ai reçue dans mon corps de petite fille quand tu me tripotais et que tu m'obligeais à toucher ton sexe, qui n'est pas beau et qui sentait le lait caillé !" » Maman n'a pas bronché. Je ne savais pas que le sexe des adultes sent le lait caillé. Depuis, j'ai renoncé au yaourt !

« Au début, Marie ne voulait pas, parce qu'elle avait peur que sa tante ouvre le paquet, et surtout le petit mot, et que ça déclenche un drame dans la famille. Surtout que son oncle, c'est le frère préféré de sa mère ! Si elle apprenait tout ça, elle risquerait d'en vouloir à Marie. C'est d'ailleurs pour ne pas faire de la peine à sa mère que Marie n'a rien dit. » Maman, dans la salle de bain, elle a été super. Elle ne s'est pas affolée, elle écoutait Lucie lui raconter comment ils ont accompagné Marie jusqu'au bureau de poste pour envoyer le paquet, en collissimo pour qu'il arrive plus vite.

— Et pour la drogue ? a demandé Maman. Comment ça s'est passé ?

— Là, on a utilisé l'écharpe relationnelle. J'ai expliqué à Marie, continuait Lucie, qu'elle était dépendante de sa drogue, donc, il fallait qu'elle s'occupe de sa dépendance, qu'elle en prenne soin ! L'écharpe représentait sa dépendance. Donc, c'était normal qu'elle s'en occupe parce que personne d'autre ne pouvait s'en occuper à sa place. Au bout de trois semaines, elle a pigé. Elle a vraiment compris qu'elle sabotait elle-même sa vie.

D'après Lucie, Marie a donc porté pendant plusieurs mois l'écharpe autour de son cou ou de sa taille. «Elle a aussi fait le coup du cinéma ! » Maman et Lucie se sont mises à rire en même temps et je n'ai pas bien entendu la suite. Ce que j'ai compris, c'est que Marie est allée seule au cinéma et qu'elle avait pris deux places, une pour elle et une pour sa dépendance, et que depuis, elle ne touchait plus à la drogue.

Les Doltoniennes, là, elles ont marqué des points. Si ça continue comme ça, au collège, ce sera pire qu'à la maison ! Ils ne vont plus rien apprendre et se passionner pour la communication. C'est peut-être pour cela que la communication n'est jamais enseignée à l'école. Les profs, ils ont peur que ça détrône les autres matières, qu'on finisse par les trouver inintéressantes et ridicules. C'est déjà un peu le cas d'ailleurs !

Nous, dans notre classe, on n'en est pas là ! Avec la violence qui domine, c'est chacun pour soi, le moins d'emmerdes possible. On a des relations de zombis entre nous, on se croise, on fait le minimum avec ceux qui ne sont pas nos copains directs. Un copain direct, c'est quelqu'un qui n'a pas d'autre copain que toi.

J'ai quand même osé, stimulé par ma sœur, une petite tentative relationnelle avec un prof. Je me suis fait jeter ! Un matin, j'ai apporté un microphone au prof de maths et je le lui ai montré. «Ça, c'est mon besoin de parler. Ici, dans cette classe, chacun pourrait ainsi apporter un objet qui symboliserait son besoin prioritaire, on en a plein de besoins et vous aussi vous pourriez nous montrer votre énorme besoin… » Là, j'ai commis une gaffe. Comme il a un peu d'embonpoint, il a cru que je me moquais de lui ! Je me suis repris : «… votre besoin important d'avoir du silence, d'obtenir notre écoute, notre disponibilité. Comme ça, ce serait plus clair entre nous. On saurait qu'on va passer ensemble plus de 10 mois dans une relation de conflits de besoins. Nos besoins face aux vôtres ! » Le prof n'a pas perdu la face, il m'a rétorqué : « Ton besoin de parler, tu ne pourrais pas aller le déposer dans le vestiaire jusqu'à l'intercours ! » Tout le monde a ri, moi aussi. Mais la semaine après, c'est Robert qui a réagi : « Vous ne pouvez pas continuer comme ça à nous bâillonner, à nier, à exclure nos besoins sans arrêt ! Il faudra bien un jour en tenir compte ! » À partir de là, la discussion s'est ouverte. Ce jour-là, on n'a fait qu'une demi-heure de maths, mais c'était pas du temps perdu ! Y a eu moins de bagarres et de tensions à l'intercours. De toute façon, il faut que je vous le dise, je désespère de l'école. Et encore je ne suis pas dans une zone d'éducation prioritaire. La concierge du collège, la mère Léa, elle nous appelle par nos prénoms. Elle nous connaît tous et on connaît sa petite fille, mais il paraît qu'ils ne veulent pas lui agrandir la loge et qu'elle va demander une autre affectation, parce que sa fille grandit et qu'elle a besoin d'une chambre à elle. Je suis sûr que si notre concierge s'en va, c'est la violence qui va entrer encore plus au collège ! La mère Léa, personne ne lui tague ses murs, on ne crache jamais devant sa porte et personne ne se moque d'elle, c'est pas pareil au lycée de Lucie.

Mon collège n'est vraiment pas un lieu où on peut communiquer. On se jette des mots à la figure comme si on aboyait les uns après les autres. Au moindre désaccord, c'est des insultes et des coups. On ne se parle pas, on se balance des vannes. Le prof de français a beau nous dire : « Vous ne construisez pas des phrases, vous jouez au ping-pong avec les mots », ça ne change rien.

Enfin, tout ce que j'ai raconté sur la révolution relationnelle qui s'emballait à la maison commence à s'apaiser un peu. On n'est pas revenu aux pratiques d'avant, mais on n'en est plus à se jeter sans cesse des « règles d'hygiène relationnelle » à la tête, à sortir l'écharpe relationnelle ou des objets symboliques, ça se calme un peu !

Mes parents, de vrais enfants parfois, se sont apaisés ! Sitôt qu'ils découvraient quelque chose de nouveau, ils se jetaient dessus comme le sida sur des zizis sans préservatifs, aujourd'hui ça leur passe. Le système SAPPE (Sourd, Aveugle, Pernicieux, Pervers, Énergétivore) résiste bien, mais la méthode ESPERE, celle qu'ils veulent pratiquer avec nous, commence à produire des résultats. Je remarque aussi qu'elle semble durer plus longtemps que tous les autres changements introduits ces dernières années.

L'homme descend du songe.

DANIEL MERMET

Au-delà de mes sourires et de mes rires, par moments quand même, je désespère ! Dans ces cas-là, je n'ai plus d'humour ni de tendresse, mais une rage rentrée, des accusations muettes (les plus terribles), des reproches à fleur de dents !

Depuis que j'introduis, d'une certaine manière, une autre façon d'être au monde dans ma famille, les répercussions sur l'entourage immédiat, l'école, les parents, les amis, sont catastrophiques. Tout se fige. Tout se bloque, se rigidifie. D'un seul coup tout semble plus compliqué. Tout est source de problèmes. Avant, c'était plus simple. Douloureux, chiant, épuisant mais relativement simple.

Avant de mettre en pratique votre sacrée méthode ESPERE, mon aveuglement antérieur me protégeait d'une certaine façon de beaucoup de confrontations (et de déceptions) possibles.

Je ne bousculais rien, je ne dérangeais pas et je ne menaçais personne puisque j'entretenais et collaborais sans même le savoir à tout ce qui ne me plaisait pas. Je râlais, je m'opposais un peu mais je lâchais prise avec des concessions, des compromis (qui ne sont jamais loin des compromissions). Je gardais le moral avec des pseudo-réassurances que je mettais en place moi-même. J'avançais, têtue comme une mule, tournant autour du tourniquet, faisant remonter inlassablement l'eau de l'espérance pour irriguer le présent et un peu d'avenir.

J'ai vécu des décennies avec l'espoir que, de toute façon, les autres allaient changer, que les malentendus n'étaient que provisoires, que c'était à moi de comprendre, d'arranger, de faire preuve d'optimisme.

Aujourd'hui, aux yeux de mes amis et à ceux de mes parents, je déraille complètement. Ils vivent mon changement comme une trahison de ma part, un passage difficile, voire une folie.

Je n'appartiens plus à leur clan. Toute complicité, tout humour ou tentative de rapprochement, même de simples partages, s'avèrent de plus en plus difficiles. La tendresse n'a plus de place dans nos échanges. C'est la phase aiguë du refus, d'un rejet global sans discussion possible. C'est moi l'anormale, la trouble-fête, l'empêcheuse de ronronner en rond.

Certains imaginent que je suis dans une secte ! Ils me le disent crûment : « T'es envoûtée, c'est pas possible ! Tu n'es plus toi-même. Reviens à toi… » J'entends au travers de ces remarques qu'ils me demandent à leur façon : « Ne change pas, ne nous bouscule pas, reviens-nous comme tu étais avant ! Arrête de nous inquiéter inutilement. » Vous l'avez mentionné et souligné moult fois en cours de formation et dans des articles : « Toute tentative de changement en matière de relation réactive de façon intensive le système SAPPE, le relance plus vivant qu'auparavant et semble lui redonner encore plus de tonus ! » Je suis servie au-delà de tout ce que je pouvais anticiper. Si j'en avais le courage, je noterais de véritables morceaux d'anthologie style le venin du bon apôtre : « C'est bien ce que tu fais, c'est courageux, mais tu ne crois pas que cela risque de déstabiliser mentalement (ou affectivement, ou socialement) ton mari et tes enfants… ? » « Tout à fait d'accord, tu as le droit (ils m'accordent le droit !) de vouloir que ça aille mieux dans ton couple et avec tes enfants. C'est normal, les femmes d'aujourd'hui n'acceptent plus ce que nous avons vécu nous, mais quand même, tu n'es pas à plaindre ! Combien voudraient avoir la moitié, le quart de ce que tu as et s'en contenteraient… »

Je tente courageusement (oui, oui) de cultiver, pour moi et avec mes enfants, les trois moyens que j'ai trouvés de ne pas me laisser trop polluer par tous les messages caca que je reçois de ceux qui veulent me persuader qu'ils sont encore de vrais amis. De ceux qui croient, parce qu'ils m'aiment, qu'ils peuvent continuer à me définir avec leurs peurs, leurs croyances ou leurs désirs. Voilà les trois moyens auxquels je m'accroche non comme à une bouée, mais comme à un remorqueur !

- Je m'offre de retrouver et de garder chaque matin un regard positif sur moi et sur la journée que je vais affronter.
- J'essaie de rester vigilante face à toutes les tentatives qu'entreprend autrui, directement ou indirectement, pour me disqualifier ou m'amener à douter de moi.

Je m'entraîne ainsi à remettre systématiquement chez l'autre son point de vue, s'il me paraît négatif ou pernicieux pour moi. Mais c'est épuisant. Est-ce que je ne deviendrais pas intolérante, car je découvre avec effroi qu'il faudrait « restituer », remettre chez l'autre deux phrases sur trois, si ce n'est plus ? Par moments, tout ce que j'entends me paraît si aberrant que je me demande comment j'ai pu fonctionner ainsi !

Mais le plus pathétique, c'est que je me retrouve, je me reconnais. Je fus aussi à une époque celle qui osait dire ou insinuer : « Mais tu n'y penses pas, tu sais bien que j'ai raison, arrête de te comporter comme une gamine. Fais-toi confiance, laisse-toi infantiliser par moi, je sais mieux que toi ce qu'il te faut, etc. « Depuis que je tente de pratiquer la méthode ESPERE, c'est curieux, le système SAPPE semble redoubler d'intensité, il est partout présent. Il m'envahit comme jamais auparavant. J'en arrive à me sentir persécutée, et le plus étonnant, c'est que les autres aussi se sentent agressés par ma nouvelle façon d'être. C'est une incompréhension mutuelle féroce ! Nous montons à l'assaut des positions de l'autre avec la foi du croisé. Chacun voulant délivrer chez l'autre le tombeau de ses propres croyances. Chacun imaginant que c'est l'autre qui s'égare et qu'il se doit de l'informer, de le guider ou de le redresser. Un cercle vicié, sans fin !

- J'apprends également à mieux entendre chez moi tout ce qui est de l'ordre du retentissement. C'est-à-dire à retrouver ce qui est réveillé et restimulé de mon propre passé par un acte, une parole ou un comportement de l'autre. Et ainsi à le recadrer dans mon histoire. À lui donner une écoute et une place différentes.

Là aussi vous semblez avoir raison. Je vous ai entendu dire en conférence que les enfants sont d'une habileté, d'une créativité incroyable pour remettre à jour à chaque instant l'ex-enfant humilié, blessé et vulnérable qui est en nous. Je le vérifie quasi en permanence tous les jours. Mes enfants semblent être de véritables artistes dans ce domaine ! Ils ne laissent rien passer. Ils sont tombés tout petits dans la marmite du système SAPPE, et pendant des années, j'en ai fait des experts redoutablement expérimentés. Mais je ne peux quand même pas imaginer qu'ils sont, dans ce domaine, plus doués que les autres ! Non, ils sont normalement normaux, des *homo sapienus* pur sucre !

Je cultive aussi, depuis quelque temps, la confirmation. Il me semble que je sais mieux confirmer et témoigner de ce qui me vient de bon de l'autre et en même temps, j'ai appris à restituer plus vite à l'autre son propre regard quand je le sens négatif ou polluant pour moi. Ainsi, quand mon mari me lance un matin :

— Tu ne crois pas que tu en fais un peu trop ?

— J'entends que toi, tu penses que j'en fais un peu trop. As-tu envie de me dire ce que tu ressens, plutôt que ce que tu penses ou imagines sur moi ?

Il m'a donné cette réponse étonnante : « Mais ce que je ressens, c'est ce que je pense ! » Il pense. C'est d'ailleurs une de ses spécialités, penser pour les autres ! Sa compétence professionnelle s'appuie là-dessus. C'est un homme de réflexion, d'analyse et de synthèse. Il est payé pour comprendre et résoudre les problèmes des autres. Et l'essentiel de son existence se justifie ainsi. C'est ce qui m'avait attirée chez lui, sa capacité à réfléchir et à mettre en relation des ordres de faits et d'événements aux antipodes les uns des autres et de leur permettre soudain de prendre sens avec éclat, avec une pertinence sans faille. Il est brillant, efficient, reconnu dans son travail, mais parfois imbuvable avec moi.

Attention, j'arrête, je parle trop sur lui. Bon, mettons en pratique les principes enseignés, je reste centrée sur ce qui m'habite.

J'ai donc découvert que mon mari ressentait avec sa tête ou pensait ses émotions, croyant ainsi les « panser » ! Moi, c'est plutôt avec mes tripes, avec mon ventre, avec la totalité de mon être et de mon intériorité. C'est pour cela que je suis chaque fois ébranlée, touchée au plus profond de moi, sans recul aucun, face aux événements et aux péripéties parfois les plus banales de l'existence.

Le ressenti d'une femme serait-il donc plus charnel, plus « tripal » que celui d'un homme, essentiellement cérébral, construit, analysé, explicité dans une logique sans faille ? Quelle trouvaille accablante, j'aurais dû me marier avec une femme !

Le soir même, nous avons eu une discussion étonnante sur la différence entre :

- ce qu'il pense le renvoie en fait à toutes ses croyances et à ses mythologies personnelles...
- et ce que je ressens ici et maintenant me confronte à ce que j'éprouve, là, dans mon ventre, dans la vibration du moment vécu ou échangé.

C'est fou ce que ce partage, malgré tous les précipices qui bordaient nos échanges, m'a rapprochée de mon mari !

Le fait de découvrir, avec de plus en plus d'étonnement, que nous fonctionnons avec des repères et des certitudes tellement différents, si irrationnels et si paradoxaux, ne m'éloigne pas de lui. Au contraire, il me paraît plus humain, plus accessible. Avec toutes ses différences... il excite ma curiosité et stimule mon imaginaire. Je me rapproche de lui au lieu de le combattre. Je me sens tout émoustillée à l'écoute des mondes qui nous séparent et sur lesquels nous jetons tant de passerelles.

Une utopie est une étoile à l'horizon d'une vie. Même si nous ne pouvons l'atteindre, l'essentiel sera ce que nous allons découvrir au bord du chemin.

Pour revenir un peu à moi (je m'y emploie depuis que j'ai commencé cette démarche de changement), je découvre aussi que les vieux démons ne sont pas morts. Ils reviennent souvent, sournois, rebelles, insistants, parfois omniprésents. Ils viennent me tirer par les pieds, me chuchoter à l'oreille : « Anne, Anne, c'est trop difficile, ce n'est pas à toi de prendre cela en charge. »

L'autorépression que je croyais disparue en moi reprend violemment le dessus. Il faut dire que j'ai tellement malmené mes convictions ! Alors l'autoculpabilisation remet ses moteurs en marche et m'amène à craindre, à douter, à renoncer. Des phrases toutes faites reviennent au galop harceler ma conscience. « Tu n'es pas un peu égoïste de revenir sans cesse à toi ? Et les autres ? Tous les autres qui avaient l'habitude, eux, que tu les fasses passer avant toi ! Ils ne vont pas te pardonner d'être si égoïste avec eux ! Tu pourrais penser plus souvent à leurs problèmes. Ils comptent sur toi, tu le sais… Tu pourrais faire plus d'efforts de compréhension, te montrer plus souple, plus diplomate, plus soucieuse de leurs états d'âme, de leurs malaises. Tu devrais penser un peu moins à toi ! »

Voilà les grands mots lâchés « tu devrais penser un peu moins à toi » ! Cette phrase, telle une injonction immuable, barre la route à beaucoup de mes décisions et de mes pensées. Justement, ces jours derniers, comme je suis pleine de moi, cette interrogation ne me lâche plus les jarretières !

Et en plus, je bute sur une difficulté, pour l'instant infranchissable : mon incapacité à prendre soin d'un besoin, d'un sentiment, d'un ressenti qui m'est propre. Mon mari, par exemple, aime beaucoup la télé, il a une passion pour les films américains : action, aventure, violence. Il adore les polars, les séries B que je trouve idiotes et même débiles.

Moi, j'ai de plus en plus souvent le désir (de plus en plus impérieux !) qu'il regarde moins fréquemment la télé. Je sais, mon désir porte sur le sien ! Mais enfin il m'habite. Quoi de plus normal pour une femme que de désirer plus d'attentions, plus de présence et donc plus de partages possibles avec elle ! Et puis autant ne pas me le cacher, j'en ai plein de désirs sur lui ! Des tonnes de désirs fabuleux ou mesquins. Qu'il n'oublie pas de refermer le tube de dentifrice après usage, qu'il en tortillonne le bout au lieu d'écraser tout le tube. Qu'il vérifie, après avoir tiré la chasse d'eau, de ne pas laisser de traces dans la cuvette. Qu'il change l'ampoule de l'escalier de la cave qui est cassée depuis trois semaines. Qu'il ne me laisse pas faire toute seule la police avec les enfants, qu'il participe aux tâches ingrates : douches, devoirs, rangement, qu'il intervienne, lui aussi, pour qu'ils arrêtent de regarder sans arrêt la télé…

Justement, la télé. J'ai l'impression qu'ils vivent dedans, derrière l'écran avec ou sans écouteurs, et j'attends naïvement que leur père les ramène à la réalité, qu'il les sensibilise à la lecture. Lui qui ne lit que des revues d'automobiles et des revues professionnelles. « Il faut toujours s'actualiser… » Je vous entends dire : « Un vrai mari ! » Et encore là, je n'ai énoncé que des désirs parmi les plus avouables, des désirs de mère de famille, je ne parle pas de mes vrais désirs de femme, secrets, intimes, comme celui que j'ai depuis 15 ans, qu'il me parle avant de faire l'amour, qu'il aille moins vite, qu'il ne sache pas à l'avance où c'est bon pour moi, qu'il se lave les mains avant de me caresser… qu'il s'intéresse à ce que je vis, à ce que je ressens.

Moi qui suis pleine de ressentis ! Je ne pense pas, je n'ai pas le temps de penser, je ne suis qu'une boule de ressentis, un chaos permanent d'émotions, de perceptions chaudes ou froides, d'élans, d'emportements qui me portent ou me tirent vers lui.

Oui, oui, je sais, j'ai un vrai mari ! Un mari qui pense, qui réfléchit, qui sait plein de choses avant ou après, mais que je sens trop inexistant dans l'instant.

Je me sens impuissante face à tous ses manques ! Lui qui a tant de qualités pour les autres, me fait défaut trop souvent.

En fait, j'aimerais tellement qu'il entre dans mon propre désir ! Qu'il arrête de lui-même la télé, qu'il renonce aussi à donner autant d'importance à son usine, qu'il remette plus souvent sa famille d'origine à sa place, loin de nous ! Qu'il s'occupe des enfants sans que je le sollicite ! Qu'il soit plus présent, plus parlant, plus attentif. Qu'il donne moins de son temps à ses copains, surtout à ceux que je n'aime pas. Qu'il dépende moins de l'opinion de son père ! Qu'il soit de temps en temps un vrai père... avec des exigences fermes pour ses enfants. Mais ça, c'est exactement ce qui est impossible pour lui. Je touche ici à une zone d'intolérance. Enfant, il n'a jamais eu de papa, seulement un père terrifiant et tellement exigeant que mon mari redoute encore, à 45 ans, ses «coups de gueule» ! Alors il ne veut surtout pas être vu de la même façon par ses enfants. Il s'accroche à cette préoccupation, il veut trop être un papa pour eux. Un bon, un doux, un compréhensif... «Attention sans laxisme ! Je veux être un papa proche de mes enfants.» Le rôle du père... il préfère me le laisser jouer, sans comprendre qu'il perd chaque fois un peu de sa femme, car je m'use à trop devoir être ce que je ne suis pas ! Ma place dans cette famille n'est pas, je crois, d'être une mère à temps plein. Je souhaite plus d'espace pour être maman, femme et plein d'autres choses encore, car j'ai des appétits de vie qui se réveillent.

Ah ! j'en ai des désirs **sur** lui ! Je vous entends déjà vous écrier : «Le terrorisme relationnel est fondé sur la violence de nos désirs sur l'autre. Il est directement proportionnel à la masse des attentes déçues déposées chez l'autre... ! La base du terrorisme relationnel, c'est le désir explicite ou implicite que l'autre entre dans nos désirs...»

Oui, oui, je sais tout cela aujourd'hui, mais entre nous... je ne dois pas faire passer tellement de mes désirs sur lui ! La preuve, il regarde autant la télé qu'il y a 10 ans ! Il tire toujours la chasse d'eau à moitié, le tube de dentifrice n'est jamais rangé. Son usine reste au cœur de ses préoccupations ! L'opinion de son père est sacrée ! Personne d'autre que lui ne peut le critiquer. Il me laisse gaillardement jouer à la mère (et au père) en sa présence, se gardant bien de sortir de son rôle de papa joyeux, sympathique, compréhensif mais «tellement pris par d'autres tâches plus sérieuses».

Il est affable, gentil, prévenant pour nos amis. Si parfait que je lui sers de repoussoir. Là, je hurle quand même à l'intérieur. J'ai la haine. C'est trop pour moi. Et encore, je ne vous parle que du relationnel, je reste pudique sur le matériel, le ménager, le tout courant, la merde quotidienne ! La gestion au jour le jour du souk, du bazar, les mêmes gestes 100 fois répétés, 100 fois inutiles, 1000 fois indispensables ! La vie au ras des pâquerettes qui ne sont que des ronces défrisées et des chardons masqués.

Je me bats comme une forcenée sur tous les fronts, en aval pour mes enfants, en amont avec mes parents et beaux-parents et à l'horizontale de la vie avec mon mari. Je survis pour eux, pour lui, un peu pour moi. Quand j'entends ma belle-mère dire au plus petit : « Si tu n'es pas sage, le petit Jésus te punira », je frémis à l'idée qu'un tel message puisse s'inscrire en lui. Que Jésus puisse être triste à cause de mon petit bonhomme me remplit de honte pour elle. C'est le Bon Dieu qui doit faire des sauts de carpe sur son nuage en constatant comment on se sert de son fils préféré ! J'ai beau m'accrocher à votre humour et à quelques-uns de vos aphorismes tels que « Malgré les parents, les enfants s'en sortent bien… » ou « À défaut de père, les enfants ont d'autant plus besoin de repères », la réalité immobilisée par tant de contradictions, la réalité qui se fige comme une vieille sauce oubliée… c'est terriblement déprimant. Est-ce qu'un jour on apprendra enfin à l'école la différence entre un papa et un père ? Entre une maman et une mère ? Entre un enfant et un gosse ? Est-ce qu'un jour on enseignera des choses aussi essentielles à la survie d'un couple que cette petite règle d'hygiène relationnelle : ne plus jamais parler sur l'autre pour pouvoir enfin parler à l'autre ? Vous allez me répondre : « Vous pouvez créer en vous un espace de respect. Vous pouvez vous occuper de votre désir de rencontre avec lui, de votre souhait d'échanges, plutôt que de faire la guerre contre la télé, les discours ou les portes claquées sans ménagement ! Vous pouvez dépenser vos énergies dans votre direction. »

Je connais votre rengaine autour de la méthode ESPERE. Par moments d'ailleurs, je continue à sécréter des sentiments négatifs à votre égard. Vous êtes loin, c'est bon, je peux donc vous charger de la responsabilité de tout ce qui ne va pas dans mon couple, dans ma famille et même dans la vie en général. Le système SAPPE a quand même du bon quand je peux le déposer sur vous, ça me soulage.

ᴓ Dans toute ma famille d'ailleurs, en amont, en aval ou à l'horizontale, le salaud c'est vous. Ça irait mieux sans vous, c'est certain, chacun le crie à un moment ou à un autre, ça irait mieux si je n'avais pas commencé ces fichus « stages de déformation aux relations humaines ». « Ce salaud de Salomé et ses salades sur la communication, on n'en a rien à foutre ! On a bien vécu jusque-là sans ses idées ! On n'a pas attendu pour bien vivre qu'il nous apprenne à nous parler ! Qu'est-ce qu'il se croit avec tous ses livres ? On se demande réellement pourquoi les gens les lisent. Il y en a vraiment beaucoup qui aiment se faire du mal à trop réfléchir ! »

Vous êtes devenu dans mon entourage un personnage bien utile sur lequel se déposent quelques-uns de nos ras-le-bol ! Avec vous, c'est pratique, vous pouvez polariser en quelques secondes l'accord et le désaccord de trois générations. J'ai même retrouvé un de vos livres, *Heureux qui communique*, dans la poubelle de la salle de bain ! Bon signe, ça bouge, « si ça se défend à l'extérieur, c'est que ça bouge à l'intérieur. En matière de relations humaines, l'ennemi n'est pas en dehors, il est en dedans ».

Cela dit, je sens en moi de plus en plus d'énergies vivantes. Je deviens quand même de plus en plus énergétigène, au lieu de rester énergétivore pour moi-même ! Tout le monde me voit rajeunie, c'est tout juste s'ils n'imaginent pas que j'ai un amant. « C'est pas possible, tu dois être amoureuse, toi ! Il y a quelqu'un qui t'a changée... » Oui, de plus en plus amoureuse de la vie, de plus en plus amante de l'existence. Et c'est bon ! Je réponds, un brin provocatrice : « Peut-être qu'un jour je prendrai un amant, mais pour l'instant je n'ai pas le temps, j'ai trop à faire, à découvrir comment mieux m'aimer ! »

Malgré toutes mes plaintes, je commence à développer un meilleur accueil de l'autre et surtout de lui, mon mari... dans les espaces de vie où, justement, il n'est pas ce que je souhaite. J'ose lui faire des propositions concrètes, imprévues : repas exceptionnels partagés (sans télé), petits moments d'intimité, sorties fantaisies « à la découverte de... ».

J'ai un panneau « Pause intimité » que je brandis et qui produit un effet instantané. Les enfants, après quelques commentaires narquois ou grivois, se replient dans leur chambre, trouvent des « choses à faire » pour nous laisser seuls ensemble.

Je crée avec lui de plus en plus de temps communs où tous les deux pouvons être disponibles à nous écouter, à nous dire. J'aménage des petits « coins à conversation ». Je propose ces enclaves de communication avec plus ou moins de constance. Je n'y arrive pas toujours quand le plancher du quotidien est secoué par l'inattendu du prévisible : « Maman, j'ai un problème… »

Et je passe, ou je tombe, encore trop souvent dans le réactionnel. Mais le réactionnel, le coup de sang, l'excès de voix et de gestes, c'est aussi ma vitalité. Oser gueuler un bon coup me fait du bien, me montrer injuste, un peu tyrannique, c'est pas mal aussi ! J'en ai besoin de temps en temps. Même si après je galère à rassembler et à recoller les morceaux de mes incohérences et de mes égarements.

Je bute quand même sur un sentiment diffus. Je me sens enfermée, souvent piégée de façon quasi irrémédiable, comme si de toute façon, tout était déjà joué, comme si les rôles étaient figés, préétablis, non interchangeables, et qu'aucun changement n'était plus possible entre hommes et femmes.

Par exemple, mes attentes d'intériorité, de communication d'âme à âme, de partage des ressentis, des émotions, bref, de tout ce que je pressens comme profond et essentiel en moi, sont à l'opposé des attentes de mon mari. Il est plutôt tourné vers l'extériorité, vers le faire, il reste polarisé au seul niveau de l'action, pour l'efficience et la satisfaction du bien-être immédiat.

Laurent semble détester le fait de pouvoir revenir sur un vécu personnel, sur ce qui s'est passé à l'intérieur de chacun. Il a une capacité de dénégation du passé, et même du présent, tous azimuts et tout terrain. Il est hyperconditionné, semble-t-il, à s'investir dans l'amélioration du futur. Je parle sur lui, c'est pas bon, je ne devrais pas ! Mais en fait, j'ai besoin de me dire tout ça à moi. C'est la façon la plus pratique, en parlant de lui, pour que je puisse m'entendre moi ! Est-ce que je l'aurais épousé pour cette raison vitale ? Lui, ne souhaite pas entendre le retentissement permanent du passé en lui. Il préfère prévoir « comment ça se passera plus tard ».

Moi, j'ai besoin de mettre des mots là où il a besoin, lui, de mettre des gestes. J'ai à la fois besoin de me dire (je recherche son écoute, sa disponibilité) et besoin de l'entendre (je me sens ouverte à l'écouter). Je l'invite à s'exprimer, ce qu'il déteste, car ce n'est jamais le bon moment. Il veut « parler quand il en a envie, pas sur commande ! » Ah ! il est habile, le bougre !

Chez moi, la carence de réponse autour de mes deux besoins relationnels essentiels, être écoutée et pouvoir l'entendre, génère une fermeture, un repli, un non-désir de faire l'amour, une difficulté à m'abandonner et, paradoxalement, le refus de créer une intimité avec lui, alors que c'est en même temps ce que je recherche avec le plus de force. Je me sens sensuelle, libertine, mais souvent trop amère contre lui pour entrer dans l'abandon de mon plaisir. Il m'a confié, l'autre jour, une chose étonnante : « Mais pour moi, le contact physique, l'abandon, la rencontre des corps et faire l'amour, c'est la clé. Aucune autre porte ne s'ouvre en moi dans la rencontre avec toi sans cette clé ! » Il semble avoir été élevé dans une dynamique du désir (vouloir, ne pas vouloir) et moi dans une dynamique des sentiments (être aimée, ne pas aimer). Les hommes et les femmes n'ont pas été nourris au même biberon relationnel !

Quand je tente d'explorer le terrain des tâches, des obligations ménagères, moi je me sens dans le devoir de terminer ce que j'ai commencé, de prévoir et d'anticiper tout ce qui me reste à faire ! Je déblaie les obstacles au présent pour tenter de mieux vivre l'avenir proche. Sur ce terrain, je suis dans le non-choix. Je reste prisonnière de tout ce qui reste encore à faire, dans l'impératif d'un « surmoi ménager » qui semble intraitable. Je dois faire avant plein de choses, pour être tranquille après. Mais après quoi ?

Lui, me paraît être dans le plaisir de choisir, dans celui de savourer le résultat, de se valoriser dans sa réussite et de jouer avec le temps à bâtir. Ce n'est pas tant le présent qui l'intéresse, il le consomme, c'est la maîtrise du futur. Mais comment voulez-vous que nous nous rencontrions avec des prémisses aussi éloignées ?

Quand il construit une étagère, il est content pour la semaine, et même 15 jours après, il peut en parler avec enthousiasme à ses amis ! Leur montrer ce qu'il a su faire, les difficultés dépassées, les efforts accomplis, le nombre de clous plantés, la marque de la colle. Pouah ! Il sait, lui, s'autovaloriser, donner un sens à ce qu'il fait ou ne fait pas. Moi, dans les tâches ménagères, dans la foultitude des « choses à faire », le résultat même me décourage presque. L'accomplissement n'est pas une réussite.

La pile de linge terminée ne me donne pas de satisfaction, car je pense déjà aux boutons à recoudre, aux placards à ranger, aux légumes à trier... Je n'ai jamais fini d'imaginer tout ce que je ne finirai jamais !

Parfois, Laurent est quand même gonflé ! Il utilise contre moi, me semble-t-il, les règles d'hygiène relationnelle que je lui ai proposées, alors qu'il les rejetait encore il y a quelques semaines. Il a osé me lancer : « Parle-moi de toi, ne parle pas sur moi... » Même si je suis en colère, je sens mon cœur qui rit. Nous sommes quand même loin du temps où, quand je tentais quelques Je, Je, Je, il me disait, excédé : « J'en ai assez de ces Je, Je, Je. On dirait un vieux moteur qui ne veut pas démarrer ! » À l'époque, je ne riais pas du tout, je le traitais d'esclavagiste « sappien* ».

---

* Pratiquant assidu du système SAPPE.

Cours après moi que je t'attrape.

Vieux dicton amoureux

J'avance ainsi dans ma vie de femme, de mère et même de professionnelle, avec des vérités simples, petits pas impatients sur des chemins nouveaux, petits coups d'ongle dans le cristal des apparences. Je sens bien que la vérité, ou plutôt la valeur d'une relation, se situe toujours en deçà ou au-delà des croyances, des habitudes et des modèles connus.

Avant de vouloir entreprendre un atelier de communication familiale, j'aurais dû commencer par un atelier de relation à soi, par des sessions de changement personnel, par des séminaires d'études approfondies sur les dominantes féminines et les dominantes masculines. J'aurais dû, j'aurais dû... Ce que j'aurais dû est confus, insondable tellement c'est immense et ardu. De toute façon, il m'aurait fallu plusieurs vies avant, tout au moins deux ou trois, pour m'entraîner convenablement et avec moins de risques à ma vie actuelle ! Mais alors, je crois que je ne me serais jamais mariée, que je n'aurais pas eu d'enfants, que je ne serais pas là où j'en suis. N'avez-vous pas écrit quelque part que le couple était « un creuset, un lieu, un espace de mutations extraordinaires. Un temps de possibles inouïs, de découvertes et de changements fabuleux, mais aussi d'errances et parfois de violences » ?

Le difficile, c'est que ces mutations, ces changements ne se font pas en même temps, au même rythme ni dans la même direction pour chacun des protagonistes. Je suis toujours avec lui, mon mari, mon compagnon, je reste proche d'eux, mes enfants, je demeure vigilante et présente à ma famille d'origine, je fais face. Je rencontre, j'accueille mes parents, ceux de Laurent, je voisine, je travaille sur moi, j'avance… et je m'étonne de tenir le coup ! Je peux écrire tout un livre sur mes aventures et mésaventures au royaume ESPERE. Plus je plonge dedans, plus le système SAPPE m'éclabousse, m'agresse et me devient insupportable et douloureux. C'est un voyage sans billet de retour que j'ai commencé, un viatique où le besoin de me respecter, le souci de clarté, de netteté est amplifié à chaque pas. Et quelle récompense à chaque défi relevé ! La liste de mes petites victoires s'allonge, mais celle de mes désolations aussi devant le constat de toutes les incohérences que je découvre autour de moi, voire en moi, encore trop souvent.

Dire aussi que j'apprends chaque jour la relativité et l'humilité. Vous prévenir que toute ma vie a changé depuis que je me prends en charge avec l'aide de vos apports, même si vous m'irritez dans certains passages de vos livres ou de vos articles. Alors je continue à me former au quotidien et je donne à ce mot toute sa portée, tous ses sens. Je prends forme dans plusieurs dimensions de moi. J'avance aussi lucidement que possible entre emballements et découragements, entre épanouissement et galère.

Parfois la tempête gronde, le temps est incertain, tant à l'intérieur qu'à l'extérieur, mais mon enthousiasme reste intact. La vie, la vie me reprend, se resserre autour de moi, m'étreint, me porte et me dépose au plus près de mes possibles. La communication, c'est formidable, quel univers à découvrir, quelle vie à inventer et non plus seulement à colmater ou à réparer !

*De l'écoute active et centrée qui suppose concentration
et paix intérieure à la simple présence sans paroles,
l'art d'écouter réside dans la qualité d'une attention
ouverte. Se faire ouïe pour entendre, au-delà des violences
du désarroi ou des chuchotements du désespoir, les cris du
silence.
Car l'essentielle demande de chacun est d'être entendu,
seulement entendu, simplement entendu.*

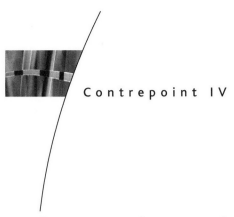

Contrepoint IV

Papa surtout, face à tous ces changements dans la famille, il s'accroche de plus en plus. Il nous parle un peu plus de lui, il parle moins sur nous. Il accepte de ne pas nous couper, de nous écouter et c'est bon de pouvoir s'entendre parler spontanément.

À l'école, on vit toujours dans un système pervers. Je me demande si les adultes s'en rendent compte. Le prof, quand il nous pose une question, il n'attend pas notre réponse, il attend la sienne ou celle du livre. J'en discute avec mes copains, on trouve ça injuste et malhonnête. Quand un prof prend le risque de poser une question, il lui faudrait accepter le risque de la réponse, sinon il ne fait qu'imposer des exigences déguisées, pendant près de huit heures par jour ! Peut-être qu'un jour, les enseignants et nous, on va apprendre ensemble la communication relationnelle.

Quand je discute avec mon copain Olivier, je suis stupéfait de découvrir que ses parents passent l'essentiel de leur temps à le blesser, à diminuer leur fils par des jugements de valeur, des petites phrases assassines, des critiques et des commentaires pour la plupart négatifs sur ce qu'il a fait ou n'a pas fait, sur ce qu'il a dit ou n'a pas dit.

« Je redoute les dimanches et les vacances, car dans ces moments-là, ce sont des reproches à temps plein, m'a-t-il dit, je me sens coincé de partout. Pendant longtemps j'ai attendu un soutien de ma mère. Je croyais qu'elle allait me défendre, se positionner, reprendre mon père, lui montrer qu'il avait tort, que je n'étais pas comme cela. Mais non, elle laissait faire. Le pire, c'est que je me suis mis à la haïr, tellement je lui en voulais de ne pas me défendre, de ne pas être de mon côté. Une année, j'ai senti qu'elle basculait totalement du côté de mon père. J'avais eu des résultats scolaires catastrophiques, elle a décrété que j'étais fainéant, que je le faisais exprès, que je voulais les manipuler. Je ne sais pas pourquoi elle a inventé un truc aussi débile !

« Le plus fou, c'est que mon père a commencé à trouver excessives les remarques de ma mère. Il a tenté de me soutenir, il a commencé par m'accompagner à l'école, il me disait qu'il ne fallait pas m'en faire. Un jour, il a même osé contredire ma mère, ce qui a déclenché une rage folle chez elle. Il a dû faire marche arrière.

« Je survivais au jour le jour en espérant que le lendemain, ça irait mieux. Ma mère, comme elle a tous les soucis, s'imagine avoir tous les droits : elle travaille beaucoup, elle est fatiguée, elle a le droit de crier, d'être injuste et même de mentir quand ça l'arrange. Il faut que je m'arrange pour ne pas "faire d'histoires" ! Je dois me nier sans arrêt. »

J'ai trouvé cette expression terrible. Moi, je préférerais me tuer plutôt que de me nier. Peut-être que mes parents ont senti cela ! Je ne sais pas comment aider Olivier. Il apprend l'escrime. « C'est un sport d'esquive, mais dans ma famille je suis toujours touché plein cœur ! » Maman avait raison quand elle nous disait qu'il existe des enfants qui sont intoxiqués relationnellement. « Il y a des relations qui sont de véritables poisons. Si ça dure trop longtemps pour un mouflet, l'antidote sera difficile à trouver, il en sera marqué à jamais. » Moi, j'aimerais bien trouver un antidote pour Olivier.

À la maison, c'est reparti avec l'histoire du désordre de nos chambres. Là, c'est moi qui suis en première ligne ! Maman, elle ne supporte plus. « C'est pas une chambre, c'est une porcherie, tu vis dans une saleté repoussante… » Je connais ce refrain, ça fait plus de 12 ans que je l'entends presque tous les jours. Alors là, c'est le moment où jamais d'utiliser les outils de la communication. Je me suis adressé à ma mère, parce que dans ces cas-là, je n'ai plus de Maman, mais une sorte de mère-mégère hors d'elle, qui hurle en prenant les cieux à témoin contre la « saleté vivante, incarnée par son fils » ! J'ai pris une bonne respiration, j'ai affermi ma voix : « C'est toi, Maman, qui es gênée par mon désordre, peux-tu faire quelque chose pour ta gêne ? » Elle n'a pas été surprise. « Bon, d'accord, je vais m'occuper de ma gêne. » Pendant deux soirées, elle a cousu une espèce de sac avec deux draps de lit. Elle a fait mettre dessus, par Papa, deux rivets, puis deux crochets dans le couloir.

Le jeudi soir, on a célébré l'inauguration officielle et solennelle du sac des crottes relationnelles de la famille DYMESTROL. Maman, très digne, nous a concocté à sa façon un beau discours sur les contraintes inévitables et nécessaires de la vie en commun, sur le partage des tâches, sur le respect des territoires. Et j'ai vu qu'elle regardait aussi Papa du coin de l'œil. Son discours se résumait pour l'essentiel au fait que dorénavant, elle ne s'occuperait plus d'apprendre la propreté et le rangement aux autres membres de cette famille. Qu'elle ferait, elle, quelque chose pour son propre besoin d'ordre. Que tout ce qui traînerait dans les lieux communs, elle le déposerait, elle, dans le sac des crottes relationnelles de la famille !

— C'est quoi des lieux communs ? a demandé mon frère Simon.

— C'est tout dans la maison, sauf vos chambres. D'ailleurs, à partir d'aujourd'hui je renonce aussi à nettoyer vos chambres.

— Ah, enfin ! a soupiré Papa qui pensait à son bureau que Maman tient à ranger sans arrêt !

Le soupir de Papa n'a pas échappé à Maman. Je ne sais pas si elle tiendra le coup et si elle respectera ses propres engagements ! J'ai remarqué que le plus dur, c'est d'essayer de tenir parole vis-à-vis de soi-même et de ses propres engagements.

À la fin de la semaine, dans le sac des crottes relationnelles, c'était comme chez les Compagnons d'Emmaüs. Il y avait de tout. Lucie hurlait : « Où est mon cahier de récitation ? », Simon : « Où est ma chaîne de VTT et le frein du *skate* que j'avais mis sur le frigidaire ? » et moi : « Où sont mes affaires… de volley ? »

Quand Papa a découvert son Baudelaire relié, édition princeps de 1857, dans le sac des crottes relationnelles, j'ai cru qu'il allait mettre le feu à la maison ! Là, il a vu rouge. Il a boudé sérieusement pendant quatre jours.

Et puis j'ai vu Maman qui faisait briller la couverture en cuir du Baudelaire, pendant que Papa regardait Clint Eastwood à la télé. De toute façon elle n'aime pas la télé et j'ai remarqué que Papa fait plus souvent la vaisselle. L'autre jour, il marquait lui-même sur le papier des courses que le produit à vaisselle était fini. Une action étonnante, chez un homme qui ne gère que des idées.

Le plus étonnant, c'est que trois semaines plus tard, le sac des crottes relationnelles était quasiment vide, à part un ou deux trognons de pommes, de vieux tee-shirts, un masque de plongée, une loupe, des bricoles sans intérêt.

La guerre au désordre s'est terminée en souplesse. Chacun s'occupe de son territoire personnel et ne pollue pas trop les territoires communs. Les quelques débordements s'apaisent d'eux-mêmes. Il y a moins de reproches dans l'air et plus de souplesse dans les rencontres, la vie douce quoi ! La maison a l'air plus joyeuse, ce doit être le printemps.

Lucie a fait un chouette truc depuis que Papa lui a dit un soir : « Mais comment veux-tu que je vienne t'embrasser dans ce capharnaüm ? » Il était resté sur le pas de porte, elle dans son lit, tendant les bras pour le bisou du soir ! Il a refusé d'aller l'embrasser. « Je ne veux pas déranger ton désordre ! » Lucie a simplement dit : « Bon, c'est ton choix… » Papa est resté hésitant parce qu'il aime bien faire la bise-du-soir-à-Lucie. Mais il a tenu bon, elle aussi. Ils ont le même caractère, ces deux-là. Le lendemain, elle avait déblayé juste une largeur de 35 cm entre la porte et son lit. « Tu as vu, Papa, il n'y a plus d'obstacles, pour venir m'embrasser ? » Je crois que Papa a été soulagé d'avoir un moyen acceptable de sortir de l'impasse dans laquelle il s'était fourré. Je ne sais pas combien de jours il aurait tenu si Lucie n'avait pas tracé le chemin à l'aspirateur. Des fois, les parents prennent des décisions qu'ils ne peuvent assumer. Dans ces cas-là, ils deviennent invivables et nous le font payer encore plus cher. Ce soir, Papa était tout joyeux d'embrasser sa fille préférée. Ce n'est vexant pour personne, il n'en a qu'une ! D'ailleurs, il aime ça, Papa, embrasser ses enfants ! C'est son cadeau journalier, mais c'est un cadeau qu'il réclame si on oublie.

Il y a maintenant des écharpes relationnelles dans presque toutes les pièces de la maison, mais des fois, quand ça m'arrange d'accuser l'autre, quand je ne veux pas me responsabiliser, je retourne facilement au système SAPPE.

Maman dit qu'elle ne s'est jamais sentie aussi jeune, si énergétigène et si amoureuse de son mari ! Papa, qui se sent toujours un peu coupable d'être bien, a ajouté : « Il m'est difficile d'être heureux quand je pense à tous ceux qui ne connaissent pas la méthode ESPERE. » Mais je crois qu'il exagère un peu, parce que c'est un néophyte. C'est un mot nouveau que j'ai appris hier ! Il fait du prosélytisme (autre mot récent) facile, surtout avec les autres !

Je l'ai bien compris, le plus important dans tout changement est de traverser cool et philosophe la période critique, celle de la découverte, de l'enthousiasme aveugle et de la mise en application excessive, maladroite et urgente de ce qu'on croit et décrète bon pour l'autre. « Il ne suffit pas de changer de système, encore faut-il ne pas rester à cheval entre deux systèmes relationnels. » Ça, c'est le commentaire de Julos, le meilleur ami de la famille, qui a observé tout ce remue-ménage de loin, mais avec beaucoup d'intérêt.

*La vie est toujours en devenir, mais il ne faut
jamais oublier de la vivre au présent.*

Quelque chose d'imperceptible, mais qui se présente avec des signes certains et des résonances profondes, m'indique que beaucoup de choses ont changé dans mes relations. Je constate qu'un nombre de plus en plus important de personnes viennent vers moi, se disent, s'expriment ou même se confient pour évoquer des choses étonnantes, personnelles, intimes, qui m'auraient paru insensées il y a encore quelques mois. Ce qui me touche le plus, c'est cette liberté à se dire et, j'ose le reconnaître, mon ouverture à entendre.

C'est le cas avec Denise, la femme de Paul, un collègue de mon mari, dont j'avais souvent pensé qu'elle me détestait. Avec son visage fermé, petites phrases acides, ses gestes rétrécis et surtout sa fermeture au partage, aux échanges, elle me refroidissait. Il y avait chez elle un besoin presque physique de détériorer, d'abîmer les petites choses de la vie. C'est du moins comme cela que je la voyais.

Denise a téléphoné un après-midi pour demander à me voir. Je sais aujourd'hui que quand quelqu'un veut vous voir, c'est pour vous parler de quelque chose d'indicible ou de difficile. Aussi je ne me suis pas égarée en banalités, en thé-café-petits gâteaux. Je me suis simplement assise en face d'elle. Après avoir gardé un long temps de silence, son corps s'est redressé, elle a eu une sorte d'élan de l'intérieur, comme si elle voulait se jeter dans mes bras. Elle m'a seulement présenté ses mains nues en offrande. J'ai remarqué qu'elle s'était dépouillée de toutes ses bagues et bracelets. Elle se présentait dans une nudité émouvante et pleine.

C'est à cause de François, a-t-elle chuchoté. François, c'est mon frère. Pendant des années, quand j'étais petite, il venait dans ma chambre le soir. Au début, il m'a laissé croire que c'était normal, que les frères et les sœurs faisaient ça, mais que pour lui, en plus, c'était spécial, ça devait rester un secret entre lui et moi. Au début il était doux. J'aimais beaucoup les attentions qu'il me donnait. Le jeu consistait à se déshabiller mutuellement les yeux fermés. Puis on se couchait, on se mettait l'un contre l'autre, sans bouger. J'aimais bien son odeur, je sentais son sexe vibrer doucement contre mon dos. J'avais confiance. Le jour, il m'apprenait plein de choses, car il collectionnait les encyclopédies. J'étais fière de l'avoir pour frère, de me sentir son élève. Il savait tout sur tout. Je n'avais pas besoin de demander à mes parents, il m'aidait beaucoup.

La nuit, il me chuchotait « je vais tout t'apprendre ». Je le croyais bon pour moi. Puis, un dimanche après-midi où nos parents étaient absents, il prit ma main et la posa sur son sexe. Je gardais, comme convenu, les yeux fermés. Son sexe bougeait doucement. Tous les bruits de la maison s'étaient arrêtés... J'avais l'impression d'être dans un bateau et que je m'éloignais, je m'éloignais à jamais d'une terre connue où je ne reviendrais plus. François gémissait doucement. Comme je croyais qu'il avait mal, je me serrais encore plus contre lui ! J'avais peur de le perdre.

Denise parlait sans respirer, comme dans un songe. Elle déroulait son récit comme si tout cela s'était passé la veille. Elle était dedans, immergée en entier. J'étais stupéfaite de la précision des détails. Comme s'il fallait laver, récurer chaque recoin, dégager les ombres, mettre à jour un non-dit à la fois fantasmatique et si réaliste. À un moment elle me regarda, sa voix changea, elle se fit alors plus dure.

Mais le plus difficile, c'est ma mère, elle me croit folle. Il y a quelques jours j'ai voulu lui parler, lui raconter ce que m'a fait mon frère, son fils... elle m'a fait jurer de ne plus dire un seul mot là-dessus.

« Tu me feras le plaisir de te taire ! » Comment peut-elle penser qu'il y a du plaisir à se taire ?

Moi, je deviens folle de tout ce silence. J'ai 42 ans. Je porte ça depuis 34 ans en moi. Depuis des années je tords ma bouche à l'intérieur, oui, je mange mes joues, je les mords jusqu'au sang sans pouvoir me contrôler. J'aurais tellement voulu qu'elle m'entende, seulement m'entendre. Pas qu'elle comprenne, pas qu'elle fasse quelque chose pour moi ou contre lui. Non ! J'aurais aimé qu'elle m'écoute simplement. Qu'elle m'accueille et surtout qu'elle me console, qu'elle me plaigne même. Je suis sa fille quand même ! J'ai deux enfants, j'affronte au quotidien des situations d'adulte dans ma vie de femme et de mère, et là, je me sentais devant elle comme un bébé qui bavait, qui avait des renvois. J'aurais voulu qu'elle me rassure, seulement cela, être rassurée. J'attendais qu'elle essuie ma bouche... avec des gestes de maman. C'est terrible d'être devant une mère impitoyablement fermée, alors qu'on attend une maman ouverte et bienveillante.

J'étais bouleversée, mon ventre se gonflait d'émotion et de tendresse envers cette femme, envers ce bébé qu'elle était, si avide de reconnaissance. J'aurais voulu la prendre contre moi, mettre sa tête sur ma poitrine, la caresser, l'apaiser doucement, balbutier des mots bécassous. Les mots bécassous étaient les mots d'une copine de classe. Quand j'avais du chagrin elle me disait : « attends, je vais te dire des mots bécassous », et mon chagrin s'évaporait soudain, ensoleillé.

Avec Denise c'était trop tôt, le besoin de parler, de se dire, ouvrait un espace entre nous. Il fallait garder ouvert cet espace où se déversait tant d'indicible, tant d'insupportable. Denise d'ailleurs s'éloigna un peu de moi, revint au pays de son enfance. Son visage se fit plus lisse, à nouveau apaisé, sa voix plus monocorde, précise, pour déchiqueter un silence si épais, si longtemps retenu.

Mon frère pouvait tout me demander, j'aurais volé, menti pour lui. « Je vais te faire tout découvrir de toi aussi », me disait-il, quand il suçait doucement ma fente. Ses doigts se posaient tout doux sur mon ventre puis se crispaient. Je ne savais rien, sinon que c'était un jeu interdit, même si c'était bon. Toute une partie de mon corps s'éveillait, était initiée à l'appétit sexuel trop précocement sans que je m'en rende compte...

Elle sursauta soudain.

Attendez, attendez... je suis en train de me chercher des excuses. Oui, c'était bon, d'accord. J'étais consentante, j'acceptais tout, j'avais confiance. J'entendais cependant un petit signal, qui m'amenait à lui dire certains soirs, sans savoir pourquoi : « Même si on joue au papa et à la maman, je suis ta sœur, dis-moi, je reste bien ta sœur et toi mon frère ? » Il me rassurait en riant. « Mais oui, tu es ma sœur, ma sœur unique. Si tu n'étais pas ma sœur, je ne serais pas là. Tu es d'accord ? » Il me demandait sans arrêt mon accord. Comme si c'était moi qui pouvais décider ou non de son propre désir. Chaque fois que je vais parler, vous l'avez sans doute remarqué, je tousse et je sens alors tout mon bas-ventre se contracter. Ma toux date de cette époque. J'ai vu plein de docteurs et j'ai avalé des hectolitres de sirop pour la toux ! Mon mari s'en moque un peu, il plaisante chaque fois que je tousse.

« Ah, Denise va essayer de nous dire quelque chose d'important ! » S'il savait ! Peut-être ferait-il comme ma mère, il me demanderait de me taire ou d'arrêter de me faire souffrir avec ça. Peut-être même penserait-il que je fais exprès, que ce sont des manières de fille de bourgeois. Il est un peu complexé vis-à-vis de ma famille, qu'il respecte beaucoup pourtant. D'autres fois j'imagine que s'il savait, il irait casser la gueule à mon frère, qu'il me défendrait, qu'il lui demanderait des excuses... qu'il bousculerait les apparences et les conventions de ma mère.

Elle resta un moment silencieuse, habitée de ce rêve à la fois rassurant et effrayant. Elle revint encore une fois vers moi par une question impromptue.

Vous avez des enfants ?

et sans attendre ma réponse :

Tout s'est rouvert, tout est remonté à la surface, quand ma fille m'a parlé. Vous vous rendez compte, exactement au même âge. À huit ans. Elle n'a pas attendu des années pour oser mettre des mots, elle. Je la trouve courageuse, ma fille. Elle est entrée un matin dans la salle de bain pour me dire : « Maman, je ne veux plus vivre dans cette maison, je veux aller habiter chez Mamie et Papi. » Je n'entendais que les mots à la surface, pas le sens. Je voulais comprendre, alors j'ai questionné, je l'ai interrogée. La pire des choses à faire quand un enfant se confie, c'est bien de lui poser des questions qui risquent de l'éloigner de l'essentiel, c'est-à-dire de ce qui est justement si difficile à dire. Mais je ne pouvais m'empêcher de la questionner. « Tu ne vis pas bien avec nous, avec Papa, avec ton frère, avec moi... ? » « Avec vous si, mais pas avec votre fils ! » C'est ce « pas avec votre fils » qui m'a réveillée. J'ai entendu d'un seul coup. C'est d'ailleurs à cause de vous que mes oreilles se sont ouvertes. Il y a trois mois, au cours d'un repas, vous aviez dit que pendant longtemps, avec vos enfants, vous aviez cherché à comprendre, à expliquer, alors qu'il valait mieux essayer d'entendre et pour cela se taire et ouvrir tous ses sens. Vous souvenez-vous ? Mon mari, à ce moment-là, avait enchaîné avec une plaisanterie sérieuse comme il le fait souvent quand il est trop concerné : « Oui, oui, avait-il déclaré, les femmes aujourd'hui récupèrent du pouvoir par les relations. Elles entendent ce que nous ne voyons pas, elles écoutent ce qui n'est pas dit, elles savent l'essentiel sans se perdre dans les détails. Elles sont de plus en plus fortes dans les relations avec les hommes ! »

Il ne pensait pas si bien dire. C'est un peu grâce à votre intervention que j'ai entendu vraiment ma fille ce matin-là. Tout d'un coup l'évidence m'a sauté aux yeux ou plutôt aux oreilles. Je n'ai pas eu besoin de demander ce qui s'était passé entre elle et son frère. J'ai simplement dit avec une voix brisée, sans tousser cette fois, « alors toi aussi ».

Je l'ai prise dans mes bras : « Merci, ma grande, merci mon trésor d'avoir pu me dire tout ça. Je vais veiller à ce que ton frère reste à sa place de frère. C'est le rôle des parents que d'être les garants du maintien des places et des rôles de chacun à l'intérieur de la famille. » Je n'ai pas hésité un seul instant. À quatre heures, je suis partie chercher mon fils au lycée. Nous sommes allés dans un salon de thé, pas celui où je l'invite habituellement. Je ne voulais pas mélanger les lieux. Il a dû sentir que c'était grave et que j'étais déterminée. Il ne soufflait mot, se tenait très droit. Je le sentais sur la défensive à l'intérieur de lui. J'ai commencé par ce que j'ai cru être une improvisation. C'était en fait tous les mots que j'aurais attendus de l'un ou l'autre de mes parents. Les mots que j'aurais voulu qu'ils me destinent et que je connaissais par cœur depuis si longtemps.

— Je te vois comme mon fils... est-ce que tu me vois comme ta mère ?

Il a répondu un peu trop vite, agacé :

— Oui, je te vois bien comme une maman, qu'est-ce que tu vas chercher là ?

— Moi, je te vois bien comme mon fils, c'est important que je le dise. Je vois ta sœur comme ma fille et ton père comme l'homme qui est mon mari. J'espère que tu vois bien ta sœur comme ta sœur...

Comme je vous ai entendue parler de symbolisation possible, j'avais préparé un truc. Ça m'est venu comme ça. Un morceau de carton, deux photos, lui et ma fille, un peu de colle. Devant lui, sur la table du salon de thé, j'ai collé les deux photos, l'une proche de l'autre, avec un espace entre les deux. J'y ai inscrit ce commentaire : un frère et une sœur, portraits de mes enfants. J'ai daté et signé.

— Je t'offre cela. Je te demande de mettre cela sur un mur de ta chambre.

Mon fils n'a rien dit, il a posé les photos sur ses genoux, m'a fixée d'un air inquiet et puis a glissé le tout dans son cartable. Le soir, au repas, il m'a regardée plusieurs fois, comme s'il découvrait des aspects de moi qu'il n'avait jamais rencontrés jusqu'alors.

* J'étais ahurie. Ainsi cette femme que j'avais crue coincée, fermée et inaccessible était capable de faire des démarches comme celle-là ! Elle était capable de s'inventer, de créer avec autant de liberté. J'ai ressenti un immense sentiment de reconnaissance envers elle. Je me suis avancée, je l'ai prise dans mes bras.

— Vous avez fait ça, vous avez fait ça !

À ce moment-là, tout s'est ouvert en elle. Un immense raz de marée d'émotions venues du fin fond de son histoire a déferlé d'un seul coup, elle s'est mise à trembler, à frémir comme un arbre dans une tempête. Elle n'était plus rétrécie ou rejetante, là, soudain, dans mes bras, tout son être prenait sa vraie place. Puis son corps sembla se liquéfier, elle sanglota comme je n'ai jamais vu quelqu'un pleurer. Elle s'engloutissait dans sa peine comme dans un édredon trop mou.

Et moi aussi je pleurais doucement, bêtement. Je me disais : « Je n'ai personne à qui dire tout cela. Je n'ai personne à qui confier le miracle d'une telle confiance. »

Même à mon mari, je ne pouvais dévoiler cette confidence qui appartenait à cette femme, à elle seule. Denise était venue se confier à moi parce que, au cours d'un repas entre amis, elle m'avait entendue dire mon enthousiasme pour une communication plus vraie !

Ce jour-là, cette femme m'a aidée à grandir encore un peu. C'est ce qu'il y a d'extraordinaire dans les relations humaines. Cette quasi-inconnue a contribué à me donner une confiance plus grande en moi en me choisissant comme confidente et en m'amenant à découvrir que j'étais la seule à pouvoir entendre et à porter un peu de son histoire. Elle m'a réconciliée avec une partie de moi sans cesse habitée de doutes et de supputations sur le nécessaire ou le superflu, sur l'important ou l'accessoire. Elle n'avait pas fini, il lui restait tant à dire.

Ce qui m'a le plus frappée, c'est la répétition entre mon histoire et celle de ma fille. C'est pour cela surtout que j'ai voulu en parler à ma mère, mettre des mots pour sortir ainsi de ce silence entre elle et moi. Je sentais depuis longtemps une complicité malsaine entre elle et son fils, une différence dans ses attitudes vis-à-vis de mon frère et de moi. Ma propre fille avait prononcé nettement les mots qu'il fallait quand elle avait répondu « Je vis bien avec vous, mais pas avec votre fils. » Elle ne mélangeait pas les relations, elle nous renvoyait par une simple phrase à l'unicité et à la spécificité de toute relation. C'est étonnant de voir combien les enfants accèdent au mot juste et vrai quand ils osent se dire. Aujourd'hui, je me débats avec ma colère, avec mon impuissance devant le refus d'entendre de celle qui m'a mise au monde, qui aurait dû m'écouter à défaut de pouvoir me protéger. Son injonction à me taire m'a paru plus terrible que tout ce que mon frère, son fils, m'avait fait. Quand elle a décrété : « Je ne veux plus entendre un seul mot de cette histoire, plus jamais... tu m'entends ! Sinon, et la sentence est tombée, tu n'es plus ma fille ! » Plus qu'une non-écoute, c'était un rejet de toute ma personne qui m'était asséné, un déni de mon vécu en même temps que se révélaient à mes yeux la preuve et la confirmation d'une protection sans faille autour de son fils. En plus de le protéger, elle voulait surtout ne pas être remise en cause par les comportements de son fils bien-aimé ! L'amour parental me semble un des plus injustes qui soient.

J'ai écouté longtemps, puis j'ai proposé à Denise une démarche possible. J'avais entendu parler du vécu d'un stagiaire dans un de vos séminaires et je me suis appuyée dessus.

— Je vous invite, Denise, à écrire une lettre à votre mère dans laquelle vous pourrez déposer tout ce que vous venez de me dire concernant ce qui s'est passé à huit ans entre vous et votre frère...

— Oui, de 8 à 12 ans, jusqu'au moment du viol, il avait 19 ans alors...

— Oui, osez raconter avec vos mots à vous, votre vécu de petite fille et la violence que vous avez reçue. Puis mettez votre lettre dans une boîte ou un petit coffre fermé à clé et donnez le tout à votre mère en lui disant quelque chose comme : « J'ai entendu ton refus de m'entendre et de me croire, mais je ne peux rester dans l'interdit de me dire. Aussi, j'ai écrit tout ce que j'ai vécu dans le silence. C'est enfermé dans cette boîte. Voilà la clé. C'est à toi, Maman, que revient la responsabilité de ne jamais ouvrir la boîte ou de l'ouvrir un jour ! C'est toi qui prendras ou non le risque d'accéder à l'histoire de tes enfants ! »

Je m'étonne encore aujourd'hui d'avoir osé proposer avec autant de clarté, quelque chose d'aussi essentiel et qui m'aurait paru autrefois si complexe, si impossible même à formuler. Denise ne m'a jamais reparlé de cette histoire. Pendant quelque temps, elle a mis un peu de distance entre elle et moi. Je la rencontre dans des lieux extérieurs, mais elle n'est plus la même. Quand elle m'embrasse, elle serre mon épaule… peut-être pour me dire qu'elle va bien. Qu'elle est sur son chemin, qu'elle avance. Son mari non plus n'est plus le même, il semble plus attentif, plus intériorisé, plus présent à sa femme.

Je m'interroge parfois sur cette manifestation et ce débordement possible de l'intimité, qui peut surgir sans prévenir et sans précaution aucune avec votre méthode. Je peux imaginer que la démarche présente parfois des risques, qu'elle peut déboucher sur plein de découvertes pas toujours faciles à digérer, mais je ne le vis pas comme quelque chose de nocif en soi. Je sens tant de ressources en chacun, surtout dans les phases ou les passages difficiles.

C'est extraordinaire, le pouvoir de l'écoute. Jusqu'où peut-on aller ? Est-ce qu'on ne risque pas de déclencher des phénomènes incontrôlables ? O.K., j'entends déjà votre antienne : « Une relation a toujours deux bouts. Je ne suis pas responsable du bout de l'autre » ou encore « Celui qui prend le risque de me parler, prend aussi le risque de mon écoute. »

Mais je n'ai pas votre expérience et je ne fais pas de l'écoute un métier, seulement un nouvel art de vivre. Et puis les décompensations, ça existe ! J'ai entendu parler de gens qui, après certains stages, se mettent à délirer, à être à côté de leurs pompes comme on dit, au point de devoir être hospitalisés avec des cures de sommeil. Si on a des mécanismes de défense, c'est bien pour protéger quelque chose ! Même si je vous ai déjà entendu répondre à quelqu'un : « Le fait d'exprimer un problème ne le crée pas. »

J'ai parfois le sentiment que l'écoute active, le fait de se centrer sur celui qui parle au lieu de se laisser absorber par le problème, risque de provoquer l'équivalent d'un accouchement. La mise à jour de quelque chose qui serait autrement dans les limbes, dans l'oubli ou dans les replis de l'inconscient. L'écoute centrée crée comme un phéno-mène d'induction qui favorise l'expression d'une parole plus libre. Un échange de personne à personne, de cœur à cœur, contient comme une autorisation donnée, dans le sens de rendre l'autre plus auteur de sa vie.

Je poursuis encore un peu pour mettre de l'ordre dans mon remue-ménage intérieur après tout ce que j'ai entendu de Denise. Vous aviez écrit dans un article :

> L'inceste fait toujours partie d'un système familial auquel chacun collabore à sa façon, sur des modes très divers, visi-bles ou invisibles, mais la plupart du temps occultés par l'aveuglement de chacun.
>
> L'inceste sévit dans tous les milieux et j'ai parfois le senti-ment que tout le battage médiatique actuel autour de la pédophilie va contribuer à un déplacement. L'exploitation sexuelle des enfants est réelle dans le monde d'aujourd'hui mais la violence sexuelle qui sévit à l'intérieur de la famille me semble la plus terrifiante, parce que répétée, parce que cachée, parce que cautionnée en quelque sorte par la complaisance aveugle des proches.

L'histoire de Denise, au-delà des émotions et de l'intensité avec laquelle je l'ai vécue, m'a entraînée sur plusieurs chemins ou étages de ma propre histoire ! Je vous en parlerai, ou j'en écrirai un peu plus dans quelques jours.

La flèche et la cible ont conclu un accord secret
si la cible sait accueillir la flèche et la flèche désirer la cible.

Le comble maintenant. C'est la meilleure amie de ma mère, qui m'a entendue parler au cours d'un repas aux dernières vacances, de mes recherches ou de mes tâtonnements. Elle m'écrit pour me remercier.

> Merci de m'avoir aidée, même si vous ne le saviez pas, pour mon mari dépressif. En m'apprenant à ne pas le confondre avec sa dépression, en le dissociant de tous ses comportements négatifs et en me permettant de le voir enfin, lui, sans l'identifier à ses plaintes et à sa victimisation endémique. Notre relation s'en est trouvée enrichie, redynamisée.
>
> Pour Noël, je lui ai offert une poubelle. J'ai remarqué que sur son Macintosh, il pouvait se débarrasser de dossiers inutiles en les déposant dans une icône « Poubelle » qu'il vidait ensuite. J'ai inscrit sur la poubelle : « Pour toutes les insatisfactions, pour tous les regrets, pour tous les reproches et les accusations, pour toutes les négativités qui peuvent encombrer la vie d'un homme : Dépôt conseillé ici plutôt que sur sa femme ou sur ses enfants !
>
> Ça marche, Merci.

Cette femme approche de 70 ans. Quelle liberté d'être donne l'âge ! Quelle révolution introduite dans les mœurs, dans les habitudes de vie, dans les conduites au quotidien à travers le recours et la mise en pratique de quelques symbolisations.

La flèche ne voit rien du chemin,
elle est habitée par le but, par le résultat.

Ce sont les témoignages de ces hommes ou de ces femmes qui m'encouragent à continuer cette démarche de conscientisation et d'affirmation entreprise voilà maintenant plus de deux ans.

Ils me confirment par leurs témoignages que je suis sur un chemin de vérité, important pour moi, dont l'effet le plus sensible est un sentiment de réunification, de réconciliation avec différentes parties de moi autrefois éparpillées. Je n'ai rien fait pour solliciter leur parole et ils me la donnent. Ils me l'offrent. Et je la reçois comme un vrai cadeau.

Paradoxalement, je suis devenue ainsi plus silencieuse. Mes échanges s'intensifient en devenant plus rares. Ma meilleure amie, celle qui m'avait disqualifiée lors de mes premiers tâtonnements, m'a même déclaré : « Comme tu m'écoutes jusque dans mes silences, cela me donne envie de me dire, de te parler. »

Dire la vérité, mais laquelle ?
L'important d'une vérité, c'est le sens qu'elle recèle.

La personne qui m'a le plus renversée, c'est François, le beau François, comme nous l'appelions entre nous. Si sûr de lui, si définitif dans ses jugements, si intransigeant dans ses positions. François qui m'a téléphoné.

— Je préfère t'en parler directement avant que Nadine ne te le dise. Peut-être t'en a-t-elle touché un mot, car je sais que vous êtes proches. Vous avez vu ensemble *Sur la Route de Madison*.

Un long silence.

— Oui nous avons vu *Sur la Route de Madison*, elle m'a dit que tu n'étais pas intéressé par les «films de la collection Arlequin» !

— Je plaisantais ! Alors elle ne t'a rien dit sur moi, sur nous ?

— Rien sur toi, rien sur elle, rien sur vous deux. Nous avons beaucoup d'échanges de femme à femme sur mille sujets et bien d'autres encore.

Je subodorais depuis quelques mois que Nadine avait une autre relation, un amant ou un ami proche, sans rien de plus. Je ne savais pas en fait, je sentais. Je sentais qu'elle était comblée, qu'elle aimait (François) et qu'elle était amoureuse (l'Autre).

Elle avait changé d'un seul coup, il y avait trois mois de cela. Elle était devenue lumineuse, du miel plein les yeux. Plus tard, la poitrine joyeuse et tonique en partance vers plein de désirs, l'allure plus vive, elle me racontera ses découvertes comme des aventures.

«Je n'avais jamais mis les pieds chez Chanel. J'avais laissé ma voiture avenue Montaigne, juste devant l'entrée, ne doutant de rien. "J'ai besoin d'une robe." Les vendeuses ont bien vu à la tête que j'avais que je n'avais jamais acheté du Chanel de ma vie ! Elles m'ont demandé : "Vous avez vu un modèle qui vous plairait ?" Non, non, je l'ai dans ma tête, je fais du 44, les épaules doivent être nues. Je veux qu'il puisse voir ma poitrine à satiété. J'ai tout lâché d'un seul coup, "Je suis amoureuse, et surtout que mes cuisses puissent danser sous la jupe." J'étais folle. Il y a eu, à un moment donné, quatre vendeuses autour de moi. J'étais drôle à leurs yeux avec "mes cuisses qui devaient pouvoir danser sous la jupe". Je suis tombée dessus au premier essai. Le tissu était doux, soyeux. En noir je me sentais superbe, comme si j'avais un corps tout neuf. En sortant je suis passée à la banque, j'ai ouvert un crédit pour l'achat d'un bien ménager, pour bien me ménager. Le préposé aux "crédits facilitateurs de la vie" me regardait comme si j'avais gagné le gros lot, alors que je venais emprunter de quoi m'acheter une robe d'amante. »

Le Chanel de Nadine restera longtemps dans mes songes, comme une sorte de fête. Mais pour l'instant, au téléphone, François souffrait. Sa voix s'avançait de loin, avec précaution, vers moi. Lui aussi s'aventurait dans l'inconnu.

— Vous êtes une femme fiable, Anne, je sais que je peux vous parler, que vous me comprenez. J'ai bien vu que vous ne vous laissiez pas avoir par mon personnage… et je n'ai jamais senti aucun jugement, aucun rejet de votre part… Parfois, je le sais, j'ai été pénible avec mes remarques…

Je retenais mon souffle. Il était loin le temps des persiflages ambigus qui se déposaient autrefois sur la femme que j'étais. Même François avait donc senti mon changement, ou alors c'est que l'urgence dans laquelle je le sentais était plus forte que sa mémoire.

— Je vais mal. Je suis vraiment mal.

C'est difficile pour un homme de parler ouvertement de sa vulnérabilité et encore plus de l'indicible. Il lâcha tout d'un seul coup, sans une respiration, quelque chose d'incroyable.

— Je souffre d'éjaculation précoce. C'est terrible de ne pouvoir se retenir.

J'avais lu des tas de trucs dans des articles de *Marie Claire* ou de *Cosmopolitan*, sur les pannes, la perte d'appétence sexuelle, sur les incertains ou sur les précoces. Je n'avais jamais approfondi la question, n'en ayant jamais rencontré ! J'imaginais qu'un éjaculateur précoce était un homme trop impatient, trop pressé, qui perdait le contrôle dès l'approche, dès l'entrée. Comme quelqu'un qui bégaie et qui veut quand même aller jusqu'au bout de sa phrase quand tout se bouscule dans sa bouche. Un éjaculateur précoce, pour moi, c'était comme un bègue entêté.

— Je crois que Nadine est blessée, elle imagine que je ne la désire pas suffisamment. C'est important de vous dire tout cela. Je sais qu'elle vous écoute… Elle est si essentielle pour moi, je ne veux pas la perdre.

Si on m'avait dit que la méthode ESPERE me conduirait à entendre des trucs comme ça, j'aurais renoncé par avance. Je me verrais mal avec un mari ou un partenaire qui pourrait téléphoner à une de mes copines pour lui raconter mes refus ou mes blocages de l'époque pas si lointaine où j'en avais pas mal ! Il faudra que je demande à Laurent s'il a éprouvé le besoin de parler à quelqu'un de notre intimité autrefois si difficultueuse !

Pour l'instant, c'était François qui se confiait, il semblait dans une attente.

— Qu'attendez-vous de moi, François ?

— Rien de spécial… si, me sentir entendu ! Je vois Nadine s'éloigner. Je tiens à elle ! Je vais commencer une psychothérapie, mais j'ai besoin de temps. Je ne veux pas la perdre. C'est comme si je vous demandais, c'est ridicule n'est-ce pas, de la faire patienter.

Oui, il me demandait de retenir sa femme. À ce moment-là, je ne savais pas encore ce que vivait Nadine avec un autre. J'ignorais même le coup du Chanel, qu'elle ne mettait que pour sortir avec son amant. « Je change de peau », avait-elle précisé.

— Je sais qu'entre vous, entre femmes, vous n'hésitez pas à parler de cela. Vous avez plus de liberté que nous pour aborder le sujet de la sexualité. Nous on parle de sexe ou de cul, mais pas de sexualité. Je voudrais tellement croire que tout n'est pas perdu avec elle.

J'ai simplement dit :

— Si elle me parle, m'autorisez-vous à mentionner votre appel ?

— Oui, vous êtes un relais important pour moi, entre elle et moi.

François ne m'a plus appelée. J'ai appris qu'il avait commencé une thérapie. Nadine est restée quelques mois engagée dans sa relation tierce.

Pratiquement amoureuse à plein temps. Et puis le Chanel a dû s'user ou perdre de son charme. Je croyais qu'un Chanel résistait mieux au temps et aux péripéties d'une relation amoureuse. Ils sont toujours ensemble, François et elle, et je sais aujourd'hui que la vie d'un couple a des opacités et des transparences qui peuvent cohabiter durablement.

*Créer un espace en soi où la rencontre avec
le merveilleux de la vie est possible.*

La démarche d'Isabelle, si elle m'étonne, renforce surtout mes convictions sur l'importance de pouvoir nommer, mettre des mots. Mon père va bientôt mourir et je repense souvent à cette phrase que j'ai entendue comme une sentence : « La mort d'un père, c'est la perte à jamais d'un papa. »

J'avais tenté plusieurs démarches de rapprochement avec lui et je me suis mise à envier cette jeune femme, Isabelle, qui, au cours d'un stage, a fait rire aux éclats tout le groupe en racontant comment elle avait cherché et retrouvé son géniteur.

Mon géniteur, oui ! car un papa et un père j'en avais eu un pendant 30 ans, c'était le mari de ma mère. Mais c'est bien mon géniteur, mes sources, mes racines, que j'ai recherchés. L'homme que ma mère m'avait laissé croire être aussi mon géniteur avait été d'une certaine façon un bon père et un bon papa ! Mais quelque chose clochait entre lui et moi, entre moi et lui surtout !

Plein de signes auraient pourtant dû m'alerter, des petits riens, des petits mots à double sens. Des phrases inachevées, des oublis, des gestes incertains qui se perdaient avant d'avoir été reçus ! D'accord, il n'avait que deux mains, mais jamais une de libre pour moi. En plus, mon anniversaire tombait le même jour que le sien et il n'aimait pas fêter son anniversaire… alors le mien disparaissait aussi.

Quand j'ai dit à ma mère : « Je sens que Papa n'est pas mon papa ! », elle ne s'est même pas défendue et m'a simplement rétorqué :

— Qui te l'a dit ?

— Personne, seulement moi à moi. Qui c'est, Maman, mon vrai père, mon géniteur ? Je suis sûre que c'est un artiste. Je ne sais pas pourquoi, je suis sûre d'avoir été conçue par un artiste, je le sens comme une évidence absolue.

Ma mère n'a pas nié, elle m'a répondu calmement, posément, sans réticence, comme si nous en avions déjà parlé 100 fois ensemble, alors que c'était la première fois et à mon initiative :

— Je ne peux rien te dire, c'est quelqu'un de connu, j'ai juré de taire son nom et de ne jamais faire d'histoires !

J'ai eu beau implorer, menacer, la secouer, elle n'a rien voulu me dire, ni photo, ni objet, ni nom, ni souvenir. Rien.

— J'ai tout enfermé à jamais. C'est une histoire close pour toujours.

Je suis partie en claquant la porte, moi aussi « pour toujours » ! Je suis revenue vers elle 15 jours plus tard. Plus décidée que jamais. J'ai exigé, culpabilisé, fait appel au chantage, à l'amour, à la justice, au droit de savoir, aux droits des enfants.

— Je ne peux rien dire, j'ai juré.

J'ai senti qu'elle ne dirait rien, qu'elle resterait fidèle à un engagement pris volontairement et qui était plus fort que toutes mes demandes. Par lassitude, j'ai téléphoné à ma sœur aînée.

— Tu savais, toi, que Papa n'était pas mon papa !

Elle a répondu sans aucune réticence.

— Oui, j'ai cru que tu savais aussi !

— Quoi, tu sais qui c'est ?

— Oui, c'est J. B.

— Le pianiste ?

— Bien sûr, mais j'ai cru que tu le savais aussi ! Tu parlais si souvent de lui, chaque fois qu'un article te tombait sous le nez, c'était ton héros. Tu remplissais des classeurs d'articles et de photos... tu avais des posters dans ta chambre.

— Alors vous saviez tout ? Vous saviez tous ?

— Oui.

— Même Papa ?

— Je crois, mais je ne sais pas au fond. Tu sais, Papa, c'est la pudeur incarnée. Il ne dira jamais ni ses douleurs ni ses joies. Il ne disait rien justement pour tes posters, il a bien dû les voir chez toi !

— Il n'a jamais fait de commentaires ?

— Non, je ne l'ai jamais entendu énoncer une seule remarque.

Ainsi personne n'en parlait. Dans ma famille, chacun savait qu'il ne devait pas savoir ! C'est pas pareil qu'un mensonge, c'est différent d'un non-dit, le pas dire, le pas voir, c'est plutôt une protection.

Il avait dû se passer quelque chose d'extraordinaire entre Maman et cet homme.

Alors j'ai fait un truc con comme la lune ! J'ai téléphoné à J. B. pour lui demander une interview. J'avais pensé tout d'abord me présenter comme venant de *Paris Match,* mais j'ai choisi *Libération.* Le ton de *Libé,* plus anticonformiste, me convenait mieux.

J'y suis allée avec des lambeaux de rêves, des attentes inouïes et des miettes d'exigences. J'avais le corps en sanglots, pétrifié dans les non-dits de mon enfance. Je voulais juste vérifier, me confirmer que j'avais bien un géniteur.

Au cours de la première demi-heure, j'ai été lamentable et ensuite plus simplement pitoyable. Je lui posais des questions uniquement sur sa famille, s'il était marié, depuis combien de temps, s'il avait des enfants.

— Oui, un fils.

— Un seul enfant ?

— Oui.

— Pas de fille ?

— Non.

J'étais nulle. Je me détestais, je devais puer la moche. Je m'embarquais dans un interrogatoire infect. Lui, affable et imperméable, jouait le jeu, sereinement. Je cafouillais, j'oubliais de prendre des notes. Il riait, répondait, paraissant à l'aise, puis soudain, il renversait les rôles, il m'entraînait dans ses études, ses voyages, des anecdotes. Il remplissait tout seul mon article imaginaire, avec l'habileté d'un praticien des interviews.

— Vous avez aimé d'autres femmes ?

— Oui, beaucoup, mais elles ne restaient jamais très longtemps avec moi ! Elles ne supportaient pas mon amour inconditionnel pour mes pianos !

Je l'ai attaqué alors. Je voulais le mettre en accusation, le confondre pour non-amour, pour amour de consommation, pour inconscience, pour rapt de vie... pour abus de paternité.

— Ce n'était pas vous qui les quittiez plutôt, car vous êtes bel homme, vous semblez savoir séduire !

— Ce n'est pas comme cela que je l'ai vécu.

Je bouillonnais d'impatience. Puis d'un seul coup je me suis entendue lui dire :

— Je sais lire dans les lignes de la main, vous savez !

Il m'a tendu une main sans s'étonner.

— Si vous voulez...

— Non l'autre, la gauche !

Je voulais passer pour une professionnelle qui s'y connaissait, qui savait que c'était la gauche, celle du cœur, la main qui ne ment pas, qui doit être lue.

— Je vois une femme blonde. (Silence) Blond vénitien, très timide. (Re-silence)

Ma mère est presque rousse, blonde cuivrée.

— Je vois aussi un bébé, une fille...

Il a fait non de la tête. Là j'ai craqué.

— Je suis votre fille, la fille de Marianne.

Il s'est levé, s'est approché tout contre moi, m'a tutoyée comme s'il me connaissait depuis toujours.

— Tu es Isabelle alors!

J'étais toute raide, chaude, rouge. Je sentais mes épaules qui se dévissaient. Il m'a prise doucement dans ses bras. Il me tenait serrée et moi, je m'accrochais à une de ses poches, dans laquelle j'avais plongé la main, comme dans un nid.

— Alors tu es Isabelle! Tu m'as retrouvé toute seule. Je l'avais fait promettre à ta mère, « si elle a besoin de moi, je veux qu'elle me retrouve toute seule, sans ton aide! »

— Oh, elle a tenu parole. Elle vous a respecté. J'ai toujours su que vous deviez être un artiste, je le sentais. Moi aussi je joue du piano, de la bluette, un peu de jazz.

J'étais ridicule, petite, dépassée par ma rencontre avec une réalité plus grande, plus belle que toutes celles imaginées. Et je ne savais quoi en faire.

Quand Isabelle racontait les différentes étapes de sa recherche, si évidente pour elle, d'accéder à ses origines, à ses sources, tous ceux qui l'écoutaient dans le groupe avaient le cœur serré. Je voyais autour de moi des gens qui pleuraient, d'autres qui souriaient béatement à une expérience intérieure.

Mon cheminement s'est imposé de lui-même. D'abord comme une révélation avec l'idée que mon père ne pouvait pas être mon père! Et puis s'est ajouté ce souci, comme une idée fixe, de ne pas me tromper de piste, de retrouver mon géniteur. Tous les morceaux du puzzle étaient rassemblés, tout proches de moi depuis 30 ans... patiemment dévoilés, reconnus, assemblés.

Ainsi, il avait fallu à Isabelle 30 ans d'archéologie inconsciente pour remonter à ses sources, pour retrouver ses racines, pour accéder à sa vérité, pour déjouer le monde des apparences, pour entendre l'amour caché de sa mère envers un homme célèbre. Et surtout pour sortir du non-dit familial.

J'ai pu lâcher d'un seul coup mes incertitudes. Moi qui ne prenais jamais une décision, qui me paralysais des semaines avec des non-choix, qui me laissais définir... C'est fini.

Isabelle entrait sur deux pieds dans une autre existence. Oui, vous l'avez souvent dit : « Le plus terrible dans la recherche de la vérité c'est que parfois on la trouve ! » C'est vrai, la vérité est terrible mais elle n'est jamais absolue. Moi, je n'ai jamais eu besoin de rechercher mon géniteur, je savais qui c'était ! Mais je n'ai jamais trouvé mon père et encore moins, mon papa ! Nous avons vécu ensemble, cohabité des années l'un près de l'autre, chacun prisonnier d'un rôle que nous n'avions pas écrit nous-mêmes. J'étais sa fille, c'était acquis une fois pour toutes. Il était mon père, une ombre bienveillante, un fantôme absent.

Et ce père que je n'ai jamais réellement rencontré va bientôt mourir. Il y a tant et tant de choses inachevées entre nous, tant de possibles avortés… qui n'ont jamais vu le jour.

En repensant à l'histoire de vie de mon père, j'ai le cœur qui se serre. Avec le sentiment douloureux que cet homme est passé à côté de sa vie, qu'il s'est immobilisé très tôt dans le mariage, qu'il s'est emprisonné dans son travail, qu'il s'est enfermé dans sa réussite professionnelle, sans jamais avoir pu s'évader de sa famille d'origine. Très tôt il a sacrifié ses rêves de voyage, de création et de liberté pour une mission imposée, celle d'un bon fils, d'un bon époux, d'un bon père.

C'est terrible pour cet homme d'avoir été ainsi dépossédé de sa propre vie, amputé de tant de possibles. Aujourd'hui, il est plus seul que jamais, à demi-paralysé, avec un parkinson qui le déstructure chaque jour un peu plus, qui le dépossède de son corps. Je lui ai écrit un petit conte pour ses 81 ans.

LE CONTE DE L'HOMME QUI AVAIT OUBLIÉ
QUE SA VIE EXISTAIT AUSSI

Un homme, entre le printemps et l'été de sa vie, devint père et eut six enfants, dont cinq filles.

Se souvenant de son enfance et de l'immense désir qui l'avait habité d'être lui-même reconnu comme être unique, il donna l'essentiel de ce qu'il croyait être son amour au premier de ses enfants, un garçon, en qui, par la suite, il crut deviner les possibles de ses propres rêves, en qui il crut percevoir ses propres aspirations. Et c'est ainsi qu'il accomplit sa vie d'homme en attribuant à quelqu'un d'autre qu'à lui-même l'essentiel de ses regards, de ses intérêts, de ses amours, de ses biens.

Un soir de lassitude, à l'automne de sa vie, il rencontra et découvrit, au pied de son lit, la longue dame blanche qui était sa vie. Il ne la reconnut pas dans un premier temps, car tout le monde autour de lui appelait son trouble et son affection « une maladie ».

Il fut d'ailleurs traité comme un malade ; puisqu'il perdait un peu la tête, il fut hospitalisé, soigné, puis convalescent. Mais la longue et belle dame blanche qui le connaissait depuis toujours ne voulait pas être écartée ni oubliée. Elle veillait sur lui avec sollicitude et bienveillance. Bien sûr, elle était très fatiguée, un peu amère.

Cet homme avait vécu près d'elle pendant plus de trois quarts de siècle. Elle s'était consacrée à lui avec dévotion, elle l'avait accompagné partout depuis sa naissance, partageant le froid et le chaud, la faim et les plaisirs, les incertitudes et les enthousiasmes. Et lui, il l'avait totalement ignorée. Il avait vécu en quelque sorte par procuration.

Il s'était dépossédé de son regard sur lui-même, de sa tendresse et de ses élans pour vivre dans une enveloppe d'homme d'affaires, un rôle public, une fonction de mari et de père.

Et un soir de cet hiver-là, la belle dame blanche lui chuchota : « Qu'as-tu fait de moi ? Qu'as-tu fait de moi ? Tu m'as donnée à un autre, tu m'as trahie, tu m'as donnée à ton travail, à ton fils, tu as vécu par procuration, tu as vécu à mi-vie, à mi-rêves. Qu'as-tu fait de moi, qui suis ta vie ?

As-tu jamais su que je t'aimais, que j'existais ? » Et cet homme déjà âgé pleura. Ces pleurs-là lui permirent d'ouvrir les yeux.

Il regarda, non sa vie, mais son existence, sa femme enfermée elle aussi dans sa propre vie, ses autres enfants, ses réussites, ses amis, ses relations, sa maison, ses biens. Il regarda d'un œil nouveau toutes les apparences de sa vie, toutes les représentations qu'il avait construites, jouées, entretenues en vain pendant tant d'années.

Il vit aussi tout près de lui, dans un rond de soleil, comme une image très lointaine qu'il croyait avoir oubliée, une petite fille de neuf ans. Alors un flot de lumière remonta de son histoire.

C'était un jour d'été, il était seul avec elle, assis sur les marches de l'escalier qui conduisait à leur maison, et sa petite fille, car c'était elle, le regardait gravement, avec cette attention émerveillée que seuls possèdent les enfants qui savent le temps fragile. Elle énonçait un début de phrase : « Papa, tu sais que je t'...», mais quelque chose s'était produit et avait fait que le reste de la phrase s'était perdu. L'avait-il jamais entendu ?

Et quelque 35 ans plus tard, cette phrase revenait à ses oreilles : « Papa, tu sais que je t'...», mais il n'arrivait pas à saisir le mot suivant, il le cherchait de toutes ses forces sans pouvoir terminer cette phrase. Il sentait bien qu'elle était essentielle. Il savait que ces mots manquants étaient importants, qu'ils lui étaient destinés.

Et ainsi passèrent les jours, les mois, les années et une autre décennie. Dans sa tête, dans son cœur, tournoyaient parfois l'éclat d'un rire, la lumière d'un regard bleu, une main menue se posait sur son bras.

Dans son cœur, résonnait une musique connue. « Papa, tu sais que je t'ai...» Musique inachevée, mais patiente et présente à son cœur. Un jour de grand émoi, il entendit enfin : « Papa, tu sais, je t'aime plus que tout. » Il rejoignait enfin par ces mots la longue lignée de ceux qui furent aimés sans le savoir.

Puis des jours et des mois passèrent encore. Au dernier soir de sa vie, la longue, belle et douce dame blanche qu'il connaissait bien maintenant lui chuchota en lui fermant les yeux, en lui prenant la main, en la serrant contre elle : « Oui, c'est cela, simplement cela, tu le savais tout au fond de toi et tu avais en même temps très peur de reconnaître que seul l'amour d'un enfant peut nous agrandir jusqu'aux étoiles. Oui, tu le savais et tu ne voulais pas l'entendre. Voilà, je te suis restée fidèle, je t'ai accompagné jusqu'au bout, maintenant je peux enfin te laisser aller seul. C'est le destin de tous les hommes de rencontrer enfin la solitude éternelle.

« J'ai été ta vie, tu es passé un peu à côté de moi... mais tu n'es pas passé à côté de l'amour de ta fille. Tu as été pour elle très important et elle ne t'oubliera jamais. »

Elle lui ferma les yeux et le cœur, lui chuchota un très beau secret, très mystérieux, enclos dans des paroles immémoriales, celles qui permettent de passer de l'autre côté. Et pour la première fois de sa vie, il s'apaisa et son sourire se dessina entier sur ses lèvres. Il pouvait enfin s'aimer à son tour.

Le lendemain du jour où mon père avait lu ce petit conte, il m'a retenue quelques instants par la main, m'a regardée longuement et a murmuré :

— Tu en sais des choses pour quelqu'un qui a renoncé à ses études en se mariant.

— Oui, Papa, j'en ai découvert des choses depuis que je m'intéresse à ma vie.

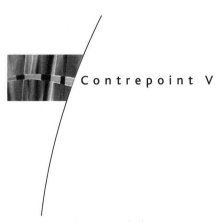

Contrepoint V

Tous mes copains se plaignent de leurs parents. La principale accusation qu'ils leur adressent et qui semble pour eux irréparable, c'est d'être ce qu'ils sont, des parents. Il semble qu'il existe deux catégories principales de parents. Ceux qui s'en foutent, qui laissent tout faire, qui sont jamais là, qui passent leur temps à se disputer, à se séparer, à se remarier, les laxistes, les mous, les inconsistants, les fuyants, les cafardeux, les déprimés, les maltraités de la vie... Et puis il y a quelques autres, ceux qui se croient obligés d'être parents 24 heures sur 24. Ils ne vivent pas pour eux, ils sont plutôt pères et mères. Ils oublient d'être des hommes et des femmes de chair, tellement ils sont enfermés dans leur rôle de «parentus normatus». Après cette première grande classification, on répertorie toutes les variantes, car l'espèce «parentus urbanitus» n'est pas la même que le «parentus campagninus».

À la maison, c'est bien simple, on n'a plus le temps de vivre, on n'arrête pas de communiquer. On essaie de mettre en commun tellement de différences que c'en est tuant! On essaie de concilier tellement d'incompatibilités que c'est à désespérer. Chez nous, tout se discute, tout se négocie, tout se confronte... «À tout imposer on n'arrive à rien!»

Même Julie, ma cousine, ne veut plus jouer au docteur comme avant. Avant c'était moi qui faisais le docteur, maintenant elle veut qu'on alterne, que je sois aussi le malade, le patient qu'elle dit. J'aime pas ça, moi, me laisser tripoter de partout par une fille!

Mon petit frère, il prétend qu'il a le droit de rester dans la salle de bain autant que moi! Il a deux fois moins de surface à laver que moi et il trouve ça juste de m'imposer cette inégalité!

C'est comme pour les parts de gâteau égales. Moi, comme j'ai des gros besoins en matière de pâtisserie, j'initie Maman aux parts inégales.

Elle est d'accord, car elle n'aime pas la croûte, alors elle prend maintenant une part au centre de la tarte ! Papa, il prend toujours deux morceaux, un pour « l'homme d'aujourd'hui », l'autre pour « l'enfant qui était privé de dessert » !

Lucie, qui adore Papa, lui laisse toujours mordre un bout du sien pour « l'enfant du désert » ! Tout le monde rit, en souvenir de quand elle était petite. Elle confondait dessert et désert, pour Papa c'est resté. Quand je serai grand, il faudra bien que j'invente autre chose avec mes enfants pour qu'ils me laissent mordre dans leur gâteau !

Papa et Maman, pour une fois, se sont mis d'accord sur la question des achats communautaires. C'est étonnant parce qu'ils ont des idées opposées sur tout. C'est Maman qui a commencé : « Moi, je veux pouvoir acheter des choses que je peux montrer. Jusqu'ici j'achetais avec mon salaire tout ce qui se consommait : la bouffe, les vêtements, le téléphone. Je payais les trucs qu'on ne voyait pas. Toi, tu achetais le montrable : la chaîne hi-fi, la télé, la voiture, le nouveau salon. Et tous tes copains te trouvaient formidable pour tout ce que tu faisais ! Pour eux, t'es toujours un mari exceptionnel, prévenant, dévoué... mais pour moi t'es un mari banal, normal, complètement inconscient des injustices et de la "ségrégation non conviviale" dans laquelle je vis ! »

Ségrégation non conviviale. Papa n'avait jamais entendu cette expression, mais je suis sûr qu'il va la resservir au bureau !

— Mais pourtant je te consulte, dit Papa. L'autre jour je t'ai demandé comment tu voulais la garniture intérieure de la prochaine voiture...

— Je ne veux plus d'amuse-gueule, hurle maman devant la photo de la nouvelle Berline TDI de Papa. Je veux qu'on-participe-au-prorata-de-nos-ressources-à-tous-les-achats-du-ménage !

Elle n'a plus de souffle après avoir dit tout ça dans un seul mot, d'un seul trait ! Elle sent que Papa est touché, il a horreur de passer pour un homme de Cro-Magnon ou un macho décadent. Sentant qu'il lâche prise, elle en profite pour faire passer sa grande idée.

— On va ouvrir un compte institutionnel, que toi et moi, on alimentera à la proportionnelle de nos ressources et dans lequel toi et moi on puisera pour tous les achats du ménage et de la famille.

Elle dicte sa loi. On dirait un homme politique qui parle.

— Je veux pouvoir m'offrir un panty ou un string sans éprouver de culpabilité ou me sentir obligée de t'offrir une cravate !

Ça fait des années que Papa ne met plus de cravate, il doit se sentir gêné des panties coupables et des strings inavouables de Maman.

— Je veux pouvoir être valorisée dans toutes les petites tâches sans cesse recommencées, dans tous les petits gestes, dans tout l'invisible important et essentiel que je réalise dans cette maison...

Papa ouvre tout grands les yeux sur l'invisible essentiel. Puis il fait comme s'il était au courant, comme s'il le connaissait depuis toujours, pas de problèmes...

— On va faire un compte institutionnel, je suis d'accord. Si ça te permet d'être moins frustrée...

Là, c'est trop. Maman éclate.

— Je ne me sens pas frustrée, mais spoliée. Tu entends, volée de mon temps, de mes rêves, de mes possibles de femme...

Papa, conciliant :

— Tu as raison, je ne vois pas tout ce qui se fait, cette multitude de petites tâches au jour le jour, cet essentiel invisible...

Ils se sont calmés cinq minutes après. Pas plus. Le bouquet, c'est quand Maman qui n'aime pas beaucoup la télé a hurlé en pleurant :

— Et puis c'est trop con, j'en ai assez d'arriver toujours après le début du feuilleton parce que je me sens obligée de terminer la vaisselle et de ranger la cuisine avant... C'est pas que j'aime les feuilletons, mais c'est le droit de les regarder en entier que je revendique !

Les contradictions, on n'en manque pas dans notre famille. Papa, en la consolant, tentait de lui expliquer que « ce n'était pas grave si la vaisselle traînait, qu'il aimerait bien, lui, regarder les feuilletons avec elle, qu'il était prêt à faire la vaisselle après le film de TF1... »

— Non, après le film de TF1 c'est l'amour que tu veux faire, pas la vaisselle et si je reste à traîner un peu pour moi, tu me fais la tête...

C'est pas demain que je me marie. C'est trop compliqué de faire plaisir à soi et à l'autre, quand le plaisir de l'autre est si éloigné du plaisir à soi-même !

Le sommet, cette année, a été le repas de Noël. Il y avait toute la tribu au grand complet. Les frères, les sœurs de Papa-Maman, il y avait ceux qui s'aiment et ceux qui ne s'aiment pas, ceux qui se parlent en riant, en se faisant du bien et ceux qui se parlent comme à la télé, quand Anne Sinclair pose de fausses questions à Balladur ! «La Noël, dit Mamie (de Maman), c'est la fête de la tendresse, on doit s'aimer tous ensemble. On se réunit pour ça, pour être bien ensemble ! Rien ne vaut une famille unie et qui se tient les coudes dans l'adversité... »

Quand Mamie part dans ses envolées affectivo-familiales, nous, on fait semblant d'être heureux ensemble. On se soutient mutuellement autour d'une idée forte : personne d'autre que nous n'a le droit de critiquer notre famille !

Mais on aime bien se disputer ensemble pour le plaisir d'avoir raison. Dans notre famille, je l'ai déjà souligné, chacun tient à sa vérité. Elle dérape, Mamie, d'abord pour s'aimer tous ensemble, il faudrait être comme Jean Paul II, bien protégé par sa soutane qui reste toujours propre et blanche, et par sa Papamobile blindée... Nous, on est vulnérables, surtout quand on se croit blindés et qu'on fait semblant d'avoir raison.

À la maison, dans la famille de base, Papa, Maman et nous, les enfants, quand on est enfin entre nous, on s'aime bien, surtout le dimanche matin. C'est le jour réservé pour ça, pour s'amuser comme des fous à s'aimer. Le dimanche matin, quand on débarque tous dans la chambre des parents, eh bien il faut voir le foutoir dans le lit ! On joue à s'aimer ensemble, on se saute dessus, on se chatouille, on rit. Ma sœur, elle essaie de pousser Maman hors du lit en disant fermement : « Va préparer le petit-déjeuner, va ! »

À elle toute seule, elle occupe les trois quarts de Papa, si bien qu'il en reste qu'un quart pour les trois autres.

Mais Maman veut rester à jouer avec nous, elle ne se laisse pas faire par sa fille préférée ! « C'est le meilleur moment de la semaine, j'en oublie que je suis mère ou maman, je me sens bien avec vous tous ! Je suis enfin moi ! »

Elle est détendue, amollie, avec de gros soupirs, yeux fermés et puis soudain sans prévenir elle plonge en criant sur moi et sur mon frère avec qui je me dispute le quart du quart restant de Papa, ce qui ne fait pas lourd, si vous savez additionner ou soustraire les fractions simples ! C'est dans ces moments-là que Papa et Maman retrouvent leur jeunesse. Moi ça me rassure de savoir qu'ils ont été enfants eux aussi. Au fond, tous les dimanches matin, on ressemble à une famille normale, unie juste pour se disputer notre part d'amour !

Je reviens au repas de Noël, quand Maman a osé faire devant les autres le coup de l'amour différent ! À eux qui ne sont même pas au courant de la « révolution relationnelle » qui était en cours dans notre famille ! Elle aime témoigner de ses découvertes pour en « faire profiter » le maximum de personnes !

— Moi, j'ai dit à mes enfants que j'avais un amour différent pour chacun d'eux et je leur ai montré… !

— Tu leur as montré quoi ? a sifflé Tata Andrée, qui est toujours contre ce que dit Maman !

— Je leur ai montré, à chacun, l'amour différent que j'avais pour eux. J'ai pris trois objets…

— Ouais, et alors ?

— Alors je leur ai visualisé que j'avais un amour unique, un objet différent pour chacun.

— Mais, mais, s'est étouffée Tata Andrée, tu leur as quand même dit que tu les aimais pareil !

— Justement, non, je leur ai dit que j'avais des amours différents pour chacun.

— Tu vas les traumatiser. Plus tard, ils ne pourront jamais dire à quelqu'un « je t'aime », s'ils n'ont pas été aimés pareil…

Ma tante Andrée, c'est une spécialiste de la relation klaxon « Tu, Tu, Tu ». Elle parle sans arrêt sur l'autre, elle sait pour lui, elle veut pour lui, elle prévoit, organise, pense et aime pour… l'autre. Et déjà elle voulait nous prendre tous ensemble dans ses bras, pour nous montrer qu'elle « nous aimait tous pareil ! » pour nous rassurer, pour « dédramatiser » et amortir le choc qu'on aurait subi à ne pas être aimés pareil.

Le coup de « l'amour différent » a soulevé des tempêtes dans les couches profondes de la famille. Les ascendants des deux côtés, ils ont fait front, les descendants aussi, mais pas du même côté que nous. Pour une fois, la famille extérieure à la nôtre a présenté un front uni pour tenter de démontrer les dangers, les écueils et les perversités entretenues à oser dire à ses enfants qu'on pouvait les aimer de façons très différentes. Maman, courageuse, prenant appui sur les hochements de tête approbatifs de son mari, se débattait dans la tempête qu'elle avait soulevée.

— Je leur apprends que chaque amour est unique et non interchangeable…

Mais personne dans cette famille, sauf nous, ne voulait apparemment accepter l'idée d'un amour unique. Chacun réclamait son dû, son droit à un « amour pareil » remplaçable en cas de perte, muni d'une assurance tout risque, garanti immuable contre l'usure du temps. Chacun revendiquait un amour bien emballé, étiqueté, « même poids, même mesure, même qualité, origine garantie ».

C'est grand-père, du côté de Papa, qui a soulevé le plus de stupeur, en avouant :

— C'est vrai, moi j'ai aimé chacun de mes cinq enfants de façons très différentes, mais je n'ai jamais pu le leur dire. Alors j'ai fait comme si l'amour n'était pas important. J'ai même voulu les vacciner contre l'amour pour qu'ils apprennent à s'en méfier… pour qu'ils ne souffrent pas d'aimer ! Quelle erreur !

Il était ému, Papi, en lâchant ce qu'il gardait sur le cœur depuis si longtemps ! Tata Denise, une sœur de Papa, a conclu :

— Bon, alors on la mange cette bûche ?

L'amour familial s'est raréfié d'un seul coup autour d'une question cruciale : y aurait-il assez de bûche pour chacun, surtout après le deuxième morceau pour l'enfant du désert de Papa… ?

Tonton Marcel a quand même pu ajouter :

— Je n'ai jamais osé montrer de l'amour à mon père, de peur de faire de la peine à ma mère !

— Et moi, a chuchoté Jeanne, je n'ai pas pu dire tout l'amour que j'avais pour mon hamster quand il est mort, parce qu'on ne doit pas pleurer pour un animal…

Moi, j'aurais voulu parler de l'amour pour Myriam, ma copine d'une autre quatrième, que je rencontre en cours d'allemand. Mais comme cet amour je l'ai découvert en moi juste la veille des vacances de Noël, je ne sais pas s'il tiendra le coup toute la durée des vacances…

L'amour, de toute façon, c'est le grand sujet dans la famille. Tout le monde a une idée différente sur « Ce que c'est que vraiment aimer… ! » ou « Comment il faut aimer… » et les « D'abord, il y a ceux qui savent et ceux qui ne savent pas » et les « Et puis il y a aimer et aimer ! » Ceux qui ne savent pas, c'est toujours les autres.

Le troisième jour, dans le dernier après-midi des retrouvailles familiales de Noël, on n'avait pas épuisé l'amour. Il résistait aux multiples assauts donnés pour l'enfermer dans une définition, dans un seul modèle ou dans une image convenable acceptée par tous et acceptable pour tous.

Puis, c'est Papa qui a ouvert une autre piste. Il devait avoir le chakra de l'intuition un peu fermé, quand il a lancé comme il dit « la question fondamentale de la pédagogie de la différenciation ».

Là c'est Mamie, du côté de Papa, qui a commencé à pleurer en disant tout de suite que son fils voulait montrer à tout le monde qu'il avait eu une mauvaise mère parce que sur cinq de ses enfants, quatre ont divorcé (c'est Papa qui est le plus résistant, il s'accroche à Maman pour faire la preuve qu'il ne se fera pas avoir comme les autres).

Maman, elle, a tout de suite envie de foutre le camp quand elle entend ce genre de pensée « pestilentielle » comme elle les appelle. Ce qui donnerait quand même raison à Mamie ou tort à Papa, je ne sais plus !

— Alors c'est quoi cette connerie de pédagogie de la distanciation ? a demandé Lucien, un frère à Maman que personne n'appelle Tonton parce qu'il est con ! « Comme un con » précisent toujours ceux qui le connaissent.

Maman, très pédagogue, a repris :

— La pédagogie de la différenciation, et non de la distanciation, est le contraire de la pédagogie de l'étau. La pédagogie de l'étau, c'est quand les deux parents cherchent à tout prix à se mettre d'accord contre l'enfant...

— Mais non, a répondu Papa, c'est quand il s'agit de ne pas se mettre automatiquement d'accord pour l'enfant...

— Un exemple, un exemple, ont demandé en chœur les autres enfants, intéressés.

C'est moi qui ai donné l'exemple.

— La fois où je me suis fait piquer dans le bus, à voyager sans billet, Papa il voulait me donner une leçon en me privant d'argent de poche pendant une semaine. Maman lui a dit qu'elle avait un point de vue différent.

— J'ai d'abord confirmé le point de vue de ton père, a crié Maman qui redoute les amalgames et veut surtout être vue comme juste et presque sans défaut !

Ouais, elle a bien confirmé Papa en lui répétant :

— Ton désir à toi, c'est de le priver d'argent de poche parce qu'il a voyagé sans ticket, qu'il s'est fait prendre, et qu'il a eu 150 francs d'amende. Mon désir à moi, c'est de ne pas le priver d'argent de poche et de considérer qu'il a été suffisamment sanctionné avec 150 francs d'amende.

— Oui, a argumenté Papa, mais il n'apprendra pas qu'il ne faut pas voyager sans ticket, une punition ça sert à ça ! À apprendre à ne plus faire de bêtises !

À l'époque, après plein d'échanges et de commentaires variés sur le fait que les bus devraient être gratuits pour les enfants, je crois qu'ils ont continué à partager leurs ressentis dissemblables sur des points de vue différents, ce qui a permis à chacun de garder sa position.

— Et alors, tu l'as eu ou pas ton argent de poche ?

— Je l'ai eu par Maman, je l'ai pas eu par Papa.

— Alors à tous les coups t'es gagnant ! Il suffit qu'un des deux dise oui !

— D'accord, mais c'est jamais le même, et c'est ça qui compte !

La conclusion générale de la plupart des membres de la famille a été qu'il faut avoir du temps à perdre avec les enfants pour faire des trucs idiots comme ça !

— Nous, ça nous vient pas à l'idée, on se met d'accord ensemble, n'est-ce pas Françoise (c'est ma tante mariée à Lucien) que t'es toujours d'accord avec moi ?

Françoise est toujours d'accord avec Lucien qui ne supporte pas la moindre contradiction. C'est pour ça qu'il est con.

Noël en famille c'est chouette parce que c'est là qu'on peut voir et entendre qu'une vraie famille comme la nôtre, c'est pas fait pour s'entendre ! Que sur les choses fondamentales de la vie on a des points de vue si différents, si antagonistes, qu'on devrait s'interroger sérieusement sur « les forces de cohésion, seules capables, énonce Papa, de résister aux forces d'éclatement et de dispersion, toujours à l'œuvre dans toute famille normalement constituée ».

La famille a toujours tendance à foutre le camp, c'est pour cela qu'il faut sans cesse la retenir. Les forces de cohésion, après chaque Noël, sont en baisse au moins jusqu'à Pâques. Après quelques visites prudentes à doses homéopathiques, chez les uns et chez les autres, c'est reparti jusqu'au prochain Noël.

Ces gens malheureux

Pour certains, il ne suffit pas d'être malheureux, encore faut-il que les autres le soient aussi ! Il leur faut être comme ce pauvre bougre qui croise sur son chemin un dieu un peu désœuvré, en mal de bien faire, qui lui propose naïvement d'exaucer le vœu de son choix.

— Mais attention, lui dit ce dieu néophyte mais prudent, car il connaissait mal l'espèce humaine, ce que je vais te donner, sache que j'en donnerai le double à tout autre homme !

— Eh bien, répond le vagabond sans hésiter, ôte-moi la vue d'un œil... !

C'est le moment de vous écrier avec la plus grande sincérité : moi, je ne serai jamais comme cet homme !

Interrogez-vous cependant, juste avant de vous endormir, en vous posant trois questions fondamentales :

• Ai-je offensé ma vie, ce jour qui vient de s'écouler ?

• Ai-je blessé la beauté ?

• Ai-je attenté à un bonheur possible ?

Ah oui ! Que l'existence peut être belle... quand on ne la martyrise pas !

Si l'homme n'est que poussière,
c'est dire l'importance du plumeau.

La méthode ESPERE a produit encore des dégâts dans la famille. C'est une cousine, pas trop éloignée, qui put en témoigner ! Elle m'a écrit.

Mon fils, six ans, m'a annoncé avec l'air grave d'un vieil Indien : « Maman, j'ai un souci. » Autrefois je me serais précipitée. « Un souci, mon pauvre chéri, Maman est là, tu n'as rien à craindre. » J'aurais dorloté, bercé, anesthésié sans même savoir de quoi il s'agissait. Je me serais emparée de son souci, croyant l'en débarrasser ! Mais c'est votre truc sur la responsabilité des deux bouts de la relation qui m'avait titillée (a-t-elle ajouté, car elle me vouvoie... c'est que je dois certainement l'impressionner). J'ai dit à mon petit bonhomme :

— Tu as un souci ? Et il est gros ?

— Oui, il est gros.

— Il est gros comment ?

Il a fait un geste avec ses deux bras écartés :

— Comme ça !

— Tu veux me le montrer, ton souci ?

Il a hésité, sans bouger, tournant et retournant la proposition quelques instants dans sa tête, plein de réflexions, puis il est allé chercher son vieux lapin devenu tout plat depuis qu'il dort chaque nuit dessus. Un lapin qui n'a qu'un œil et qui a perdu une oreille, mais qui est quelqu'un de si important pour Benoît.

— Tu as envie de faire quelque chose, toi, pour ton souci ?

Il m'a regardé avec un tel regard de confiance que j'en ai été bouleversée. Comme s'il me disait : « Alors tu me crois assez grand pour m'occuper de mon souci ? Tu me fais suffisamment confiance ? »

Le reste de la soirée, il a été joyeux comme rarement j'ai vu mon enfant. C'est formidable de découvrir qu'il suffit d'être là, pour permettre à un enfant de découvrir ses propres ressources et de s'appuyer sur elles ! Jamais je n'aurais pensé pouvoir mettre en application de façon aussi spectaculaire votre truc de l'écharpe et des deux bouts de la relation. Moi, j'étais persuadée qu'une relation ça faisait un tout et que j'avais la charge de m'occuper de ce tout !

Ainsi j'emmagasine le plein de tous ces petits miracles quotidiens qui me reviennent parfois. Dans ces moments-là, il m'arrive de savourer la vie avec un plaisir entier.

Aujourd'hui, je ne me demande plus si j'étais naïve ou inconsciente face à ce qu'on appelle, je crois, les choses de la vie et que j'aurais envie de nommer, moi, les erreurs de la vie !

Je crois plus simplement que j'étais aveugle. Aveugle et sourde. Je ne voyais pas, je n'entendais pas. J'étais en quelque sorte irréelle vis-à-vis de la vie. La cause de la plupart de nos comportements n'est pas à chercher dans le passé, car elle réside d'une certaine façon dans le futur. Tout événement à venir nous renvoie à ce qui résonne, à ce qui retentit en chacun.

Quand Julia, une amie médecin, m'a téléphoné en pleurs pour me dire ce que venait de lui confier sa petite fille de cinq ans et demi, Myriam, je ne savais pas que j'allais en trouver la confirmation.

« Tu sais, Maman, Mamie, tous les soirs avant de m'endormir, elle m'embrassait le pipi. »

Le pipi, c'est le nom que ma fille donne à son sexe. Myriam a ajouté : « Moi, je me laissais faire. Mais j'aime pas Mamie. » Dans un premier temps, je ne voulais pas croire ce que disait ma petite fille. Ces trucs-là, c'est pour les autres, dans les journaux, pas pour nous ! Il y avait deux voix en moi. L'une me soufflait : « Elle doit se tromper, sa grand-mère qui lui dépose en riant un petit bisou sur le ventre après la toilette, c'est de la tendresse » et une autre voix plus violente me criait : « Tu l'as toujours su, arrête de te raconter des histoires. Tu savais que quelque chose comme ça devait arriver ! »

Je me suis souvenue de ce que m'avait raconté mon mari, avant qu'on ne se sépare. Que sa sœur et lui-même, tout enfants, avaient été initiés par leur mère. Celle-ci en effet les masturbait avant qu'ils ne s'endorment. Sous prétexte « qu'au temps de Rabelais, les nourrices endormaient ainsi les enfants en leur donnant du plaisir ».

Mon mari m'avait parlé de cela sans trop de gêne. J'avais bien tenté de l'interpeller : « En leur donnant du plaisir ou en prenant du plaisir sur eux ? Car ce n'est pas pareil ! » Il avait éludé ma question, en reconnaissant que sa mère avait toujours été un peu excentrique.

J'ai eu des envies de meurtre en découvrant ce qu'avait vécu ma fille. Le plus terrible, c'est que j'ai commencé, à mon habitude, à m'accuser de n'avoir rien vu et rien entendu.

Je suis médecin et pendant deux mois ma fille avait produit des cystites, des infections vaginales, des angines. Ça, c'était aux mois de septembre et d'octobre, au retour des vacances de chez sa grand-mère. Et après les vacances de Noël, pendant lesquelles Myriam avait encore passé trois jours chez sa Mamie, sur l'insistance de son père qui devait être là, mais qui n'avait pu se libérer, la laissant ainsi seule chez sa mère, elle était revenue avec un purpura.

Comme médecin, j'ai souvent associé la violence des maux avec le silence des mots. Et là encore je n'avais rien vu, rien entendu. Il a fallu attendre sept mois pour que ma petite, installée dans son bain, de la mousse jusqu'aux yeux pendant que je me faisais les ongles en lui parlant de ma peur des araignées quand j'étais petite, me lâche d'un seul coup, sans prévenir : « Tu sais, Maman, Mamie, tous les soirs avant de m'endormir, elle m'embrassait le pipi. »

Je sentais combien il était important pour Julia de parler, de mettre des mots sur l'insupportable, de revenir plusieurs fois sur le même point. Comme une sorte de curetage pour enlever tout le mauvais, pour nettoyer tout le malsain.

Ce qui m'angoisse, c'est que tous les signes étaient là et je ne les voyais même pas. Tout était dit clairement par ma fille avec les maux de son corps et apparemment, je ne pouvais pas les entendre ! Quel aveuglement nous habite quand il s'agit de nos proches !

Julia avait besoin de parler et je me sentais suffisamment ouverte, c'est-à-dire sans résonance trop massive pour l'entendre.

Un autre souvenir tout aussi violent m'est revenu en mémoire. Quand Myriam est née, ma belle-mère était venue passer quelques heures à la maison. Elle était présente dans la salle d'eau quand je langeais ma fille et effectivement, à un moment donné, quand elle l'avait vue toute nue, elle s'était précipitée sur elle, avait enfoui sa tête entre les deux jambes du bébé et avait embrassé son sexe. À ma grande gêne. Je l'avais alors envoyée chercher un linge, sans autre commentaire. Mon malaise, je l'ai oblitéré tout de suite, en pensant que c'était une manifestation spontanée et un peu exceptionnelle d'une mamie pour un nouveau-né. J'en avais cependant parlé le soir même à mon mari. C'est ça qui est terrifiant dans des relations conjugales merdiques. Il avait tout de suite tenté de me culpabiliser, en me disant que j'avais l'esprit mal tourné, que je faisais un drame avec des riens, que c'était normal qu'une vieille dame embrasse sa petite fille sur le corps, lui fasse des poutous !

J'avais tenté de dire : « C'était pas sur le corps, mais sur le sexe et ça c'est pas normal ! » Il avait répondu : « De toute façon, tu n'as jamais aimé ma mère, tu trouves toujours à redire chaque fois qu'elle fait quelque chose ! »

C'était sa mère qui posait un acte aberrant et c'était moi qui avais l'esprit mal tourné! Le couple est vraiment un lieu d'infantilisation qui marche à plein temps!

Le soir même, en écoutant en moi ce que m'avait raconté mon amie Julia, je me sentais renvoyée à mes propres aveuglements.

Bien sûr que je me sens concernée, même si je me persuade avec une authentique sincérité et une conviction inébranlable que de pareilles choses ne peuvent pas arriver à mes enfants, venant de mes parents ou de personnes de mon environnement proche.

Bien sûr que je suis concernée à un degré ou à un autre, même si je préfère m'entretenir dans l'idée rassurante que de telles histoires ne se produisent que chez les autres. Mes certitudes et mon assurance ne me prémunissent pas contre l'éventualité de l'émergence d'actes ou de symptômes de répétition mus par une nécessité venue de loin, en lien avec d'hypothétiques non-dits relatifs à l'histoire passée et intime de mes parents ou grands-parents.

Je sais bien, tout au fond de moi, que je suis concernée, même si je veux continuer à croire que ce genre de situation relève de l'exceptionnel, du malsain ou, je veux bien le concéder, de l'accidentel, en fin de compte. Et me persuader que ce n'est tout de même qu'un cas particulier, un triste concours de circonstances défavorables qui a vraiment peu de risques de se reproduire!

« Car il ne faut quand même pas vouloir tout interpréter, donner du sens à tout et à tout bout de champ. On n'en finirait pas! Les explications ont des limites, elles supportent bien quelques exceptions! Vous ne croyez pas? » Dans mon cas surtout, même si je me sens un peu spéciale. Il ne faut quand même pas chercher tout le temps des noises au hasard. On sait bien qu'à force de chercher, on finit toujours par trouver ce qu'on cherche, même si c'est tiré par les cheveux et que ça ne prouve rien.

« Laissez donc le hasard en paix! Il mérite bien quelques égards ou quelques excuses, quelques circonstances atténuantes. Il a bien le droit de se reposer sur ses lauriers, de se laisser aller sur une définition inusable, bien douillette et arrangeante. Celle qui fait de lui un vrai pur hasard bien de chez nous, rationnel à souhait, inscrit dans la droite ligne de la tradition cartésienne tant qu'à faire ! Un hasard pur sucre inspiré de théories philosophiques qui ont fait leurs preuves et appuyé par des démonstrations et des statistiques rigoureuses, calcul de probabilité à l'appui ! »

Voilà le genre de revendication que j'entends souvent déclamer autour de moi par les détracteurs libres de reliances, de langue poétique et de coïncidences significatives. Par ceux qui ne peuvent concevoir que des faits réalistes qui se voient ou se prouvent, scientifiquement si possible.

Une telle vision réductrice des choses aurait au moins l'avantage de me fournir un vrai, un bon alibi pour me justifier de maintenir soigneusement en respect toute forme de remise en cause. Pour me dédouaner de temps à autre d'une responsabilité parfois si lourde à endosser : celle qui veut que je sois partie prenante de tout ce qui m'arrive.

Malgré tout, je sais aussi au fond de moi, avec une certitude plus sournoise et intuitive, que certains aspects de ma vie m'échappent. Certains signes, certaines informations qui me parviennent ricochent en moi contre des zones aveugles, tant j'ai du mal parfois à ouvrir des yeux lucides sur ces réalités, telles qu'elles sont. Je garde une propension déconcertante, parce qu'exercée de longue date, à glisser sur la pente douce et légère de l'angélisme et à m'y laisser porter.

Je m'entretiens dans une vision du monde, version Palais des glaces, où l'autre serait ou devrait être mon double, mon reflet, mon image. Je m'offusque de constater tant de différences et de décalages que « je ne comprends pas ». Je cultive une certaine candeur ingénue quand je préfère penser que tout le monde est honnête comme moi... que chacun est de bonne foi comme moi... enthousiaste, désespéré ou en recherche comme moi. Quand je n'ajoute pas, parfois, bonne poire comme moi ! Mais passons à autre chose.

Je reste interrogative quand je pense à Myriam, la fille de mon amie. Elle a parlé certes, mais combien d'enfants se taisent, restent enfermés, ne peuvent se dire et gardent ainsi comme autant de blessures infectées les violences reçues ? Combien les cachent et les montrent de façon imprévisible avec des somatisations !

Paradoxalement, je me suis sentie pleine d'admiration pour Julia. Même si elle n'avait rien vu, elle avait quand même bien dû avoir une attitude suffisamment ouverte et autorisante pour permettre à sa petite fille de parler ce dimanche-là, pour qu'elle ose se dire ce matin-là dans sa baignoire, « avec de la mousse jusqu'aux yeux » pour protéger sa pudeur. À moins que ce ne soit pour protéger sa mère et amortir le choc de la découverte de l'impensable !

Je savais les enfants pleins de ressources et de moyens en réserve. Ils le sont sans doute bien plus encore que je ne pouvais l'imaginer ou le supposer. J'ai découvert depuis que les enfants, les plus jeunes en particulier, quand ils révèlent des violences sexuelles dont ils ont été victimes, s'arrangent souvent pour envoyer leur message sur un mode paradoxal et brouillé. Entende qui pourra !

Parfois, ils parlent et frappent en même temps avec un objet, ils se cachent sous la table, sous une chaise, mettent la tête sous un oreiller, s'agitent en mille pirouettes ou s'enfuient à l'autre bout de la pièce. Tout se passe comme s'ils testaient la compétence des adultes à les entendre et à décoder leurs propos. C'est aussi comme s'ils les protégeaient en même temps en leur lançant des : « Si tu es capable de m'entendre tu m'entends, mais si tu ne peux pas m'entendre, t'inquiète pas et fais comme si je n'avais rien dit… »

J'en viens à penser que si tant d'enfants et d'ex-enfants souffrent de se taire, ce n'est peut-être pas parce qu'ils sont restés murés dans le silence, mais plutôt parce qu'ils y sont retournés, découragés par des tentatives avortées pour se faire entendre.

J'en suis venue à croire que ce ne sont pas les enfants qui se taisent, mais les adultes qui ne les entendent pas parce qu'ils ne sont pas formés à cette écoute-là.

D'ailleurs, quand je repense rétrospectivement à la femme que j'étais il y a 10 ans, je me rends bien compte à quel point je pouvais être fermée à une telle écoute, malgré les intentions louables qui m'animaient, malgré toute la bonne volonté et les bons sentiments qui pouvaient m'habiter.

Quand ensuite j'ai commencé des formations à la communication et à l'écoute, j'ai parfois eu tendance à aborder cet apprentissage sur un mode scolaire, avec l'espoir d'y découvrir des recettes, des trucs, des solutions et même des savoir-faire nouveaux.

J'ai même été un petit peu légère parfois. J'aurais voulu savoir tout de suite comment il fallait faire, comment il fallait être pour que mes enfants puissent se donner la liberté de se dire, pour qu'ils puissent prendre le risque de mon écoute. Julia n'avait pas suivi 10 stages de communication et elle savait entendre !

Ce soir, en écrivant ces lignes, au-delà de la révolte et de l'angoisse mêlées qui m'habitent, je me sens dans l'émerveillement et l'enthousiasme.

Quoi qu'il ait pu arriver, une petite fille a pu parler à sa mère et celle-ci a pu l'entendre. Je me suis sentie le cœur gros et je me suis mise à pleurer, en tentant de rassembler une fois de plus les morceaux de tout ce que j'aurais voulu dire à ma propre mère : les détresses, les désespoirs, les injustices, les doutes, les peurs mais aussi les joies, les élans, les emballements. Tous les petits trésors de la vie que j'aurais tant voulu pouvoir déposer à ses pieds et que j'avais gardés, malgré moi, tellement j'étais sûre que de toute façon elle ne pourrait jamais les entendre.

J'ai volontairement, toute mon enfance, enfermé ma mère dans son silence avec l'argument choc : « De toute façon, elle ne comprendrait pas ! »

Je sais, je sais... c'est moi qui produis et qui entretiens ces pensées. Je pense à sa place, allez-vous vous écrier une fois de plus ! Je vous entends déjà murmurer « entretien de la répression imaginaire ». Mais je sais de quoi je parle, j'ai un avantage sur vous, une longueur d'avance, c'est que moi je la connais ma mère, je la pratique assidûment depuis 42 ans ! Et vous savez, elle est spéciale, ma mère !

Le difficile dans l'écoute et le partage de l'intimité, ou lors d'un échange vrai, c'est que ce qui en émerge nous renvoie toujours à l'indicible et à l'inexploré de notre propre histoire.

Le paradoxe de l'écoute active, je tiens à vous le dire, à vous qui enseignez la communication, se résume dans l'observation suivante. Chez l'écoutant, la résonance ou le retentissement sont amplifiés et pèsent plus fort quand un échange présente la qualité d'une communication authentique, centrée sur la personne. Et en même temps, l'écoute devient plus difficile, car plus périlleuse et plus impliquante, avec tous les risques d'une dérive, d'une décentration.

Je n'aurais jamais imaginé que ces simples petits stages de communication, que j'avais entrepris au début « juste pour améliorer la communication avec mes enfants », me conduiraient sur des chemins aussi complexes, tortueux et étranges ! Ceux de la vie palpitante ravie ou menacée, vaillante ou chancelante, ardente ou terrifiante, foisonnante ou dépouillée. À la rencontre aussi de toutes mes contradictions, de mes travers, de mes lâchetés et de tout ce que je ne voulais pas voir en moi.

Souffrir le martyre en étant seul semble parfois préférable
que de souffrir deux martyres... en étant deux.

Depuis des années, Maman avait pris l'habitude de téléphoner trois à quatre fois par jour. Depuis des années, je pestais
contre ce que je considérais comme une marque de non-respect,
comme une intrusion et parfois même comme un viol de mon
intimité. J'avais demandé plusieurs fois à ma mère de changer de
comportement, d'attendre que je l'appelle, de ne pas me sonner à
la moindre question qui l'habitait. Elle me répondait invariablement :
« Mais je suis ta mère. »

Le « je suis ta mère » semblait lui donner tous les droits, justifier toutes les demandes qu'elle pouvait s'autoriser à mon égard. Le
fait d'être ma mère lui donnait quitus de toutes les intrusions qu'elle
faisait dans ma vie. Son statut de mère l'encourageait à me garder, à me contrôler, à m'infantiliser. C'est comme cela du moins que
je voyais ma relation à elle.

J'ai mis longtemps à découvrir que je collaborais ainsi au système relationnel dont justement je souffrais et que je dénonçais.

Tenter de me définir après avoir été pendant des années définie par les peurs et les désirs de l'autre m'a semblé pendant des
mois une tâche insurmontable.

Je ne me rendais pas compte non plus qu'en tentant de lui
dicter à mon tour comment elle aurait dû être avec moi, je ne

faisais qu'alimenter ce système d'hétéro-définition mutuelle, dans lequel nous sommes enfermées elle et moi depuis toujours !

Un soir, après un troisième coup de téléphone trop rapproché, j'ai osé dire :

— Je ne suis pas disponible. Je t'appelle lundi matin à 8 h 15 !

— Mais, mais je voulais te dire que...

— Je ne suis pas disponible. Je t'appelle lundi matin à 8 h 15.

— Mais je croyais que tu n'étais pas là, lundi matin ?

— Je ne suis pas disponible ce soir, je t'appelle à...

— Ah bon !

Elle ne raccrocha pas tout de suite, attendit de ma part un ultime revirement, des justifications.

— Bonne soirée, Maman.

Après avoir déposé l'écouteur, j'étais oppressée, je transpirais, je l'imaginais à l'instant même chez elle, la bouche pincée, les yeux froids, tout le corps en retrait. Autant de signes qui, dans mon enfance, me terrifiaient, me donnaient envie d'aller au-devant de tous les sacrifices pour que ma Maman chérie ne pince pas les lèvres, ne s'absente pas derrière le voile de ses yeux, qu'elle me revienne et que surtout, surtout je ne lui fasse pas de peine !

Combien de soumissions, combien de négations ai-je acceptées pour ne pas provoquer chez elle le moindre soupçon de rejet ou simplement de déception. J'ai baigné dans cette dépendance-là pendant près de 35 ans. Non seulement avec ma mère, mais avec les hommes de ma vie, avec les personnes significatives de mon existence.

Aujourd'hui je suis devenue allergique, hyper-intolérante à la moindre tentative de définition de moi. Tout mon entourage me dit en souffrir. Ils appellent cette attitude de la susceptibilité, un manque d'humour et même de la rigidité. « Toi qui autrefois acceptais tout ! » Et cette dernière phrase me fait exploser, me fait redémarrer à nouveau. « Oui, oui, moi qui autrefois acceptais tout comme une pauvre conne, comme une demeurée. Adulte vue comme une petite fille et ex-petite fille si avide, si affamée, si mendiante de la moindre approbation, d'un regard, d'un sourire de l'autre, qu'elle n'osait contrarier personne ! » Oui, j'ai changé, je l'espère et je souhaite que ce soit durable. Mon but n'est pas de contrarier ou de blesser, mais de sortir d'un système de relations à base de dépendance qui n'est pas bon pour moi.

Oh ! je sais que je vais perdre des amis, que je vais élaguer dans mes relations, que je vais peut-être me retrouver toute seule. Mais je me sens capable de prendre ce risque. Je ne veux plus construire ma vie, ajuster mes comportements, m'ouvrir ou me fermer autour de ma peur de ne plus être aimée ou fréquentée ! Je ne veux plus exister seulement quand je corresponds au désir ou à l'attente de l'autre ! Je veux exister à partir de mes propres désirs et attentes, en prenant même le risque qu'ils ne soient pas tous entendus.

Le plus étonnant, c'est que je n'ai pas eu besoin de faire plus de trois fois ce que j'appelle le « coup du téléphone » à ma mère. « Je ne suis pas disponible, je t'appellerai tel jour, à telle heure. » Elle tente bien encore de tester mes ressources ou ma détermination.

— Oh ! excuse-moi, je croyais que tu avais un peu de temps pour moi...

Ce « pour moi », qui autrefois m'aurait déstabilisée pour plusieurs jours, me fait sourire aujourd'hui. Je peux même en plaisanter avec tendresse.

— Eh oui, ma Maman préférée, même pour toi je ne suis pas disponible, je t'appelle lundi.

— Bon, c'était pour savoir !

Je sens qu'elle aussi a lâché de l'angoisse. La balise que je lui donne la rassure et crée un ancrage à sa propre peur d'être abandonnée. Elle peut même accueillir mes plaisanteries sans les rejeter ou me disqualifier comme autrefois. Elle peut enfin entendre mes rires et mon humour sans se sentir bafouée ou blessée.

C'est ma sœur Renée qui me raconte tout cela et j'aime sa façon à la fois légère et profonde de témoigner de l'évolution de la relation avec sa mère qui est aussi la mienne. Ma relation est si différente de celle qu'elle entretient, elle, avec notre génitrice commune. J'ai donc la confirmation que si nous avons la même génitrice, nous n'avons pas la même mère !

Il serait naïf de croire que le désir des parents est tourné vers le mieux-être de leurs enfants ! Le véritable désir des parents, c'est de ne pas être inquiétés... par leurs enfants !

Jeannine m'a dit, quand je lui ai parlé de ma propre évolution et de celle de ma sœur :

> Moi, ma mère ne m'a jamais appelée. Pendant des années, elle n'a pas souhaité que je la voie. Ma mère ne veut pas que je l'aime. Son interdit est clair, précis, sans appel. « Je ne veux pas que tu m'aimes. Je ne veux pas que tu t'attaches à moi. Je veux que tu saches te débrouiller toute seule. » Ainsi toutes mes marques d'attention, toutes mes tentatives de lui donner quelque chose de bon n'ont fait que susciter chez elle dénégations, refus ou commentaires du genre : « Mais tu m'as déjà offert un livre l'année dernière, ce n'était pas la peine de te forcer cette année ! » ou « Je t'ai déjà vue une fois cet hiver, ça doit te suffire ! Il y en a d'autres qui ont moins que ça de la part de leur mère ! »
>
> Le plus terrible, ce fut quand elle m'a dit : « Quand j'aurai mon Alzheimer, tu pourras me voir autant de fois que tu voudras, ça ne me fera rien. Je ne te reconnaîtrai même pas ! » Le plus terrible avec elle, mais non le plus blessant, c'est qu'elle a besoin d'établir entre les proches et elle un champ de force qui maintient à distance. Ah ! les délicieux échanges avec ma mère adorée et haïe. Les hommes que je rencontre me reprochent souvent mon ambivalence. Je connais bien la source et le terreau dans lesquels mon ambivalence a grandi.

Il n'y a qu'une seule lettre de différence entre dénuement et dénouement.

« Le couplage amour-haine est quelque chose d'épuisant… » L'homme qui me parle ainsi est gynécologue-obstétricien. En public, il est charmant. Mais ceux qui le connaissent professionnellement ont souvent confirmé qu'il était horrible. Il a des gestes d'une brutalité inouïe, des commentaires à la limite de la perversité. Il est capable de faire des remarques qui sont vécues comme du sadisme. La plus banale, la plus fréquente au moment des accouchements qu'il dirige est : « Vous n'avez pas crié comme ça, hein, quand vous l'avez mis en route ! Il fallait y penser avant. »

Je perçois parfois chez cet homme une brutalité gratuite qui me fait m'interroger sur les motivations profondes qui président au choix d'une telle spécialisation. Les gynécologues proposent trop souvent, me semble-t-il, une relation de violences et d'agressions à la mesure de leur peur. Il n'y a pas assez de gynécologues. Il faut attendre des mois pour avoir un rendez-vous. Ils sont rares, apparemment, ceux et celles qui prennent le risque de cette approche : s'intéresser aux balbutiements de la vie.

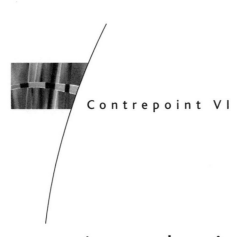

Contrepoint VI

Amour de soi
ou égoïsme

Celui qui entreprend une réflexion sur lui-même, une démarche de changement ou de développement personnel s'expose à s'entendre qualifier assez rapidement par ses proches d'égoïste ou d'égocentrique. « Tu ne penses qu'à toi. » « Je ne te comprends plus, tu n'es plus le même. » « Tu ne vois pas la peine que tu me fais en devenant différent de ce que je croyais que tu étais ! »

S'il ne faut pas confondre amour de soi et satisfaction de soi, aux détours d'une démarche dont le risque est de réveiller notre narcissisme latent, il convient cependant de savoir cultiver un sentiment ouvert de bienveillance envers nos ressources, envers nos propres productions. Nous pouvons apprendre à nous gratifier sans débordements centripètes. C'est en reconnaissant une valeur à ce qui sort de soi que nous commençons à construire confiance et estime de soi.

L'estime de soi sera en quelque sorte la sève qui nourrira l'amour de soi dont nous aurons besoin pour pouvoir aimer autrui.

L'amour de soi est la première forme de respect et de positivité à l'égard de soi-même. C'est notre regard qui donne une coloration, c'est notre écoute qui donne un sens à l'intention de ceux qui nous entourent. Ce sera aussi la base pour une qualité d'écoute, d'ouverture aux autres. L'amour de soi constitue la pierre angulaire de l'édifice, sans cesse en mutation, d'une personnalité. De lui dépendront l'énergie et l'intensité avec lesquelles nous allons pouvoir nous relier aux sources vives de notre existence.

L'amour de soi est lié au respect de soi. Il est en quelque sorte l'expansion du premier cadeau que nous avons reçu : la perle de vie déposée au moment de notre conception et mise au monde après neuf mois de gestation. Germe qui va s'agrandir et s'amplifier au contact d'un environnement non seulement bienveillant et gratifiant, mais aussi rassurant et stimulant.

Celui qui est vu comme ou qui se sent égocentrique ne fait que placer son ego au centre. Au centre de soi, passe encore, mais quand l'ego est placé au centre de toute relation, c'est là que les difficultés commencent, car le risque menace alors que toute évolution ou toute interprétation de la réalité ne se fasse à l'aune de cette focalisation plutôt qu'à l'écoute de tous nos sens. La base de toute adaptation possible repose sur la confrontation possible avec les messages ou les réponses envoyés par autrui. L'amour de soi va se nourrir de la qualité des relations les plus significatives de notre petite enfance. Si nous avons vécu des relations dans lesquelles dominaient les sanctions, les menaces, les disqualifications, les jugements de valeur ou les rapports dominants/dominés, il est vraisemblable que notre amour pour nous-mêmes sera amputé ou limité. Si, au contraire, nos proches ont cultivé l'invitation à se dire, la non-collusion entre sentiments et relations, la reconnaissance gratifiante, la différenciation entre besoin et désir, l'écoute centrée sur la personne et non sur le problème, alors il est certain que nous avons pu inscrire les bases fiables d'un amour en nous et pour nous-mêmes.

L'égocentrisme, et même l'égoïsme, ou la tendance à ramener tout à soi, seront donc la résultante de relations peu gratifiantes, dans lesquelles dominaient souvent la violence des désirs et des peurs de l'autre déposés sur nous.

Si nous avons été élevés dans un système relationnel qui ne favorisait pas l'autonomie des sentiments, notre besoin d'être aimé dominera dans la plupart des interrelations et notre besoin d'aimer, qui n'est qu'une demande déguisée, entretiendra dépendance, attachement et revendications. Puisqu'un besoin non autonome réclame réponse de l'autre, celui qui ne s'aime pas recherchera sans arrêt des preuves de l'amour de l'autre par une quête de réponses à ses demandes ! La dépendance ainsi créée se transforme parfois en exigences, elle développe et entretient des comportements ambivalents et contradictoires qui vont agresser tout le présent et le devenir d'une relation. « Si j'ai besoin de t'aimer, tu dois accepter mon amour et surtout m'aimer en retour, puisque je t'aime. Je vais vérifier sans arrêt la solidité et la permanence de cet amour par des demandes de plus en plus démesurées et outrancières ! »

Dépendance affective et assistanat matériel ne préparent en rien à l'autonomie relationnelle qui suppose une relation en santé. Les échanges ou les partages qui ne peuvent se vivre en réciprocité révèlent surtout le manque de liberté intérieure des partenaires en présence. Les formes les plus subtiles ou les plus manifestes de l'égocentrisme, de l'égoïsme et même du terrorisme relationnel trouvent leur origine dans le manque d'amour de soi.

Nous pouvons constater en nous-mêmes, à certaines périodes de notre vie, et autour de nous, combien peu de personnes s'aiment réellement. En développant en soi les bases d'un amour plus libre, c'est à l'ensemble de l'univers que nous offrons plus de possibles d'amour.

Les enfants de demain devront pouvoir accueillir l'avenir tel que nous le leur préparons aujourd'hui et en même temps l'influencer suffisamment pour offrir un avenir meilleur à leurs propres enfants.

C'est par des relations exigeantes, centrées par des positionnements clairs dans l'ordre des gratifications et des frustrations de la part des adultes, que vont pouvoir se construire chez les enfants d'aujourd'hui les prémices d'un amour de soi susceptible de s'ouvrir plus tard à un amour d'autrui suffisamment libre, créatif, respectueux et porteur de vie.

*Le sens de tout changement est d'être plus proche de la vie,
de se relier aux forces vives de l'existence.*

Avec quelques amies, entre femmes, nous avons pris l'habitude d'un groupe de parole, d'un temps d'échange et de partage. Nous le suivons depuis quelques mois avec intensité et gravité, avec un enthousiasme réel et pour plusieurs d'entre nous, dans une sorte d'état d'urgence, j'allais dire de manque. Nous sommes des accros de la communication. Nous y déposons et nous y entendons des choses ahurissantes. Ainsi, Dany, assistante sociale de son état, nous a raconté l'incroyable. Comment, trois ans après son mariage, elle a découvert qu'elle était divorcée en allant chercher une fiche d'état civil ! Nous nous sommes toutes récriées : « C'est pas possible ! C'est impensable ! »

J'ai tout imaginé ! Que c'était ma mère qui avait organisé tout cela et puis non, le juge s'en serait quand même rendu compte ! Alors j'en suis venue à penser que c'était sa petite amie, que mon mari avait dû présenter à l'avocat comme étant sa femme et qu'elle était d'accord pour divorcer à l'amiable ! Quoi qu'il en soit, j'étais bien divorcée ! J'ai bien regardé la date, le jugement du divorce avait bien été rendu.

Six mois après le mariage, je vivais déjà séparée de lui. On avait vécu ensemble quatre ans sans être mariés. Il avait terminé ses études de médecine depuis trois ans, mais se sentait incapable de rédiger sa thèse.

Il n'arrivait pas à l'écrire. C'est moi qui ai trouvé le sujet, j'en ai écrit les trois quarts sans même me rendre compte qu'à travers ce choix, je tentais de réparer deux situations inachevées de mon histoire. La première : j'avais été une enfant maltraitée par ma mère, j'avais subi de graves sévices. La deuxième : après mon bac obtenu à quinze ans et demi, j'avais fait ce que l'on appelait à l'époque le M.P.C. (maths, physique, chimie), qui était la propédeutique de médecine. Puis mes parents avaient refusé que je m'engage dans la poursuite d'études longues, et je suis alors devenue assistante sociale ! Le thème de la thèse de mon conjoint ? La maltraitance des enfants ! Ainsi j'ai fait d'une pierre deux coups. Tout en n'ayant pu entreprendre des études de médecine, j'ai quand même préparé et rédigé une thèse de médecine, dans laquelle j'ai pu parler abondamment d'un non-dit qui avait empoisonné toute mon enfance : les brutalités inouïes, les violences qui peuvent peser sur un enfant pendant des années.

Et cela sans que l'entourage proche, mes grands-parents, les enseignants ou même le médecin de famille n'interviennent. Pourtant ils ne pouvaient pas ne pas voir les marques bleues dans mon dos, la clavicule cassée, deux dents qui me manquaient sur le devant après avoir été projetée contre un meuble !

Je pouvais ainsi révéler sous le couvert d'une fiction universitaire tout le non-dit, toutes les ruminations, toutes les violences silencieuses dans lesquelles j'avais été enfermée pendant des années.

Et cet homme, le père de ma fille, qui animait depuis un cabinet médical prospère, n'avait pas hésité à faire un faux. Il avait osé convaincre une femme d'entrer dans un rôle, le mien, celui d'une épouse qui voulait divorcer et qui était d'accord avec son mari pour le faire !

Ce qui, d'une certaine façon, était mon cas. À la différence que jamais, au grand jamais, je n'aurais demandé le divorce. Ça ne se faisait pas dans ma famille. Cela a d'ailleurs donné l'occasion à ma mère de continuer à m'agresser verbalement pendant des années, en me disant que je faisais honte à 10 générations de Leblanc, dont aucun n'a jamais transgressé un engagement pris, même quand il découvrait qu'il s'était trompé !

Dany, avec cet humour fragile des âmes blessées par les aberrations et les violences de la vie, poursuivait encore en riant :

> Et ce n'est pas tout ! Ce n'est qu'aujourd'hui que je comprends le message complet qui sous-tend toute la dynamique de ma vie : réussir à tout prix pour échouer !
> La façon dont j'ai conduit mes études et le nombre de concours que j'ai passés et réussis illustrent bien à la fois le système pervers dans lequel je me suis enfermée et une fidélité terriblement fidèle à la petite fille toujours blessée qu'il y a encore en moi...

Dany nous racontait cela avec une légèreté empreinte de gravité qui donnait à chacun de ses mots une force, une consistance rare. C'était comme un feuilleton cousin de celui des *deux orphelines* et en même temps, cela sonnait juste, vrai, profondément vrai !

Nous étions les unes et les autres, parmi celles qui l'écoutaient, pour la plupart issues de milieux aisés, bourgeois, commerçants ou industriels. Nous avions des familles stables, apparemment sans problèmes. Et je crois cependant que chacune d'entre nous entendait sous les mots de Dany quelque chose de sa propre histoire.

Chacune entendait s'ouvrir un chemin dans le labyrinthe apparemment transparent de son vécu familial. Tout se passait comme si Dany, à travers son récit, nous aidait à soulever, à dévoiler la chape bétonnée de nos silences, comme si elle tirait doucement sur le voile de nos aveuglements en faisant tintinnabuler subtilement une vibration nouvelle dans nos surdités. Je vous ai souvent entendu dire en conférence : « On ne parle jamais en vain. Toute parole a un port d'attache où se reposer, après avoir longtemps navigué, après avoir voyagé au loin, après avoir traversé des espaces de solitude, des obscurités et des éblouissements. »

Dans le récit de Dany, qui aurait pu rester anecdotique, scandaleux ou plus simplement aberrant, chacune d'entre nous, je le crois, pouvait se relier et même commencer à s'entendre.

Je découvre, mais quelle évidence, que c'est ce qui se passe dans les groupes de formation auxquels j'ai participé avec vous ! Bien sûr, c'est plus structuré, moins empirique, mais sur le fond, l'essentiel est là.

Quelqu'un, par la simple écoute d'un autre, se met au monde. Quelqu'un prend le risque de s'aventurer sur le fleuve fragile de son histoire, de se perdre sur des affluents secondaires, de s'épuiser, de se dissoudre ou de se construire en se heurtant à l'indicible, pour accéder au plus près de ses racines ou de ses ancrages. Il découvre au début quelques vérités transitoires, vérités relais provisoires qui vont parfois se révéler des leurres ou des tremplins pour d'autres découvertes, pour d'autres explorations, cheminement sans fin à la recherche de soi.

Dany en ce sens avait déjà parcouru un énorme chemin.

Pendant des années, j'ai oscillé entre la fuite dans la folie et un comportement répétitif, quasi ritualisé, constitué par des inscriptions à des examens, à des concours de plus en plus difficiles, que je réussissais mais auxquels je ne donnais pas suite.

Ainsi, tout au début, vers dix-sept ans et demi, après le refus de mes parents quant à mes études de médecine, alors que j'avais terminé avec succès mes deux années préparatoires, je me suis inscrite à l'École d'assistantes sociales, et si je suis toujours assistante sociale malgré tous les concours passés, c'est parce que, d'une certaine façon, je paye une dette à l'égard d'une assistante sociale de secteur. La seule personne à qui j'ai pu dire qu'à 17 ans passés j'étais encore frappée violemment avec une serviette mouillée par ma mère. Cette assistante sociale est allée voir mes grands-parents et leur a demandé d'accepter mon départ dans une école professionnelle qui était aussi en même temps un internat. Elle le faisait pour me protéger de ma propre famille sans déclencher de scandale.

Ainsi l'École d'assistantes sociales de Marseille m'a accueillie. Et mon premier poste fut dans un service qui s'occupait plus spécifiquement d'aide à l'enfance maltraitée !

Un peu plus tard, j'ai passé le concours de l'École de la Santé à Rennes pour devenir inspectrice de la DDASS, puis j'ai réussi le concours de contrôleur des PTT et celui d'inspecteur. Mais je suis

toujours restée assistante sociale dans la fonction publique, en béné-
ficiant d'un indice et d'un grade correspondant à la réussite de
mes concours, même si je n'ai jamais exercé la fonction d'inspecteur. Je bénéficie des contradictions bureaucratiques de l'administration !

Aujourd'hui, je gagne plus que mon assistante sociale chef,
qui le supporte mal. Mais l'administration est ainsi faite. Aussi, dans
mes rapports annuels, car nous sommes notées, je lis régulièrement
cette remarque : « A trop de compétences pour le poste qu'elle
occupe », ce qui fait toujours sourire l'adjoint chargé des Affaires
sociales, qui me rappelle chaque fois : « Nous ne souhaitons pas
de gens compétents aux postes clés... où irions-nous alors ? »

Dany a ajouté :

Je ne passe plus de concours mais je dépose toujours des projets
qui surprennent mes supérieurs et dont ils se servent pour confirmer
leur propre promotion ! Je suis vraiment une vraie « soi-niante » dans
ma fonction !

Il y a deux choses dans la vie qui ne sont pas négociables :
l'amour et la mort.

J'avais 20 mois quand mon père m'a quittée pour partir à la guerre et 10 ans quand il en est revenu. Quand il est apparu dans la cuisine au bras de ma mère, j'ai tout de suite su que c'était lui. Papa a été envoyé en Indochine en 1937. Nous devions le rejoindre. Les vaccinations et les papiers étaient prêts quand la guerre s'est déclarée. Les Allemands nous ont expulsées d'Alsace et ma mère a reçu en 1941 un avis de disparition par la Croix-Rouge. Quelques mois après, elle percevait une allocation de veuve de guerre, mais je l'ai toujours entendue dire : « S'il était mort, je l'aurais senti ; comme je n'ai rien senti, c'est qu'il est vivant. » C'était pour elle une certitude absolue. Ainsi, durant cinq ans, sans aucun signe, sans aucune nouvelle ou information, nous avons vécu ma mère et moi sur la base de la croyance suivante : « Il reviendra dès qu'il en aura l'occasion. »

Ce soir-là, ma mère était allée poster une lettre à la boîte de la gare pour la faire partir plus vite. Elle a vu, de dos, un homme en short et en chemisette kaki qui lisait un panneau. Tout en pensant : « Il se croit à Marseille, celui-là ! », elle se demandait si elle avait bien tout mis dans la lettre, si elle n'avait rien oublié. Puis constatait : « Il n'est pas bien gras ! »

Elle avait remarqué aussi que sa chemisette pendait sur l'arrière. « Quand le pendourel pend chez un jeune homme, c'est qu'il cher-che une fille ! Maigre comme il est, il ne va pas tarder à en trouver une ! » À peine avait-elle murmuré pour elle-même cette phrase qu'elle avait entendue 100 fois chez sa mère, que l'homme se retourna, la regarda avec un tel regard d'ahurissement et de lassitude mêlés, que ce fut elle qui le reconnut en premier. Elle s'élança : « Fritz ! Fritz ! je savais bien que tu étais vivant ! » Il revenait de Hanoï où il avait été libéré d'un camp viet par l'armée Leclerc. Libéré n'était pas le mot juste. Il était le seul survivant d'un camp de 200 prisonniers qui avaient été mitraillés par les Viets.

Malgré ses deux jambes blessées, il avait réussi à s'enfuir dans la forêt, où il avait été recueilli à moitié mort par un avant-poste de l'armée française.

Ainsi, durant cinq ans, il n'avait fait que s'évader, laissant chaque fois sa livre de chair dans ses tentatives pour nous rejoindre, pour diminuer un peu plus l'espace des 14 000 kilomètres qui le séparaient de sa famille.

Durant cinq ans, il ne sut rien de notre exil dans le Sud-Ouest ni de notre retour en Alsace. Il apprenait que sa femme était veuve de lui et pensionnée de guerre. Que j'étais une pupille de la nation ! Il me découvrait, moi, petite sauterelle comme découpée dans du carton mâché. À 11 ans, si admirative, si inconditionnelle de son père. Marquée à jamais par ces 10 ans d'absence, jamais assouvie de sa présence. L'homme que j'ai épousé avait 20 ans de plus que moi et je crois que je n'ai jamais cessé de le mettre en échec parce qu'il ne faisait jamais le poids face à Fritz !

Ce n'est pas le manque d'un papa qui m'habite, c'est le trop de présence du père… D'abord dans la foi et l'espérance de ma mère, ensuite par mon imaginaire émerveillé dans lequel je recréais 100 et 100 fois ses évasions dans les jungles de l'Indochine d'alors, ses marches aveugles dans la forêt, dans les montagnes, les savanes et les rizières pour nous rejoindre avec une ténacité sans faille.

Mais moi, je ne me suis jamais évadée de mon père.

Ainsi se racontait Hélène, avec dans la voix toute la nostalgie d'un père inouï et inoubliable.

Un jour, les étoiles marcheront sur la terre comme des femmes.

ADONIS, *poète libanais*

Annette resta silencieuse durant plusieurs de nos rencontres, mais son écoute avait quelque chose de rafraîchissant. La pétillance de ses yeux, le mouvement de ses lèvres, une certaine façon d'accueillir nos paroles et surtout le rire avec lequel elle amplifiait certains de nos propos, nous donnaient le sentiment d'être plus intelligentes, plus vivantes. Un jour, elle annonça qu'elle parlerait la fois suivante : « Je vous le dis maintenant, comme ça je ne pourrai plus reculer. »

Et la fois suivante, j'ai senti une grande émotion en l'entendant dire :

Je me suis mariée enceinte de cinq mois et j'étais toujours vierge. Et comme j'étais vierge, que je n'avais jamais fait l'amour, contre l'avis de toute ma famille, j'ai tenu à me marier en blanc, avec la couronne de fleurs d'oranger, le voile et la traîne. Tout le tralala ! J'avais 19 ans. Mon fiancé et moi étions sérieux et ardents. Lui, tout aussi enflammé que moi, chacun pensant que la virginité était quelque chose d'important, nous nous retenions et pratiquions ce que les Américains appellent le *petting*... Ce sont des caresses, des petits délices, des avant-propos, des rapprochements un peu trop enthousiastes.

Et un dimanche après-midi, mon ami, celui qui est donc devenu mon mari, un peu trop enflammé par mes caresses, a éjaculé sur mon nombril, enfin un peu plus bas peut-être. Nous n'avions rien fait d'autre, de cela je suis sûre, mais quelques semaines plus tard, j'ai découvert que j'étais enceinte.

L'une d'entre nous a dû commenter en riant : « Les spermatozoïdes ont une propension irrésistible à descendre pour mieux s'élever, les tiens avaient une force ascensionnelle extraordinaire ! » « Pas les miens mais les siens. C'est bien ce que je crois aussi », confirma Annette en riant.

Nous avons nommé cet enfant, un garçon, Déodat, qui signifie don de Dieu. Mon fils a 33 ans aujourd'hui, peut-être qu'un jour je lui raconterai le miracle de sa naissance. Mais je ne sais pas si j'oserai, car, d'une certaine façon, c'est lui qui m'a déflorée au moment où il est sorti de mon ventre.

C'est un des grands regrets de mon mari de s'être autant privé pendant toutes nos années de fiançailles et même durant cinq mois au moins après le mariage. Car une fois mariés nous n'avons pas fait l'amour avant la naissance de l'enfant. Quelque chose nous retenait, moi surtout. J'avais peur peut-être de le bousculer dans sa quiétude.

Je voulais d'abord mettre au monde mon fils, avant de faire l'amour avec son père. Comme si je craignais d'être punie de quelque chose que je n'avais pourtant pas fait. J'aimerais un jour que nous puissions partager ensemble quelques-unes de nos croyances et de nos conduites irrationnelles autour de la conception, de la gestation et de la naissance. Ça doit être gratiné !

Est-ce que mon mari a voulu se rattraper quelque 15 ans plus tard en me quittant pour choisir une jeune fille qui, à mon avis, n'a pas dû arriver vierge au mariage ?

Ce qui m'a touchée dans le récit d'Annette, c'est l'humour tendre et la simplicité avec lesquels elle racontait cette aventure étonnante. La plupart d'entre nous étions stupéfaites et surtout émues, car nous n'imaginions pas que de tels phénomènes puissent se produire. Je savais déjà que le désir inconscient d'avoir un enfant est capable de prendre des chemins incroyables pour s'incarner. Et beaucoup d'entre nous pensions que la grande sagesse que nous reconnaissions à Annette avait pour origine cet événement. Il faut être sacrément solide pour affronter à 19 ans une telle situation. Il faut être bien stable dans son imaginaire pour ne pas se laisser bousculer par des croyances folles.

Ah! J'aime la vie de nous réserver autant d'imprévisible, autant d'émerveillement. J'aime quand elle me surprend et me révèle que je n'ai pas encore tout vu, tout entendu!

J'en ai parlé à mon mari, sans nommer Annette, car nous avions aussi pratiqué, avant nos épousailles, des rapprochements plus que proches! «Et s'il m'était arrivé la même chose?» «Mes spermatozoïdes sont allergiques à l'alpinisme», m'a-t-il répondu. Mais je l'ai senti ému lui aussi.

Une pensée parasite… a-t-il pratiqué le *petting* avec d'autres filles quand il était étudiant aux États-Unis? Je n'insiste pas, cette question lui appartient.

Écouter n'est pas nécessairement croire.

Je me découvre une vocation tardive mais réelle d'ethnologue. Les mœurs de mes contemporains sont une source d'étonnement permanent. Ainsi, Marie, qui fréquente de façon très aléatoire notre groupe de parole, me surprendra en nous parlant de ses 15 ans de mariage. Sous la pudeur de ses propos, nous avons entendu toute la violence des mensonges, des tromperies, des bassesses que peut imposer un homme dans l'intimité d'une vie conjugale, alors que sur le plan public, il se présente comme une référence en matière de confiance.

Le mari de Marie est en effet à l'origine d'une réussite spectaculaire dans le domaine commercial, car il est l'inventeur du contrat de fiabilité : « Nous vous offrons un voyage à Venise si vous trouvez ailleurs plus fiable que chez nous ! » D'un côté, une réussite fondée sur la confiance, de l'autre, un échec conjugal construit sur la tromperie.

Je savais qu'il connaissait une autre femme avant de me rencontrer, mais il m'avait assuré à plusieurs reprises que cette relation était terminée. Il me l'avait juré, après m'avoir emmenée à Venise d'ailleurs !

Pendant 15 ans j'ai vécu dans une sorte de folie, car tous mes sens me disaient qu'il y avait une autre femme dans sa vie. Mais il s'obstinait à m'affirmer et à me démontrer le contraire. En se fâchant parfois, il m'accusait de jalousie maladive, d'être une frustrée congénitale et en même temps, chaque fois que l'angoisse et la panique risquaient de m'envahir, il se montrait d'une gentillesse et d'une générosité extraordinaires. Il m'apaisait en me faisant des cadeaux inouïs. Ce qui me culpabilisait en plus, car je me sentais vraiment moche, mauvaise et infecte d'imaginer qu'un homme tel que lui, aussi bon et aussi sensible, pouvait me tromper. J'oscillais en permanence entre doute et confiance, entre abandon et refus, entre joyeuseté nostalgique et sinistrose.

Quinze ans pour découvrir que ce que j'avais ressenti correspondait à une réalité : il n'avait jamais cessé de voir son amie avec laquelle il « avait fait », durant le temps de notre mariage, deux enfants. Deux enfants reconnus, entretenus et relativement comblés puisqu'ils vivaient dans la ville où était le siège social de son entreprise. Nous vivions, nous, à la campagne, en province où « la vie est quand même plus confortable que dans les grandes villes industrielles du Nord ».

C'est en découvrant mon infortune, pour parler comme mes parents, que j'ai vraiment pris conscience de la puissance de mes aveuglements. J'avais reçu plein de signaux, la plupart de nos amis étaient au courant. Des détails gros comme des montagnes auraient dû m'alerter et je n'avais rien vu, seulement senti, pressenti, dans la plus terrible des confusions, en doutant justement de mes sens. Tout s'est passé, dans notre relation, comme si je devais aller mal pour qu'il puisse rester avec moi. Il n'était jamais si attentif avec moi que lorsque j'étais déprimée. Notre équation de vie était simple : dépression = attention = amélioration = distanciation.

Je sais que je me suis piégée moi-même, que j'ai collaboré à ce système pervers, mais je ne peux m'empêcher de ressentir une espèce d'écœurement, une amertume fielleuse envers cet homme. Je cultive le fantasme que quelqu'un prenne le pouvoir sur lui, qu'il vive dans sa chair la dépendance et même la dépression. Nous sommes séparés depuis trois ans et il m'arrive encore de me faire « sauter » par lui. Je dis sauter, car je n'ai pas d'autres mots et je me refuse à garder même le souvenir de nos parties de jambes en l'air quand il passe me voir pour « prendre de mes nouvelles ». Il m'a révélé dernièrement que son amie avait le sida « presque en phase terminale ». Il utilise des expressions d'une violence inouïe dans leur sécheresse : « Ma relation avec elle est un CDD. » Un contrat à durée déterminée. J'avais oublié que c'était un gestionnaire hors pair. « Est-ce qu'avec moi c'est CDI, contrat à durée imprévisible, ou un CDA, un contrat à durée aléatoire, ou encore un CDD, un contrat de dupe... ? »

Marie s'exprimait avec une gravité intense, ce qui donnait à son récit une force et une dignité rares. Aucune des femmes présentes n'aurait porté un jugement, un commentaire trivial, une remarque offensante sur elle. Ainsi j'avais la confirmation qu'une expression libre mais centrée peut susciter une écoute libre et respectueuse.

J'ai proposé à Marie de visualiser et de symboliser l'attachement ou le besoin qu'elle avait de poursuivre la relation avec son mari, avec cet homme qui lui avait fait tant de mal. Et de voir si elle avait envie de prendre soin de cet attachement, de s'en occuper, de lui accorder de la bienveillance.

J'ai osé lui demander si, dans son fantasme, elle n'imaginait pas qu'un jour il changerait, qu'il s'attacherait enfin à elle, juste retournement des choses, et qu'alors elle pourrait le laisser tomber, pour qu'il découvre la souffrance d'être abandonné. Elle m'a souri et a chuchoté : « Il doit y avoir quelque chose comme ça, je me demande si je ne tiens pas tant à lui parce que j'espère un jour le faire souffrir à son tour ! »

Vive les relations conjugales ! Je n'ai pu parler de tout cela à mon mari, j'aurais eu le sentiment de trahir Marie ou d'avouer quelque chose de trop grave me concernant.

Nous portons les cicatrices de nos blessures.
À nous de les honorer, car elles disent aussi que nous avons
survécu et qu'elles nous ont rendu plus fort ou plus lucide.

Je trouve Gisèle belle, mais elle semble détester son visage et son corps. Combien de fois l'ai-je entendue dire : « De toute façon ça ne sert à rien d'être beau, c'est même parfois dangereux. » Je l'ai invitée à m'en dire plus et elle a dû se sentir en confiance, car elle a enchaîné tout de suite.

C'est drôle que tu me demandes cela, car à force de t'entendre parler de symbolisation, hier j'ai acheté une peluche pour représenter mon désir tout neuf de mieux reconnaître ma féminité. C'est vraiment tout nouveau ! Il faut que je te dise tout, car c'est fou comme ça travaille en moi, malgré moi ou avec moi !

Deux jours avant mon achat, je me suis réveillée à quatre heures et demie du matin avec une phrase de ma mère qui se répétait malgré moi inlassablement dans ma tête : « Il était trop beau pour vivre. » Je me suis rappelée que ces mots, je les avais entendus lorsque, enfant, j'avais demandé à Maman de me parler de mon frère aîné dont je voyais la photo partout dans la chambre de mes parents et qui était mort juste avant ma naissance.

« Il était trop beau pour vivre. Ton frère était très beau, il avait les yeux bleus, les cheveux blonds et frisés. Il était trop beau pour

ce monde, c'est pour cela qu'ils sont venus le chercher. » Le « ils »
désignait les anges auxquels ma mère croyait.

À l'époque, j'étais blonde, frisée, avec des yeux bleus « à faire
damner un saint ». On ne méprisait pas les lieux communs dans ma
famille ! Mes oncles et mes tantes s'écriaient toujours que j'étais
la plus belle des petites filles qu'ils connaissaient. Ainsi, ai-je
également entendu le message implicite de danger contenu dans
l'enthousiasme de mes oncles et de mes tantes... « Si tu es trop
belle, toi aussi tu vas mourir, toi aussi ils viendront te chercher... »

Ce qui est certain, même si cela semble irrationnel, c'est qu'arrivée à quelques semaines de l'âge auquel mon frère est mort,
mes cheveux sont devenus, en quelques jours, noirs, raides, même
mes yeux ont changé ! Je n'ai plus jamais entendu dire par mes
oncles et mes tantes que « j'étais la plus belle ». Plus jamais.

Cela a dû s'inscrire très fort en moi, des années plus tard, quand
je portais ma fille. Pendant toute la grossesse, je me parlais à haute
voix. Mon mari riait de m'entendre dire : « Pourvu que mon enfant
ne soit pas blond, pourvu qu'il ne soit pas frisé, pourvu qu'il ne
soit pas trop beau ! »

Je réalise enfin aujourd'hui que je reprenais, à propos de mon
enfant, le message de ma mère. Ma véritable angoisse était que si
mes enfants arrivaient au monde beaux et blonds, ils pourraient eux
aussi mourir !

C'est incroyable la puissance qu'ont de tels messages inscrits en
nous dans l'enfance. Surtout quand ils sont déposés par des personnes
proches. C'est bouleversant d'entendre enfin combien, tout enfant, nous
nous appropriions le sens d'une phrase, d'un geste ou d'un comportement pour en faire une règle de vie ou de survie. Comment nous nous
envoyons des injonctions pour tenter de combattre le destin !

Je dois te faire une confidence, quand je t'ai vue la première fois,
belle, blonde, frisée, une pensée fugace m'a effleurée que j'ai aussitôt rejetée : alors, c'est possible d'être vivante même quand on est
blonde, frisée et belle comme Anne !

J'étais ambivalente avec toi au début. Je t'enviais et je te détestais sans comprendre, justement, cette part spontanée de pensées
négatives en moi dirigées contre toi ! Aujourd'hui, je crois que je
peux reconnaître une partie de ma blessure et commencer à la réparer. Je me sens transportée par mes découvertes, quelque chose d'immense, de nouveau s'est ouvert en moi. Cela me tourne un peu la
tête, j'ai peur d'être trop enthousiaste et ensuite déçue. Mais je sais
que je suis dans une énergie de vie plus puissante que tous mes
interdits. Je vais restituer à ma mère cette phrase, « Il était trop beau
pour vivre », que je m'étais appropriée comme un interdit à être
belle ou simplement vivante. Je sens, c'est palpable en moi, que je
peux oser être belle, sans risquer d'en mourir !

Ainsi, Gisèle, à travers une petite phrase entendue au cours d'une
nuit sans sommeil, a pu établir reliances et liens entre son histoire et
celle d'un frère mort.

Comme enfant de remplacement, elle s'était enfermée dans un projet de non-vie. Combien de personnes autour de moi sont-elles, comme
Gisèle, dans un système de vie *a minima* ? Combien ne s'autorisent pas
à oser exister à plein temps ? Combien n'entendront pas la foultitude de
tous les signes et de tous les messages qui tentent de se dire, de se manifester à nous à travers des rêves, de petits actes, des symptômes, des
lapsus, des coïncidences ? D'accord, d'accord tout cela n'est pas nouveau,
oncle Freud nous avait bien alertés. Mais découvrir ces réalités au quotidien dans sa cuisine, dans sa salle de bain, au volant de sa voiture ou
sur le trottoir en attendant ses enfants à la sortie de l'école, c'est une
tout autre aventure !

Je constate de plus en plus qu'il y a en chacun de nous une force vive
possible pour pouvoir se réapproprier sa vie. La fille de Nicole, Anna,
qui à 24 ans commence à entrer en conflit avec son père, interroge sa
mère : « Mais tu m'as faite avec qui ? »

Elle décide d'apprendre l'espagnol, choisit son thème de mémoire
sur le Guatemala, programme un voyage d'études à Mexico. Or, il se
trouve, c'est ce que dira Nicole, que Mexico est la ville où à 24 ans, déjà
mariée, elle a rencontré Luis et a conçu sa fille Anna, tout en laissant

croire que son mari en était le géniteur. Ainsi, rien n'a été nommé et cependant Anna, plus de deux décennies plus tard, a entendu et se met à rassembler les morceaux du puzzle. C'est ainsi que Nicole a pu révéler à sa fille ses origines véritables et que, six mois plus tard, Anna retrouvait le fameux Luis, expert au Bureau International du Travail, et ouvrait une relation apaisée avec son géniteur.

Je suis fascinée de découvrir que circulent entre les êtres reliés par des liens de sang, des messages infraverbaux ou ultraverbaux qui peuvent être entendus au-delà des mots, au-delà des distances, et qui parlent avec force quand le temps est venu de se faire entendre, quand le temps est arrivé d'établir ainsi des reliances.

Quelques moyens très efficaces pour ne pas communiquer avec un enfant

Nier ou rejeter ce qui est vécu par l'enfant.
« Mais non, ce n'est rien. »
« Tu dis ça pour te rendre intéressant, tu es toujours à te plaindre…

Croire que notre perception ou notre parole est juste et vraie pour l'autre.
« Puisque je te dis que c'est comme ça que cela s'est passé. »
« Je sais ce que tu ressens, ce n'est pas la peine de le cacher. »

Interroger l'enfant en faisant intrusion dans son intimité.
« Tu n'as rien à dire aujourd'hui ? »
« Qu'est-ce que tu as fait encore durant tout ce temps ? »

Ne pas écouter, porter des jugements, en particulier quand ce qui est touché en moi est si fort que ma propre émotion bloque toute possibilité de décentration.
« Comment, tu t'es encore fait punir ! Mais quand est-ce que tu arrêteras de faire des bêtises ? »

« Si cet homme t'a accosté, c'est que tu traînais dans la rue à un moment où il ne le fallait pas ! »

Se centrer sur ce que l'enfant n'a pas fait, en y attachant plus d'importance qu'à ce qu'il a fait.
« Tu as oublié de nettoyer le four après avoir cuit ton gâteau ! »
« Tu as encore oublié de mettre les petites cuillères pour le dessert ! »

Disqualifier les marques d'amour et les marques d'intérêt.
« Ne me touche pas, les caresses de chien donnent des puces ! »
« Si tu crois que j'ai du temps à perdre en câlins… »

Céder pour avoir la paix et laisser croire à l'enfant que son désir est tout-puissant.
« Bon, c'est d'accord, je t'achète ce jouet, mais c'est la dernière fois que tu m'as à l'usure ! »

Essayer de faire entrer l'enfant dans vos désirs et lui laisser croire que les siens sont malsains !
« Tu devrais plutôt jouer du piano, faire du saxo c'est vulgaire et de toute façon, tu ne feras jamais de vraie musique avec ça ! »

Déposer en abondance ses peurs et ses angoisses sur les enfants.
« Tu me feras mourir de peur… »
« S'il t'arrive quelque chose, tu l'auras bien cherché… »

Ne jamais hésiter à culpabiliser les enfants, ils doivent se sentir responsables de votre mal-être !
« Regarde comme je suis malheureuse depuis que je sais que tu ne passeras pas le bac ! »

Confondre amour et relation.
« J'aimerais que tu te douches maintenant, pour que je sois tranquille. »
« Montre-moi que tu m'aimes en arrêtant d'embêter ta sœur ! »

On peut tout inventer, même les souvenirs. Mais il est impossible alors d'en garder la moindre trace en nous.

J'ai reçu ce matin au courrier ce témoignage de Josée. C'est une amie que j'avais invitée à un de vos séminaires. Je trouve extraordinaire les reliances qu'elle établit, et surtout les découvertes auxquelles elle accède en écoutant les signes que lui envoie la vie.

Il y a un an, j'ai suivi un séminaire, près de Toulon, sur les symbolisations. J'étais venue pour moi, mais aussi et **surtout pour accompagner Julie,** ma fille, qui assistait pour la première fois à un séminaire de ce genre.

Et puis le samedi, tout a commencé quand Igor est venu témoigner de son vécu sur la violence sexuelle qu'il avait reçue petit garçon. Cette histoire de sodomisation par un adulte sur un petit garçon de 10 ans m'avait émue et touchée, plus que cela n'aurait dû. J'ai commencé à réagir intérieurement, violemment (palpitations, douleurs abdominales et surtout tensions anales). En effet, je souffre depuis des années d'hémorroïdes, de fissures anales, de constipation et de diverses « anomalies » sphinctériennes, comme l'a précisé mon médecin qui a établi un véritable catalogue de mes somatisations en tentant de les traiter une à une, sans trop de résultats. Pour lui, je suis un cas un peu plus curieux que ses autres patients, alors il s'intéresse un peu à moi. Mais uniquement sur le plan clinique !

Pendant les premières heures, j'ai bien essayé de me persuader que je n'avais jamais reçu de violences sexuelles, mais rien n'y faisait... Je restais agitée et angoissée durant cette matinée. Puis à la pause, parmi les 200 personnes, Igor est venu vers moi pour me parler, alors que je ne le connaissais pas, comme pour me confirmer quelque chose que je ne voulais pas encore entendre. Il a éprouvé le besoin de me redire sa souffrance d'enfant.

Le premier jour se terminant, je suis rentrée à la maison bousculée émotionnellement. Il y avait bien longtemps que mon corps n'avait pas réagi avec autant de signes... Et puis, j'ai retrouvé mon fils Mathieu qui, depuis plusieurs mois, manifeste une peur à l'endormissement, me demandant tous les soirs de revenir l'embrasser lorsqu'il sera endormi. Et chaque fois que je le quittais une première fois, il me disait, « À TOUT À L'HEURE, À TOUT À L'HEURE... »

J'avais bien entendu que ces « À TOUT À L'HEURE » avaient un sens, je lui en avais parlé mais rien ne se précisait...

Et puis dans la nuit de samedi à dimanche, vers trois heures, je me suis réveillée en transe, avec des images bien précises de mon enfance. À l'âge de huit ou neuf ans (âge actuel de Mathieu), ma grand-mère me « remettait dans les mains » de son deuxième fils, mon oncle Jeannot. Nous leur rendions visite certains après-midi dans leur camping au bord de la mer. Après le bain en pleine mer, il y avait le rituel de la douche dans un petit cabanon.

J'ai revu très clairement des images de cet homme qui passait ses mains sur moi après le bain, pendant la douche, « pour rincer le sel », et qui me demandait de le frotter également... « partout », disait-il, « n'aie pas peur, ça ne fait pas mal ! »

Puis j'ai réentendu la voix de ma grand-mère me disant quand je refusais de le suivre : « Va, pars avec Jeannot, il est gentil, il t'apprend à nager. À TOUT À L'HEURE... »

Je n'ai pas le souvenir d'attouchements ou d'actes sexuels précis, mais j'ai retrouvé le dégoût du contact de ses mains, cette nuit-là, et la violence que j'avais reçue à son simple contact. J'ai pleuré longtemps et abondamment, il pleuvait très fort dehors, comme pour me nettoyer de ces sensations et de ces images terribles... Oui, terribles, car j'avais le sentiment d'avoir été salie pendant des années sans issue possible.

Il ne s'est rien passé de concret et pourtant, je sentais tout mon corps terrifié et honteux, j'étais pleine de colère aussi de ne pas avoir été entendue de ma grand-mère.

J'ai passé alors le reste de la nuit à préparer la démarche de symbolisation que je souhaite faire pour restituer cette violence déposée en moi...

Quand Salomé nous dit qu'il y a plein de messages envoyés par notre corps et par la vie, je le crois. Car une semaine avant le séminaire, j'avais passé le week-end chez mes parents dans l'Hérault et ma mère, en m'apprenant la mort de mon oncle, avait réveillé en moi une sorte de gêne que je n'avais pas su écouter alors.

Le soir du deuxième jour du séminaire, le dimanche soir, j'ai parlé à Mathieu et, à partir de là, il n'a plus eu besoin de ma présence une deuxième fois, après le coucher, et les « À TOUT À L'HEURE » ont disparu comme par enchantement.

Quelques mois après le séminaire, au mois d'août, je suis allée restituer la violence que j'avais reçue de cet homme sur sa tombe. Je l'ai cherchée pendant plus d'une heure... mais je ne me suis pas découragée. Quand je l'ai enfin trouvée, j'ai pleuré de soulagement, tout mon corps se détendait, s'apaisait, se réconciliait avec mon enfance. Cela peut paraître puéril ou dérisoire de rendre comme cela un objet à quelqu'un de mort. Mais j'imagine qu'il faut l'avoir vécu pour sentir tout ce qu'un tel geste peut prendre comme sens pour nous réconcilier avec notre enfance. Il y a aussi les effets manifestes, des somatisations qui disparaissent, des répétitions qui cessent.

Depuis, plus de constipation, ma fissure anale s'est endormie et le désir sexuel dans la relation amoureuse avec mon mari est devenu plus présent, plus important. Le lâcher-prise et l'abandon dans cette relation qui restait frustrante pour moi étaient enfin possibles...

Autre petit détail : pendant tous ces mois, j'avais symbolisé ma fissure anale par une broche en forme de masque blanc que Mathieu m'avait offerte un jour et je l'ai portée tous les jours sans m'en séparer une seule fois. Je lui ai même commandé un succulent dessert lors d'un repas au restaurant (un pour moi, un pour ma broche symbolisant, je le rappelle, ma fissure), au grand étonnement du serveur... qui attendait chaque fois que mon invité arrive. J'avais beau lui dire qu'il était là, il a cru à un gag. J'ai dû presque me fâcher pour qu'il apporte le deuxième dessert ! Entre parenthèses, ce type de démarche est toujours déstabilisant pour l'entourage. Poser des actes symboliques n'est pas encore entré dans les mœurs. Quand je repense à la tête du garçon, je ne sais pas à qui d'autre que vous je pourrais parler de ma démarche ! Simplement en parler !

Et 15 jours après ce voyage au cimetière, cette broche s'est décrochée **toute seule** de ma veste, elle est tombée comme pour me dire que je n'avais plus besoin d'elle, que le travail avait été fait. Et aujourd'hui, ce dimanche 5 octobre, j'ai enterré cette broche dans mon jardin, au pied d'un rosier, pour vraiment faire le deuil de mes somatisations inutiles.

J'ai encore un renvoi à faire à ma grand-mère de 86 ans qui va venir passer quelques jours à la maison à la fin d'octobre, pour lui restituer la violence que me faisaient ses « À TOUT À L'HEURE » qu'elle banalisait, alors qu'elle me mettait dans les mains malsaines de son deuxième fils. Ces « à tout à l'heure » que mon fils avait « entendus » et qu'il tentait, à sa façon, de me rappeler si fidèlement...

Dans ma pratique professionnelle, comme psychologue clinicienne, j'enseigne les outils relationnels que j'expérimente aussi tous les jours dans mes autres relations : familiale, conjugale, parentale, etc. Le travail que je propose sur l'imaginaire et l'histoire de vie permet à la personne d'aller plus loin et plus rapidement dans sa recherche, dans ses racines, dans ses blocages et dans les reliances qu'elle peut entreprendre tout au long de sa démarche de clarification.

Je me sens heureuse, soulagée et confirmée que Josée, psychologue compétente, puisse adhérer à cette approche. Toute sa formation de base est aux antipodes de la méthode ESPERE et cependant, elle avance et introduit progressivement les concepts et les outils que nous découvrons ensemble.

Les paroles les plus claires ne sont pas celles qui nous aveuglent en nous éblouissant, mais celles qui nous éclairent entre ombre et lumière.

C'est par l'intermédiaire de ma belle-sœur Irène que je vois avec le plus de netteté tous les dérapages de l'éducation. C'est en l'écoutant parler à ses proches, à ses enfants, que je perçois toute l'emprise des attitudes fondées sur des croyances, des conditionnements et des réponses « en conserve » que nous faisons à ceux que nous aimons.

En l'écoutant dire, faire, intervenir et agir, je vois, comme sous une loupe, grossies et amplifiées, toutes mes erreurs, toute la bonne volonté pathétique que je mettais dans le désir de bien faire, de vouloir le bon, le rassurant, le meilleur pour mes propres enfants.

Chez elle, j'assiste à la comédie des repas et, bien sûr, je suis partie prenante. Combien de fois ai-je entendu l'un ou l'autre de mes neveux dire : « J'aime pas la soupe, j'en veux pas, c'est trop salé. J'ai pas faim. » La plupart des enfants n'aiment pas la soupe spontanément. Les adultes accepteraient-ils de s'interroger sur ce refus, sur cette aversion ? Et si les enfants avaient raison ? Si la soupe n'était pas bonne à leur goût ?

Nous gardons la croyance tenace que nous savons pour eux et mieux qu'eux ce qui est bon pour eux. « Mais enfin, les enfants ont besoin de soupe. On ne peut pas les laisser manger n'importe quoi. » Mais quand on voit ce que les adultes eux-mêmes ingurgitent, acceptent d'avaler, osent bouffer, il y a de quoi être inquiet sur la notion de repas équilibré.

Chez ma belle-sœur, la comédie des repas commence en fait dès le retour de l'école, au goûter. Un goûter complètement préfabriqué, conditionné par la publicité à base du fameux verre de lait contenu dans une seule barre de chocolat, des trois oranges compressées entre deux galettes. On déchire un papier et hop ! c'est avalé. Il y manque la part d'amour indispensable à tout goûter !

Je peux imaginer que notre système immunitaire est largement attaqué par toutes les altérations et par toutes les violences alimentaires que nous lui imposons. Comme il doit être aussi profondément dépendant de l'équilibre ou du déséquilibre engrangé dans notre seule façon d'absorber des aliments.

Au moment du goûter, la rivalité des enfants entre eux et les séductions autour des friandises ont quelque chose de pathétique. Croient-ils tenir dans leurs mains un peu de la tendresse qui se dérobe sans cesse à leur attente, un peu de la douceur et de la compréhension qu'ils n'ont pas eues ? Ou peut-être croient-ils abaisser le seuil de leurs peurs et de leurs doutes causés par toutes les disqualifications qui se sont déposées sur eux tout au long d'une journée de classe ou dès le lever, quand ils sont accueillis par un : « De toute façon, tu n'as aucune volonté ! Tu ne sais pas ce que c'est que de te lever à l'heure ! » C'est nous les parents qui initions les enfants à une mauvaise relation à la nourriture et à eux-mêmes. La prise de nourriture fait partie de l'amour de soi. Je ne me respecte pas si je ne sais pas me définir, mais je ne me respecte pas non plus si je ne sais pas me nourrir en étant à l'écoute de mes besoins et pas seulement de mes désirs.

Pendant longtemps, j'ai eu une relation négative à la nourriture, ma façon de me nourrir était une agression permanente pour mon œsophage et mon estomac. J'ai entrepris une sorte de rééducation patiente, humble et monotone. Mâcher lentement, avaler, respirer. J'ai appris aussi à bénir ce moment qui permet de donner du bon à mon corps. Au cours d'un repas, j'apprends de plus en plus à le respecter, ce corps.

> *D'un côté, les adultes castrent les enfants sur les désirs essentiels et d'un autre, ils les comblent outrancièrement sur des désirs secondaires.*

Dialogue de mon fils avec un de ses copains autour des notions de maman, de papa, de père et de mère.

— Ouais, le prof nous a expliqué la différence entre une mère et une maman ! Tu savais ça, toi ?

— Le nôtre a surtout parlé de la différence entre un père et un papa…

— Ah bon ! Et c'est quoi cette différence ?

— Un papa, c'est celui qui joue, qui câline, qui soutient, qui rassure son enfant. C'est celui qui t'engueule pas quand t'as pas fait tes devoirs, mais qui te dis : « Allez, je m'installe près de toi et tu t'appuies sur moi, on va s'en sortir ensemble ! » Un papa, c'est chaud, c'est doux, ça sent bon. Un père, en revanche, c'est celui qui interdit, qui punit, qui oblige, qui gueule ou même qui frappe parfois son enfant ! C'est celui qui n'est jamais content de ce que tu fais, qui a toujours quelque chose à te reprocher, qui fait la gueule chaque fois que tu lui demandes de te faire plaisir ! Le prof nous a dit qu'autrefois les enfants avaient plutôt des pères que des papas. Aujourd'hui, il paraît que c'est l'inverse ! Les enfants manquent de père ! Pas moi, j'en ai encore trop !

— Moi aussi. Le mien, il est sans cesse à vérifier mes devoirs, à contrôler mes sorties, à m'interroger sur mes fréquentations… Il a peur que je tourne mal. Derrière toute cigarette, il entrevoit le hasch ! Derrière le hasch, il voit à tous les coups la drogue ! Derrière la drogue, le sida, derrière le sida, la mort. Après, il reste sans voix, car il ne voit plus que sa panique et son impuissance. Et ça alors, il me le fait payer cher !

— Ouais, j'avais remarqué le même truc moi aussi. Les parents, ils nous font toujours payer leur impuissance en redoublant d'interdits et d'exigences connes. Et pour la différence entre une maman et une mère, c'est quoi ?

— Au début de la vie, un enfant n'a pas de mère, il a seulement une maman. C'est-à-dire une personne qui le nourrit, qui l'accepte dans la plupart des cas et qui répond à tous ses désirs. Un bébé, il paraît que c'est comme un roi, il peut tout demander. C'est comme si le monde tournait autour de son nombril. Le prof a dit qu'il développe ainsi de l'« ITPI, l'illusion de la toute-puissance infantile » ! Quand le bébé croit que tout lui est dû, il est dans cette illusion.

— Il a raison, moi, de cette période, j'en ai toujours la nostalgie ! J'aimais bien quand Maman était toute à moi, avant que ma sœur n'arrive ! Et la mère, c'est quoi déjà ?

— Une maman, c'est tout le bon reçu, elle est comblante, donnante, elle représente, c'est le prof qui l'a écrit, « le côté gratifiant de la relation maternelle ». Ensuite, au fur et à mesure que le bébé grandit, « apparaît la dimension mère », avec des refus, des contraintes et des obligations. « La mère représente la dimension frustrante de la relation maternelle », a bien insisté le prof. Moi, je dirais la dimension emmerdante, car même si on aime sa mère, des fois on a envie de lui taper dessus, surtout quand elle a raison. C'est ça qui est insupportable !

— En fait, ce qu'on n'aime pas chez notre maman, c'est notre mère... surtout si c'est une hypermère qui contrôle tout. Mais des fois, c'est l'inverse qui arrive ; je connais des copains qui ont une hypermaman beaucoup trop envahissante, inquiète, affolée, qui ne leur lâche jamais les baskets, qui veut faire tout pour eux. Une maman qui ne sait pas dire non, c'est pire qu'une mère !

— La conclusion du prof a été : « On a besoin des deux pour se développer : d'une maman et d'une mère, à doses homéopathiques bien sûr, et aussi d'un papa et d'un père, qui soient là, présents, attentifs, sans être toujours sous notre casquette ou après nos Nike. » Le prof nous a expliqué un truc que je n'ai pas bien compris, il a dit que le passage de la maman à la mère s'appelait le sevrage relationnel. Moi, c'est sûr, j'ai dû être sevré trop tôt, j'ai encore de gros manques de maman (gros soupir émouvant qui ferait craquer n'importe quelle mère).

— Moi, c'est du côté de mon père que j'ai pas eu le temps d'être sevré. Le mien, il n'a pas encore découvert qu'il pouvait être papa de temps en temps ! Je crois même qu'il n'y arrivera jamais !

À la fin de ce dialogue aux multiples implications, je suis restée songeuse. Je trouve formidable que des profs développent ce type de concepts en classe. Il me semble qu'il devrait y avoir un enseignement de base à la communication qui reprenne quelques éléments indispensables à la compréhension des relations des enfants avec le monde des adultes. À titre de suggestion, je propose qu'on enseigne aux enfants la différence entre :

- un besoin et un désir,
- un désir et sa réalisation,
- un désir vers l'autre et un désir sur l'autre,
- demander et exiger,
- s'affirmer et s'opposer,
- donner et troquer,
- recevoir et prendre.

Et surtout qu'une relation ayant deux bouts, chacun est principalement responsable de son bout.

Enfin, je ne veux pas reprendre la table des matières de la méthode ESPERE, mais il me semble qu'il y a là matière à construire un cours ou un atelier de communication pragmatique. Il me semble que cet apprentissage aurait un effet de régulation sur le développement galopant des violences et de l'autoviolence à l'école !

*Au plafond de la chapelle Sixtine, avez-vous remarqué
la main hésitante de Dieu et celle, plus prudente encore,
de l'homme ? Ce détail donne à réfléchir.*

L'autre jour, c'est Noëlle qui a partagé ses découvertes dans notre groupe de parole et, grâce à elle, j'ai pu entendre un peu plus de ma façon d'être au monde.

Je réalise bien aujourd'hui que lorsque j'étais enfant, ce que j'ai toujours cru être des troubles de digestion dus à un foie fragile n'était en fait que ma façon d'obtenir de l'attention de ma mère qui autrement m'ignorait. Il en faut de la foi et de la persévérance pour tenter d'avoir de l'intérêt de la part de quelqu'un qui ne vous voit pas. J'ai mieux entendu le sens de ces crises de foie quand elles ont totalement disparu, dès que j'ai quitté la demeure parentale. Et mes fameuses « allergies au café » qui faisaient rire toutes mes amies, ne représentaient-elles pas ma crainte de coûter trop « cher » à mes parents et plus tard à l'autre ?

Ça coûte déjà cher un enfant à élever, quand en plus on en a trois ! J'ai été une enfant fidèle, cherchant longtemps à compenser, à racheter, à faire oublier la faute d'être née fille plutôt que garçon !

Je peux le dire avec simplicité, j'ai appris à m'aimer dans mon corps de femme. La première année de mes découvertes, j'ai abandonné cinq kilos inutiles qui alourdissaient mes hanches et mon

ventre. Je ne me suis jamais sentie aussi belle que ces temps derniers. Qu'il est bon de se sentir confirmée dans sa féminité sans
éprouver de honte, de culpabilité ou de ressentiment! Je pratique
de plus en plus régulièrement l'art de la reliance, je cultive avec
ardeur le terreau d'une relation plus vivante avec mes proches.

Mes enfants ont bien remarqué de subtils changements dans
ma manière de les quitter, de les retrouver, de les accueillir ou de
les lâcher!

Je m'exerce à entendre mieux les messages-poisons, à déjouer
les innombrables pièges du système SAPPE.

Il était temps que je m'occupe aussi de chaque instant de ma
vie. Autrefois, je vivais dans une nébuleuse d'obligations, de devoirs,
de contraintes. Avant même d'ouvrir les yeux le matin, je savais tout
ce que je devais faire dans l'heure à venir et chacune de ces
choses s'imposait comme une priorité...

Noëlle est enthousiaste, elle fait du prosélytisme avec une conviction si dévastatrice dans son entourage que malgré un bien-être certain,
elle déclenche quand même du rejet et des accusations multiples dans
sa propre famille. Son mari est persuadé qu'elle a été envoûtée par ce
« groupe de salopes qui se masturbent l'esprit ensemble ».

Il m'a même téléphoné pour m'avertir qu'il allait me dénoncer,
car je détournais sa femme du droit chemin : « Je ferai tout, vous m'en-
tendez, je ferai tout, m'a-t-il assuré, pour qu'elle redevienne comme
avant ! »

Qu'est-ce qu'ils ont tous ces bonshommes à vouloir qu'on redevienne
leur chose soumise, pas compliquée, ne faisant pas d'histoires, silencieuse
et consentante à leur appétit, stimulante avec eux, présentable à leurs
amis ?

Redevenir comme avant signifie pour beaucoup : « Arrête de me com-
pliquer la vie avec ton besoin de communiquer. On se parle, ça devrait
suffire ! » Pour d'autres, cela signifie : « Redeviens comme je te veux. »

Les relations hommes-femmes ont beaucoup évolué d'après tous
les journaux que je peux lire. Non, non, elles sont en fait en cours d'évolution et le prix à payer pour cette mutation reste élevé, trop élevé.

Pour ce jour qui se lève et qui est lourd de tant de possibles,
puissé-je ne pas offenser le potentiel de vie qu'il contient.

Prière

Je n'en reviens pas, dans ma propre famille, même les résistances d'autrefois sont tombées, les tensions se sont apaisées, le rejet et le dénigrement sont dépassés. Certains souhaitent me parler avec le sentiment de pouvoir accéder, grâce à mon écoute, à un peu plus de vérité en eux ! Ainsi, ma cousine Marie-Jeanne.

Candie, tu le sais, c'était la poupée de mes huit ans. Je l'ai retrouvée dans un carton, en cherchant les santons pour la crèche de Noël. Elle a le regard bleu des lacs et des névés du pays de mon enfance. Petite, je l'ai toujours protégée, parfois même cachée au fond des placards pour que ni ma sœur ni personne ne l'abîme ou ne la casse en jouant avec elle. Plus tard, je ne l'ai pas donnée à ma fille Céline. Je l'ai gardée précieusement et cet hiver, c'est elle que j'ai choisie pour symboliser mon besoin de tendresse. À travers elle, je veux donner des soins à la petite fille qui vit encore en moi.

Aujourd'hui, je lui accorde cette attention précieuse, cet amour inconditionnel dont j'ai si profondément manqué.

Je renonce aussi à des croyances acquises et durables comme celle qu'il fallait que je sois « comme morte » ou la plus silencieuse et invisible possible pour être aimée.

Je résilie aussi le contrat que j'avais passé avec moi-même et j'abandonne la croyance que j'avais d'être « incapable », à cause de mon impuissance à satisfaire les demandes les plus banales ou à être à la hauteur des tâches qu'on exigeait de moi au quotidien. J'ai visualisé ces croyances par des vêtements trop étroits et usagés et je les ai déposés dans une poubelle publique.

Avec ma poupée, je sens bien que je me répare, que je restaure mon enfance. J'ouvre des passerelles et des sentiers nouveaux dans lesquels la vie tumultueuse se faufile, joyeuse de pouvoir à nouveau s'écouler, se donner. Et je trouve cela magnifique.

Tu sais, ce mois-ci j'ai pu parler à mon mari et lui remettre de façon symbolique plusieurs violences reçues dans ma relation conjugale avec lui.

Avec un paquet d'aiguilles, je lui ai restitué la violence qu'il me fait avec son cancer, et avec de gros cailloux pesants, ramassés dans le lit du Rhône, je lui ai remis la violence liée à la présence de son fusil qu'il rangeait systématiquement sous notre lit. Ce truc me faisait peur et me paralysait comme si j'étais au-dessus d'une bombe à retardement !

Je lui ai rendu plusieurs de ses phrases qui ont profondément et durablement blessé la femme que j'étais alors, déjà bloquée sur le plan sexuel par des peurs très anciennes et contrainte par des croyances imposées… des phrases comme : « Mais enfin, comment es-tu faite ? Tu n'as pas un sexe normal ! » « Fais-toi toute petite avec moi, n'essaie pas de me contredire. » « Si tu me rends malheureux, je me tue, comme l'a fait mon père. »

Je nettoie des plaies anciennes mais toujours vivantes. Je mets de l'ordre dans mes positionnements de petite fille et de femme soumise. Je m'ouvre au respect de moi avec une avidité que je ne me connaissais pas.

Je me demande si nous formons un groupe de femmes représentatives de la société d'aujourd'hui. Est-ce que les sociologues, les économistes, les philosophes ou les hommes politiques savent réellement ce qui se passe dans la France profonde des couples et des familles ? Prenons, ne serait-ce pour seul exemple, le terrorisme relationnel qui domine dans tant de relations conjugales. Je veux parler de ce terrorisme rarement dénoncé, fondé sur des rapports dominants-dominés où l'un des deux impose ses désirs, ses choix et sa façon d'être et maltraite le corps, l'intimité, le rythme de vie ou plus directement l'équilibre de l'autre.

C'est vrai, j'entends la plupart du temps des témoignages féminins qui traduisent le malaise, l'aliénation ou la révolte vécue au quotidien par des épouses, des mères et des filles.

Il semble que l'affirmation de plus en plus claire, chez un nombre croissant de femmes, déstabilise aussi les hommes, mais ils en parlent moins.

Le seul enjeu réel d'une relation,
c'est de devenir soi-même plus réel.

Le système SAPPE irrigue la plupart de nos comportements en matière de toilette, de repas, de vêture, d'ordre et de désordre, de positionnement vis-à-vis des levers ou des couchers. Il structure d'une certaine façon l'essentiel de nos rapports au monde. Il nous modèle et nous entraîne à tenter de modeler autrui dans un amalgame semblable.

Le système SAPPE se présente comme le support indispensable à toutes nos attitudes et à toutes nos interventions, avec un axe de référence « Faire pour » ou « Faire contre ». Il ne nous éveille pas à « Faire avec » afin d'apprendre progressivement à un enfant à faire pour lui… pour lui, avec ce qu'il est à ce moment-là de son évolution.

Combien de fois vous ai-je entendu parler des relations de type mortifère que nous proposons ou imposons aux enfants ! Nous ne nous contentons pas de déposer sur eux nos exigences éducatives ou plus personnelles dans le style : « Je voudrais que tu sois plus coquette, que tu arrêtes de te ronger les ongles, que tu maigrisses, que tu fasses tes devoirs à l'heure, que tu te couches plus tôt ou que tu arrêtes de fréquenter cette fille qui se moque de toi. » Nous développons en plus toute une stratégie, tout un ensemble de conduites, d'attitudes, de pressions diverses pour modifier l'autre, pour supprimer chez lui le comportement ou le symptôme qui nous irrite, nous inquiète ou simplement nous déplaît. Nous voulons modeler et remodeler, pétrir, réorganiser l'enfant en fonction de nos désirs, de nos peurs et surtout de nos croyances.

L'alibi autrefois évoqué, « c'est pour ton bien, c'est pour toi que je fais ça », a quasiment disparu aujourd'hui. Nous faisons, pour eux et sur eux, en fonction de notre propre image, de notre propre mythe personnel sur la parentitude. Nous avons une représentation globale du rôle de parents tel qu'il est proposé/imposé par notre histoire passée et contemporaine.

Nous faisons vers eux et nous posons sur eux un nombre incroyable d'actes pour tenter de nourrir pathétiquement, violemment, l'image d'une bonne mère, d'une maman attentionnée, d'un père exigeant, d'un papa soucieux du bien-être, du développement et de l'avenir de ses enfants. Nous sommes des ayatollahs impitoyables de la relation et à la fois, nous nous montrons d'un laxisme tout aussi redoutable, même s'il n'en paraît que pitoyable.

Le pas de côté que j'ai entrepris en commençant ces formations me permet parfois de ne pas tomber dans ce double piège. Je dis parfois, car ma vigilance se laisse surprendre encore trop souvent. C'est tellement beau ce qui m'arrive dans certaines rencontres, dans les échanges qui s'ouvrent de plus en plus dans ma vie. Je me modèle aussi à m'écouter à partir de ce qui me vient du meilleur de l'autre.

Aujourd'hui, je me sens de plus en plus capable de capter, de recueillir et d'agrandir le meilleur de ce qui s'exprime entre nous, dans ce groupe de femmes et de quelques hommes que je côtoie pendant ces temps de parole, lors de dîners en ville ou dans les rencontres amicales.

Il me semble que je sais mieux me nourrir et même m'embellir à la richesse des expériences, des tranches de vie ou des témoignages qui me sont apportés, sans même que j'aie à les solliciter.

J'ai découvert l'émerveillement de pouvoir m'abandonner à des étreintes de tendresse avec les hommes mais surtout avec les femmes. Le plaisir d'un corps chaud, respirant, vibrant, l'émotion des palpitations, la présence des parfums, des odeurs, la magie d'un sourire, l'incroyable liberté de gestes que je n'aurais jamais osés, que je n'aurais même pas perçus il y a encore quelques mois.

C'est tout cela, ma vie actuelle, comme un plus à la quotidienneté des jours, car je poursuis sans autres états d'âme mes tâches ménagères, mes activités d'éducation de trois enfants, mon compagnonnage conjugal, mes aspirations à être.

Autrefois, je luttais contre l'enlisement d'un quotidien monocorde, répétitif, contre l'enkystement dans le banal, contre la grisaille de la non-nouveauté. Aujourd'hui, j'accueille, j'agrandis, je rebondis, je « surfe » sur l'effervescence des émois, je disjoncte sans éclater, par plaisir. Je me suis inscrite à un cours de mei-hua-zuang. C'est l'ancêtre d'un enseignement qui a posé la base commune aux arts martiaux. J'ai appris un mouvement qui s'appelle « semer des étoiles ». Croiser mes mains sur mon cœur et les ouvrir dans un geste large et lent vers l'univers.

Beaucoup de mes gestes sont à l'image de ce mouvement, je sème des étoiles. Je prends de plus en plus le temps d'harmoniser mes gestes avec mon ressenti. Trouver la paix, l'équilibre et la sérénité repose sur une démarche d'ancrage, de retentissement, de précision et de respiration plus pleine.

*Ne croyez pas que la richesse se mesure aux choses
que l'on possède. Elle se mesure aux choses dont on peut se
passer, quand on a beaucoup à l'intérieur de soi.*

Comment pouvais-je aimer les autres à l'époque où je me niais autant ? Quel amour réel pouvais-je leur offrir dans cette période de ma vie où j'avais tellement de mal à m'aimer, où je ne savais même pas que je ne savais pas m'aimer ? J'ai souvent été amoureuse bien sûr. J'ai connu cette effervescence d'être et cet état d'impatience à l'accueil, au recevoir, cette agitation à tout saisir, à tout garder, à ne rien perdre de l'instant des rencontres. Cette désirance vers ce que je croyais être l'inaccessible de l'autre devenu soudain proche, à portée de main, de lèvres, de corps.

Depuis quelque temps, j'ai découvert mon propre regard sur moi et j'ai lâché le parasitage et les filtres du regard des autres sur moi. Je me suis regardée un matin, longuement, attentivement, précautionneusement et j'ai découvert que ce visage que je maquillais, que j'offrais à mes proches, que je présentais à des milliers d'inconnus, je ne le connaissais pas, qu'il m'était en quelque sorte étranger dans sa vérité profonde. Qu'il m'appartenait à l'avenir de l'apprivoiser, d'en faire la connaissance, de dialoguer avec lui, de me réconcilier avec ses zones d'ombre et de rejet.

Mes parents et mes amis me trouvent rajeunie, moi pas encore. Je ne voyais même pas ni ne sentais les mutations et les transformations. C'est en passant devant une glace, dans la rue, que j'ai perçu la joyeuseté de mon visage. Je me suis sentie vivre, rire à l'intérieur de moi et surtout j'ai pu savourer, engranger le bonheur d'être. Au lieu d'avancer, j'ai reculé de deux pas, mon rire encore posé sur mon visage, un peu incertain, comme étonné d'être là, et j'ai eu l'impression que je n'avais pas ri de la sorte depuis bien longtemps.

Les sourires et les rires, c'était avant tout chez les autres qu'il me semblait important de les saisir. Les sourires et les rires chez les autres étaient la marque que j'avais bien fait mon travail, mon devoir, que j'avais bien tenu ma place de fille, d'épouse et de mère.

C'est à la fois terrible et libérateur de découvrir tout cela.

Par la tendresse, nous accédons, au-delà de l'enfance, aux naissances successives de notre vie. Mais c'est par l'amour que nous entrons dans la vivance de la vie.

La petite fille recroquevillée, apeurée et sidérée qui logeait dans mon ventre, que je croyais justement comblée par des excès alimentaires, mais qu'en fait j'étouffais, s'est libérée le jour où j'ai accepté de lui donner plus de place, où j'ai pris le risque de l'entendre, où je lui ai simplement permis de se redresser, de s'étirer, de bouger avec ses gestes à elle, avec ses propres impulsions.

Je me souviendrai toujours de ce que je considère maintenant comme l'équivalent d'une naissance. Au cours du premier stage que j'ai pu faire, une femme qui venait de travailler sur elle et qui m'avait choisie pour représenter ses inhibitions, justement, m'avait chuchoté à l'oreille : « *Tu as le droit d'être heureuse même si cela fait de la peine à ceux qui t'aiment.* » C'est ce jour-là que la petite fille apeurée qui était en moi s'est redressée.

La qualité d'une phrase, la lumière d'un regard ou l'énergie d'un geste peuvent constituer des stimulations et des déclencheurs fabuleux à l'ouverture d'une liberté nouvelle ou à l'abandon d'une résistance.

Je pense que je l'aime, mais je n'en suis pas convaincu.
                    Un ami de mon mari parlant de sa femme !

La vie de couple est un véritable alambic à transformation, un creuset pour toutes les mutations, un lieu de convergences et de focalisation pour la rencontre avec le meilleur ou le pire de soi-même.

Le partenaire choisi sert à la fois de révélateur et de surface de projection sur laquelle vont se jeter nos croyances, nos désirs, nos peurs et le trop-plein de frustrations passées, les résidus des situations inachevées, la braise ardente des blessures anciennes.

Thérèse m'a raconté :

> Mes parents m'appelaient Toutie. Surtout mon père. Ma mère suivait et puis un jour elle m'a appelée Thérèse et, progressivement, mon père a suivi. Je sentais qu'elle n'aimait pas qu'il m'appelle Toutie ; l'usage de ce petit nom créait entre lui et moi une intimité dont elle était exclue.
>
> Tout dernièrement, je me suis retrouvée comme un enfant nouveau-né. Ma mémoire cellulaire était imprégnée par tous les mots engrangés dans mon histoire. Mon esprit fut souvent stérilisé par les injonctions de ma mère, mes désirs plutôt imbibés par les cris et les colères de mon père.
>
> Dans mon propre cheminement, j'avais tout focalisé sur ma mère. C'était elle la méchante, la sorcière, la sadique, la perverse. Tous mes malheurs ne pouvaient venir que d'elle. Le véritable pas-

sage pour moi, telle une naissance tardivement accomplie, fut de prendre le risque de me confronter à elle.

Tout a commencé par un coup de téléphone qui a mal tourné, comme d'habitude. Quand elle n'obtenait pas ce qu'elle voulait, elle raccrochait d'une façon particulière, lentement, laissant le silence s'installer jusqu'au clic final, m'acculant dans un malaise chargé de colère, de honte, d'indécision. Cette fois-là, j'ai rappelé tout de suite après qu'elle eut raccroché. Elle m'a d'abord lancé une de ces phrases assassines dont elle a le secret : « Bon, de toute façon, tu veux toujours avoir raison, tu es vraiment invivable. »

— Oui, Maman, tu me vois comme invivable et c'est bien toi qui as raccroché tout à l'heure. Maintenant, c'est moi.

Et j'ai cliqué moi-même la fin de l'échange. Elle qui m'appelait plusieurs fois par semaine resta sans me donner de nouvelles durant 13 jours. Un soir, le téléphone sonne. Je reconnais immédiatement la voix de ma mère demandant Mme Moulin, une de ses amies du club.

— C'est moi, Maman !

— Oh ! excuse-moi, je suis vraiment désolée, je me suis trompée de numéro.

Elle raccroche sans me donner le temps de poursuivre. Le téléphone sonne à nouveau.

— Je voudrais parler à Mme Moulin...

— C'est toujours moi, Maman...

— Oh ! je suis vraiment distraite, c'est impardonnable de te déranger comme cela.

— Pas du tout, j'ai du plaisir à t'entendre.

Elle s'est installée dans l'échange à partir de ce moment-là. Elle m'a remerciée du poème que je lui avais envoyé un mois avant. J'avais rédigé ce poème dans le train, après un accident de voiture. J'avais écrit, dans une sorte de transe, mon amour pour la génitrice, pour la maman, pour la mère qu'elle fut pour moi. Je lui avais lu ce texte avec beaucoup d'émotion comme un cadeau d'amour.

Elle m'avait demandé de le lui recopier dans un carnet où elle gardait des pensées ou des textes précieux pour elle. Mais son attitude n'avait guère changé à mon égard. Et ce jour-là, au téléphone, de façon impromptue, elle me remerciait.

Il lui avait fallu, semble-t-il, s'abriter derrière l'alibi de deux erreurs de numéro pour oser m'appeler et se dire.

Depuis, j'ai fait beaucoup pour clarifier l'énorme contentieux entre elle et moi. En restituant les disqualifications et les dévalorisations, en re-déposant chez elle les angoisses, en sortant de mes répétitions, en lâchant mes ressentiments, en osant mes joies, en reconnaissant mes enthousiasmes, en accueillant les rires et les étonnements de l'imprévisible.

J'ai une vie vivante, vivante comme jamais, et intense.

Je sens mon ventre vivre, ma peau se déplisser...

Je regardais Thérèse, ou plutôt Toutie, me parlant ainsi, et je sentais effectivement combien sa présence paraissait plus chaleureuse, plus dense et moins pesante. Avec cependant un petit pincement d'envie pour me gâcher quand même le plaisir de sa présence. Je suis toujours aussi terrible avec moi-même dès qu'il s'agit de souffrir un peu. Mais Thérèse, ce jour-là, souhaitait surtout me parler de son père. Ce qu'elle m'avait dit de sa mère n'était qu'une entrée en matière.

Il y a un lien très fort entre mon désir de divorcer et mon père. Tous mes amis me déconseillent ce divorce. Annie, une amie d'enfance, m'a appelée tout spécialement de Belgique pour me dire : « Mais dans quoi tu t'embarques à ton âge ? Reste tranquille, tu n'es pas si mal avec lui ! Tu ne vas pas divorcer, c'est quelqu'un qui t'aime ! »

Se positionner, se situer sans cesse !

— Annie, ce message n'est pas bon pour moi, je te le renvoie. J'entends que c'est ta propre peur que tu déposes sur moi.

— Oui, c'est vrai, a-t-elle reconnu. Je m'inquiète pour toi.

— C'est bien toi qui t'inquiètes à travers moi ! Et puis, permets-moi de te dire aussi que l'amour ne donne aucun droit sur l'autre.

Je ne pouvais lui dire que durant toute mon enfance, j'avais été l'enfant aux peurs. Ainsi d'ailleurs que durant la plus grande partie de ma vie d'adulte ! Être un dépotoir à peurs ne donne pas beaucoup d'aisance dans les relations proches.

J'envisage de divorcer, même si ma relation à mon mari a totalement changé depuis quelque temps. Je n'arrêtais pas de le critiquer, de l'agresser, de déposer des reproches, des accusations, des remises en cause de tout ce qu'il faisait. Aujourd'hui, je lui parle normalement, je veux dire, sans crier, avec une gentillesse qui le bouleverse. Mais il ne comprend plus. Il pense que la relation peut continuer, puisqu'elle s'arrange. Il ne peut comprendre que je sois sortie de l'enfance, que je n'aie plus besoin de le disqualifier pour me donner la force de le quitter.

Ce fut comme un ballon de baudruche dans lequel j'avais planté une épingle. L'épingle en question aura été ma visite sur la tombe de mon père. C'est là que j'ai pu enfin enterrer une lettre dans laquelle je lui disais tout l'amour que j'avais pour lui. Tout cet amour que j'avais caché, maltraité, rejeté depuis toute petite. Il buvait, j'avais peur de ses réactions. Je détestais en particulier le samedi soir. Il était payé à la semaine. Ma mère l'attendait dès cinq heures de l'après-midi. Parfois, jusqu'à 9 ou 10 heures. Toute la maison était comme dispendue dans ses mouvements, en arrêt, en attente. Nous, les enfants, nous marchions à petits pas, nous respirions petitement pour nous économiser avant la tempête qui allait surgir et transformer la soirée en chaos.

À cause de mon père, j'avais décidé de détester tous les hommes. J'en voulais à ma mère d'avoir épousé un type pareil. Pendant 40 ans, je me suis interdit de l'aimer, tout en imaginant que ce serait une preuve d'amour de sa part à mon égard s'il arrêtait de boire. Il n'avait aucune raison de s'arrêter pour mes frères qu'il frappait souvent ni pour ma mère qu'il injuriait, mais pour moi si. Il ne m'avait jamais battue ni insultée. Il prétendait m'aimer. Il voulait être gentil avec moi, mais je rejetais toutes ses approches. Je voulais la preuve absolue de son amour : qu'il arrête de boire !

Quand j'ai pu reconnaître tout récemment que je l'aimais, quand j'ai enfin entendu que toute ma détestation n'était que de l'amour blessé, meurtri de trop d'attente, j'ai senti tout s'ouvrir à l'intérieur. Un immense élan de tendresse et d'abandon m'a projetée dans sa direction. Je n'arrêtais pas de l'appeler Papa dans ma tête.

Ce fut plus qu'une réconciliation, une sorte de réunification au profond de moi. J'avais vécu morcelée, divisée, déchirée durant plus de 35 ans. Je faisais payer à mon mari ma propre impuissance à l'égard de mon père. J'avais échoué avec lui, donc je ne pouvais réussir avec l'homme qui voulait me consacrer sa vie.

Nous allons sûrement divorcer, mais j'ai arrêté la guerre. J'imagine qu'un jour je remercierai cet homme d'avoir pu supporter toutes mes errances. Toutes mes violences.

Contrepoint VIII

Cette année, Lucie a mis beaucoup de distance entre elle et Papa. Pour le coup, lui, semble être devenu un père pour elle. Ils ne s'embrassent plus, sinon de loin, du bout des lèvres, avec des bye-bye secs comme du pain rassis.

J'ai repensé au prof qui nous avait parlé de la différence entre un papa et un père en parlant de « l'irruption de la dimension sexuée entre un père et sa fille ». Ça devait être ce qui s'est passé entre Papa et Lucie. Ça date à mon avis des vacances naturistes à la mer, il y a deux ans. Ouais, l'incubation a duré presque 24 mois ! J'ai entendu Maman qui tentait d'expliquer tout ça à Papa, le naturisme, la pudeur réveillée, la sensibilité exacerbée, la puberté, la pulsion des sens. Ces vacances-là, je m'en souviens bien.

Le camping choisi par les parents, sans consultation des enfants, comportait une partie naturiste, et sur la plage immense, on s'installait à la frange de ceux qui osaient, qui débutaient. Certains jours habillés textiles, et d'autres jours simplement culs nus et blancs au milieu d'une faune d'habitués du nudisme. Lucie faisait des commentaires sur la couleur du zizi des hommes, surtout sur celui de Louis XIV, surnommé ainsi dès le premier matin, car il avait de longs cheveux bouclés qu'il portait telle une perruque disproportionnée sur un visage aigu. « Tu as vu, Maman, il a le zizi tout tordu, ça doit lui faire mal ! » Maman sans lever les yeux de son livre jetait à la cantonade un avis d'expert international : « Les zizis, c'est comme les nez, il y a autant de modèles et de couleurs que d'hommes. J'ai jamais vu deux nez pareils », disait-elle en pouffant de rire. « Moi, j'aime bien le nez de Papa, il est petit mais on le voit bien au milieu de ses yeux », répondit très sérieusement Lucie. Papa préférait lire sur le ventre, le corps bien tassé sur le sable, je l'ai remarqué, comme cela il pouvait échapper, du moins le croyait-il, aux comparaisons.

Chacun y allait de ses commentaires. La discussion débordait sur les seins, les fesses, les métiers possibles des possesseurs de zizis. Tous les matins, Louis XIV jouait à une espèce de volley-ball libre, avec quelques autres jeunes hommes. Richelieu, lui, avait un curieux zizi tout rouge qui se décapuchonnait chaque fois qu'il frappait une balle, le corps arqué par l'effort. C'était un phénomène, ça aussi je l'ai remarqué, qui fascinait la plupart des femmes sur la plage et suscitait des pensées qui, même muettes, n'en étaient pas moins porteuses de rêveries.

Richelieu capta ainsi l'attention des unes et des autres pendant plusieurs matinées. Toute la famille riait de ce phénomène exceptionnel.

Jeanne d'Arc apparut le troisième jour, blonde bien sûr, altière, avec une poitrine petite et dure. Son corps étincelait et l'espace de la plage s'illuminait quand elle s'élançait dans l'eau. Le plus extraordinaire était sa toison épaisse, touffue, friselée, qu'elle portait tel un bouclier. Papa nous a dit qu'avec une telle protection, elle pouvait rester vierge durant plusieurs étés. Quasimodo ressemblait à un sanglier avec du poil partout. «Même entre les orteils», remarqua Lucie, à qui aucun détail scabreux n'échappait. Et d'autres encore qui traversèrent l'été des dunes et dont les exploits animèrent plus tard de nombreux repas, tant les souvenirs furent multiples, incongrus et vivaces. Coccinelle dont le corps peluchait de grandes plaques rouges. Bigeard qui, même nu, semblait toujours porter un uniforme bariolé de parachutiste. Il y avait aussi Hannibal, un Noir magnifique, dont le sexe pendait au niveau des genoux.

— Quand même pas aux genoux !

— Si, si ! Je sais pas comment il peut s'habiller, ce type-là !

— Il doit porter des pantalons à deux places !

Ça, c'était le commentaire de Simon. Saccharine était tout blanc. Il descendait à la plage avec un gros livre relié qui ressemblait à un missel qu'il gardait sous le bras sans jamais l'ouvrir. «Ce doit être un évêque en vacances», fut le commentaire de Papa. «C'est plutôt un homosexuel refoulé», ajouta Maman. «Ce n'est pas incompatible...» Ce furent surtout les hommes qui captaient nos commentaires, les femmes échappèrent pour la plupart à nos remarques. «Leur nudité plus limpide s'accorde mieux au ciel, au sable et à la douceur exceptionnelle de ce temps de vacances. » Ça, c'est du Maman tout craché, quand elle se laisse aller à des échanges poétiques avec Papa.

Ce qui est sûr, c'est que ces vacances avaient marqué l'évolution sexuelle de notre famille. Nous les enfants, on n'aime pas ces changements qui nous échappent et sur lesquels on n'a aucune influence. J'ai surpris les bribes d'une conversation entre Maman et Papa.

— Tu dois surtout continuer à lui manifester de l'attention, de la tendresse et de l'amour. Même quand elle te rejette.

— C'est difficile depuis quelque temps, elle me disqualifie sans arrêt. Je ne suis bon qu'à jeter aux chiens.

— C'est comme ça pour l'instant, il vous appartient à toi et à elle de trouver la bonne distance.

— Oui, comme les porcs-épics qui avaient froid au début de l'hiver, qui ont tenté de se rapprocher, qui se sont piqués, qui se sont éloignés, qui se sont rapprochés…

— À la différence que toi tu es le père, et que le gros de l'effort t'incombe.

Papa n'aime pas ça. Il préfère que l'effort soit réparti équitablement.

— Alors tout est devenu sexué maintenant dans cette maison ! Embrasser ma fille, me promener en slip, prendre ma douche sans tirer la targette, c'est sexuel.

— Non pas sexuel, sexué. Tu as parfaitement compris.

C'est dur, c'est dur pour Papa. Il adore Lucie, je le vois se retirer, esquisser un geste, le bloquer, se tourner vers elle, baisser les yeux, tomber dans des généralités et des platitudes qui mettent Lucie hors d'elle. Elle quitte la table avec des yeux furibonds, laisse Papa atterré, désemparé. Alors avec Simon, on fait bloc avec lui, les femmes discutent dans la salle de bain qui nous est de plus en plus interdite. À mon avis, la communication ne suffit pas à tout régler. Je crois qu'il faut quelques explications bien senties, mais l'arrivée de Georges, qui vient passer Pâques chez nous et qui a un an de plus que Lucie, nous a fait faire l'économie des explications.

Ça s'arrange entre Lucie et Papa ; l'autre jour, ils ont ri en même temps. Elle et Georges s'entendent bien.

*Je ne suis pas toujours certain qu'une vie simple
et tranquille m'aurait convenu, mais ça ne m'empêche
pas d'en rêver.*

BYRON

Chaque fois que Françoise m'écrit, c'est pour me faire participer à ses « émois de vie ». Chacune des journées de son existence débouche sur une aventure extraordinaire, pas toujours bénéfique pour elle ou son entourage, mais suffisamment fertile en émotions, en suspenses ou en catastrophes joyeuses pour la stimuler à recommencer. Elle a aussi entrepris une thérapie, quelque chose comme du somatodrame psycho-analytique. Déjà ce titre qui sonne en fanfare me paraît traduire un engouement douteux. « Voici l'outil que je cherchais depuis si longtemps, le levier, le moteur. Il faut que j'arrive à me situer face à ma famille et peut-être donner ainsi l'exemple à Alexandre, mon mari, pour qu'il en fasse autant. » Avec suffisamment de doutes, aussi, pour entretenir la passion du changement et de l'espérance : « ma vie va enfin changer, je le sens. Cette fois c'est la dernière ligne droite vers le bonheur d'exister, car j'en ai bavé tu le sais… »

Oui, je le sais, et dans le détail. Depuis nos années de pension, Françoise et moi avons galéré dur, dans des directions opposées, mais nous nous rejoignons aux étapes essentielles. Son chemin me paraît quand même labyrinthique et parsemé de tous les pièges qu'elle y place à l'avance. Aujourd'hui, avec le somatodrame psycho-analytique, le but est de partir « d'une structure hystérique, décompensée en névrose, qui bifurque doucement vers des mécanismes obsessionnels défensifs,

pour se déposer en fin de parcours (du moins je l'espère) en affirmation sadomasochiste bien équilibrée pour faire le poids, pour ne pas
me laisser marcher sur le ventre. Tu saisis ? »

Je ne saisis rien. Surtout, ne rien saisir, ne pas m'approprier ce charabia, laisser Françoise à ses découvertes multiples et nécessaires, car
je vois avec elle, au-delà des hauts et des bas, des mutations incroyables,
des percées plus que des changements vers des états heureux qui la transportent, qui la maintiennent hors de la folie dans laquelle je l'ai longtemps connue et aimée.

Actuellement donc, pour en comprendre davantage, je reprends les
termes de sa longue, très longue dernière lettre.

C'est le combat pour l'accès au plaisir. Jusqu'à maintenant,
comprends-tu, je me faisais PLAISIR, tailleur Chanel, bagages Vuitton,
foulards Hermès, petits dessous de la Perla ou des nuits d'Élodie, plus
l'indicible. Plaisir aussi en refusant, en disant NON lorsqu'on me sonne
pour aller dîner chez BEAU-PAPA, BELLE-MAMAN quand ils reviennent
de leur petit séjour à la montagne et avant de repartir trois mois à
la mer pour préparer le voyage annuel aux antipodes exotiques, île
de Pâques, Pérou, Grande Muraille de Chine, Bali, Sibérie, Terre de Feu...
Leur fils et moi, pris en sandwich entre deux boulimies de voyage, pour
remplir le vide de leur immense appartement parisien.

Seulement attention, le plaisir de dire non ça se paie, c'est
coûteux ces plaisirs-là ! Mon Alexandre, chaud lapin jusqu'à ces derniers temps, ne me désire plus. Il me fait payer mon opposition à
son papa et surtout à sa maman. « Plus de relations sexuelles, a-t-il
dit, tu dis non, moi aussi. » Si on nous filmait, on aurait l'air aussi
débile l'un que l'autre. Pourtant Alexandre c'est une grosse tête,
deux doctorats (qu'il a passés avant de me connaître), un en économie et un en philo, éclectique donc, mais dans l'intime, ça vole
bas entre nous. Il m'a séduite hors de l'intime, au grand air, dans
un trekking. J'ai l'impression aujourd'hui de m'être fait escroquer
sur les qualités réelles du bonhomme ! Il était fort, il était beau,
ne sentait pas le sable chaud, mais la sueur virile.

Passons, j'ai renforcé le non. Il était question d'une adoption, nous avons des enfants l'un et l'autre, mais nous ne pouvons en faire l'un avec l'autre. Alors, comme il fallait un liant, l'idée de génie de ses parents, c'était un enfant malléable pour jointer notre couple qui prend l'eau régulièrement. Mon refus est vécu « comme une décision de mère castratrice, manipulatrice ».

Alexandre s'est inscrit en psycho. Il suit des cours de haut niveau (trop haut pour moi) au Collège de France. Alors moi je rêve, je reprends un travail, en libéral, une sorte de cabinet appartement pour l'oxygène, une voiture pour l'autonomie, un téléphone mobile pour le rêve. Ah, un téléphone mobile, le pied !

Le téléphone mobile, c'est devenu un point de fixation important. Je voudrais que ce soit Alexandre qui me l'offre, comme une preuve d'amour. Le portable n'aura de valeur que s'il vient de lui. Pour l'instant il se scratche dans le non !

Tout dernièrement, il m'a révélé que c'était moi qui l'avais dragué, honteusement dragué. Alors maintenant, c'est moi après 10 ans de mariage qui attends qu'il me drague. Je ne fais pas la moindre avance. Pas de corsage coquin, de jupe fendue, de parfums dévastateurs de sens. Digne. Puisqu'il me refuse, je serai impénétrable. Un comble ! Une dignité qui m'étonne, pas un mot plus haut que l'autre, le ton juste, les gestes minima, le sourire d'une travailleuse sociale confirmée. Je tiens le coup. Quand j'aurai atteint ma limite de privation dans le plaisir amoureux, je penserai à nouveau à moi. Pour l'instant je pense à lui, je veux qu'il me demande, pas qu'il m'impose... qu'il me demande, en plus, avec amour.

Françoise ne m'en dira pas plus cette fois-ci. J'ai parfois avec elle le sentiment que la vie est trop étroite pour pouvoir la contenir, elle déborde de partout. Avec elle, je m'étonne quand même, j'ai une tolérance tous azimuts. Elle doit certainement me permettre, à travers ses fantasmes, d'épuiser quelques-uns de mes propres débordements imaginaires. Je le vois bien à quelques petits pincements du cœur, quand je lis ses lettres.

Chaque vie conjugale pourrait être une histoire zen, car elle peut conduire à l'éveil et à l'illumination du plaisir d'exister, à cette connaissance suprême de soi qui peuvent se découvrir dans des réalités humbles, triviales, violentes ou pathétiques.

Aujourd'hui, 11 ans après, je peux en parler, ou tout au moins oser me le dire à moi-même. Après cinq ans de mariage, je suis devenue amoureuse d'un autre homme que mon mari. Quelques jours avant ce tremblement de cœur, de ventre et de sexe en moi, je n'aurais pas cru cela possible. Cela ne faisait pas partie de mon univers de femme, d'épouse, d'amante. Car je me sentais amante de Laurent. J'aimais surtout l'amour qu'il avait pour moi, cela m'éblouissait, me nourrissait, m'enivrait, me comblait au-delà de toutes mes attentes. Et chaque fois que je lui disais « je t'aime », cela voulait surtout dire : « j'aime tellement que tu m'aimes ». Nous n'avons jamais parlé de cela, je veux dire de cette façon que j'avais de ne pas l'aimer lui, mais d'aimer son amour. Et je me sentais heureuse avec cela, je ne cherchais pas ailleurs, j'étais une femme fidèle. Ce sont des choses indicibles, tout d'abord parce qu'elles ne sont même pas entendables à notre propre écoute.

Il n'y a pas que l'évolution des relations, il y a aussi la maturation des sentiments. Je l'ai constaté pour moi-même, nous arrivons dans l'amour amoureux (que je ne confonds pas avec l'amour parental ou filial) si démunis que nous n'envisageons même pas d'en être conscients. Nous « tombons en amour », nous entrons dans l'amour amoureux avec un modèle erroné, celui de l'amour parental. L'amour parental est celui qui est donné, offert gratuitement (du moins je l'espère) à un enfant pour le confirmer et lui permettre de quitter un jour ses parents. C'est un amour oblatif au sens profond du terme, tourné vers l'autre pour le nourrir et le consolider afin d'affronter le monde, c'est-à-dire les autres, et afin de nouer des relations d'amour à son tour. L'amour amoureux est donné (quand il est donné et non troqué, imposé ou exigé !) pour construire et garder une relation avec l'autre. Deux modèles antagonistes qui nous égarent dès le départ.

L'amour se présente à nous comme un prématuré que nous lançons dans la vie sans aucune protection, sans précaution ou avertissement, sans soins. Il faut du temps et des crises pour abandonner les pays de la frustration, pour renoncer aux rivages de la déception, pour ne pas se perdre dans les forêts de l'idéalisation.

Lorsque je suis tombée « en amour », j'étais comme une petite fille égoïste, avide de plaire, impatiente de capter et de garder l'autre. J'avais été aimée mais je n'avais jamais vraiment aimé. Dans le sens que je lui donne, aimer veut dire être à la fois touchée de l'intérieur, profondément bouleversée, et en même temps tellement tournée vers l'autre, si décentrée, en déséquilibre, transportée vers l'autre avec toutes les certitudes et les repères connus qui s'effondrent.

Lui, je vais l'appeler Julien pour préserver cette intimité précieuse encore à mes yeux, ne s'est pas laissé envahir par mon amour, j'ai senti tout de suite la distance chez lui. J'ai senti tout de suite qu'il se tiendrait hors de portée de mes demandes, de mes exigences et, pour tout dire, de mon envahissement. Et cependant, il me donnait tant. Il m'offrait un espace de temps hors du temps. Il m'entraînait dans un monde de liberté et d'improvisation que je n'avais jamais connu avant. Il m'autorisait des gestes, des abandons que j'inventais dans l'instant. Des aspects de moi-même que j'ignorais surgissaient telle l'envie de l'embrasser, d'entrer dans un magasin, de l'entraîner, de me déshabiller sitôt qu'il y avait une intimité possible.

Je ne sais encore comment j'arrivais à tout gérer. Je n'ai jamais envisagé de quitter mon mari, j'avais besoin de ces deux hommes et je me battais pour cela. Cloisonnant, me dédoublant, me clonant sans états d'âme. D'un côté épouse, mère, professionnelle, fille de mes parents, posée, responsable, organisée, lumineuse, de l'autre, amante, amoureuse, dépassée, irresponsable au possible, désorganisée, incandescente. Comme je lui donnais tout, j'exigeais tout et plus encore. Il m'a donné plus qu'aucun des hommes que j'ai connus, mais je voulais son abandon, sa reddition, je voulais au-delà de son plaisir, sa souffrance, un peu de ses inquiétudes, de ses soucis. Et il ne déposait rien de tout cela vers moi. J'aurais voulu qu'il souffre de ne pas m'avoir tout entière à lui, qu'il demande, qu'il quémande, qu'il supplie, qu'il menace de me quitter. J'avais besoin d'avoir plus que de l'importance, je voulais être essentielle pour lui.

Notre relation dura plus d'un an. Rien n'en épuisait l'intensité. Avec lui, je pouvais chanter et rire dans l'amour. Nos partages de caresses étaient dans l'ordre du sacré. Près de lui, j'étais dans la lumière, mon corps et mes sens devenaient plus lumineux. Comment trouver les mots, et à qui les dire, pour nommer tout l'indicible qui m'habitait.

Je m'étais inscrite à l'École Pratique des Hautes Études en Sciences Sociales. J'étais censée préparer un doctorat. Il y avait des séminaires, des regroupements, des temps d'absence indispensables. Nous nous retrouvions à Paris en des week-ends érotico-culturels dont la densité m'habitait pour plusieurs semaines. Je me nourrissais d'un immense imprévisible.

Il y avait le courrier adressé chez une amie, car Julien m'écrivait. Ses lettres dorment dans le grenier de cette amie, je ne m'en suis pas encore séparée.

*Cette force murmurante et détonante qui nous pousse
à aimer l'être le plus inaccessible.*

Quand Julien se blessa enfin à mes caprices, à mes sabotages, à mes refus de recevoir le bon, une béance s'ouvrit en moi. À cette époque, je prenais et je m'appropriais, ce qui fait que je ne recevais rien. Durant une période, je suis devenue avec lui, avec lui seulement, une espèce de mégère, de virago sordide, presque grossière. En fait, je voulais, je l'entends seulement maintenant, me retrouver « intacte », me libérer de lui, briser ce que je croyais être son emprise sur mes sens. Je voulais me retrouver comme avant, sachant que c'était impossible. L'accident de voiture qui me percuta contre la réalité d'un pont était destiné, je crois, à me rendre « amnésique ». J'aurais voulu supprimer cette relation de ma mémoire, pour n'en garder, engrangé tout au fond de mon corps, que l'éveil de mes sens.

Aujourd'hui j'ai un peu de compassion pour cette femme-là que je fus. Avant Julien, j'étais dans l'illusion qu'être moi, c'était être sans attache, sans lien irrémédiable. Cela peut paraître fou puisque j'étais mariée, mère de deux enfants. Oui, j'avais un mari, une famille, une maison, mais tout cela était de mon choix. J'avais une emprise sur ma vie. Je me sentais libre de quitter cet univers familial quand je l'aurais voulu. C'était une certitude absolue en moi.

Avec Julien, c'est moi qui étais attachée à quelqu'un qui lui, ne voulait pas de mon attachement, seulement de la belle liberté que j'avais avec un autre ! C'est un des paradoxes de notre rencontre. Cet homme avait été séduit par ma liberté de femme mariée.

Aujourd'hui, je sens bien que cette relation extraconjugale m'a non seulement agrandie, multipliée, mais m'a débusquée de mon impérialisme affectif. J'ai appris avec lui à être à l'écoute de la différence sans me blesser. J'ai une émotion en moi grosse de tous les abandons, des lâcher-prise. Son évocation est faite de reconnaissance, de tendresse légère, buée du matin déposée à l'aurore d'une journée.

Je souris parfois à mes déchaînements, j'osais avec lui l'inouï de mon corps. Nous nous sommes appris mutuellement ce qui nous manquait le plus. Quand notre relation s'est arrêtée, je suis restée chaste quelques mois. J'ai simplement dit à Laurent : « Il y a une petite fille en moi qui a besoin de pureté. » Je me sentais capable d'une patience infinie pour retrouver mon unité, lâcher le clonage, me réconcilier avec toutes mes découvertes, me réunifier à ma famille. Simon est né un an après notre rupture. Il est l'enfant de cette réconciliation.

Je ne sais si Laurent a eu d'autres relations. Cela lui appartient. Je ne souhaite en aucun cas entrer dans cette intimité-là. Je me sens d'une solidité à toute épreuve pour construire du durable avec lui. Quand une relation est précieuse, importante, elle doit être protégée par le voile de l'intimité. J'ai gardé toute ma rencontre avec Julien au précieux du silence. C'est Laurent qui se rapprocha. Durant toute ma période de chasteté, c'est-à-dire de retrouvailles avec moi-même, il sut créer des moments précieux, intenses, hors du quotidien. Un jour, il m'emmena à Saint-Malo, dans une petite baie protégée du vent et des touristes. Et même si quelques années plus tard, tout comme au début de ce livre, je galérais à construire encore et encore notre relation, ce fut dans ce coin de Bretagne, calés contre les rochers, face à l'océan, un peu au bout de nous-mêmes, que j'ai redécouvert le désir de vivre avec Laurent.

Je peux aujourd'hui paraître aux yeux de certains comme amorale ou inconsciente, mais je sens profondément ce que j'ai vécu comme appartenant à l'ordre du sacré.

Il y a aussi tous ceux qui aiment haïr.

Laurent est revenu tout récemment d'un voyage à Lille complètement bouleversé, hors de lui même. «J'ai rencontré la violence gratuite, j'ai rencontré aussi la haine en moi. Une haine abjecte, je voulais tuer, tu entends, tuer. J'en avais les dents qui grinçaient en anticipant mon geste. Il y a en moi un tueur que j'ignorais, qui me squatte certainement depuis des années et qui ne demande qu'à s'exprimer ! » Je n'avais jamais vu mon mari aussi agité, je sentais un conflit terrible entre toute son éducation, sa sensibilité et une violence sourde qui ne semblait pas encore apaisée en lui. Il m'a raconté la suite.

J'étais dans ma voiture à un feu rouge, je rêvais, vitres fermées, quand j'ai perçu des mouvements dans une voiture qui était sur ma gauche. Je voyais deux visages à l'avant qui semblaient me parler ou m'interpeller. J'ai baissé ma vitre pour dire que je n'avais pas entendu, m'enquérir civilement de leur demande que je supposais être dans ma direction. Quand j'ai entendu « Espèce de connard, tu n'aimes pas notre gueule ? », j'ai tenté de leur dire qu'il y avait un malentendu du genre : « Excusez-moi, je croyais que vous me parliez ! » Un type est descendu : « Alors, t'es pas content, tu peux pas nous blairer ? »

Je voulais continuer à dire qu'il s'agissait d'une erreur. Et ce con de feu rouge qui restait rouge. J'ai senti venir le coup. Instinctivement j'ai rejeté la tête à l'intérieur de la voiture. J'ai reçu une pêche comme jamais. Toujours naïf, j'ai tenté de sortir pour expliquer qu'il s'agissait d'une erreur. Tu vois, toujours relationnel, idéaliste, croyant à la bonne foi. Un vrai con ! L'autre type est sorti avec une barre de fer et le feu est passé au vert. J'ai foncé, mais eux aussi. Et l'enfer a commencé. Ils m'ont coursé durant plus d'une demi-heure. C'était en plein jour, il y avait des centaines de personnes, je klaxonnais au plus près, ils s'approchaient, ricanaient, me faisaient des gestes obscènes, tentaient de me coincer contre un trottoir. D'un seul coup, j'étais en plein Far West ou dans un film américain. Il n'y avait plus aucun feu rouge, toutes les rues étaient dégagées. Je fuyais, apeuré, comme un lapin avec des chasseurs aux trousses. C'était surréaliste, complètement fou.

Désespéré, je me suis engagé dans un sens interdit, pensant rencontrer un flic, un barrage, la loi, une protection. Ils m'ont suivi et ont réussi à me dépasser bloquant leur voiture à quelques mètres devant moi, en travers de la rue.

Et là, tout s'est inversé en moi. Ma peur, ma panique sont tombées, je suis devenu mauvais. D'un seul coup, je suis devenu méchant, hideux. J'aurais eu une arme, je descendais, je tirais, je tuais sans hésiter.

Tout s'est déroulé au ralenti, leur voiture immobile, les deux types à l'intérieur, moi, la main crispée sur la première, attendant que l'un ou l'autre pose le pied par terre, pour foncer, défoncer, faire mal, les écraser. J'en avais la mâchoire douloureuse, mes dents grinçaient. Je voulais les supprimer, les écraser. Le temps s'est arrêté. Et puis d'un seul coup leur voiture a braqué, ils sont partis.

Je me suis effondré sur mon volant, j'ai pleuré, pleuré comme un enfant. Mes larmes me pacifiaient, elles me lavaient de toute ma violence. Et en même temps, j'étais terrifié par ma réaction. Je savais, intellectuellement, que le pire est en nous, mais je ne savais pas le pire du pire, avoir du plaisir à faire mal, à anticiper la destruction de l'autre comme un soulagement. Vouloir faire payer sa propre peur. Découvrir que rien ne pouvait me retenir dans mon geste, que c'était ma seule volonté de faire mal qui dominait à cet instant. C'est terrifiant d'être habité par cela. Qu'un geste, un comportement, une parole puisse un jour réveiller ma violence et me faire basculer dans la bestialité, la barbarie.

Durant plusieurs semaines, j'ai vu Laurent songeur, ailleurs. Je lui disais gentiment « Tu es dans ta violence ? » Il me le confirmait avec un sourire timide comme pour s'excuser. Le soir, ma tête posée contre sa poitrine, j'entendais gronder tout le remue-ménage de ses interrogations. Nous avons tiré de cette situation un enseignement et une pratique en convenant que si nous sentions de la colère ou de la violence nous habiter, ou circuler dans l'autre, nous pouvions lui dire : « Peux-tu éteindre le moteur et descendre de la voiture ? »

Plus tard, nous avons pu rire en partageant nos fantasmes de violence. J'ai pu lui dire qu'il y a quelques années j'avais rêvé ou imaginé qu'il ait un accident de travail à la suite duquel il aurait été amputé du zizi.

— Tu avais vraiment imaginé cela !

— Tout à fait. Je me sentais harcelée sans cesse par ton sexe. Je te confondais avec lui. Sitôt arrivé du travail, je ne voyais plus que cela chez toi ! Dès l'entrée je te voyais avec des yeux en érection, pensant déjà à quelques caresses, à quelques abandons et pratiques improvisées. Quand tu demandais : « Où sont les enfants ? », je savais que ce n'était pas par intérêt pour eux mais pour vérifier si la place était libre pour quelques assauts sexuels !

— Tu pensais vraiment à cela ?

Je voyais dans ses yeux incrédules qu'il avait du mal à croire en cette perception de lui. Manifestement, il ne se reconnaissait pas. Je sais aujourd'hui qu'on ne se comporte pas avec l'autre tel qu'il se voit ou se croit être, mais tel que nous le voyons et le ressentons.

— Je ne parle pas de toi, je te dis comment je te voyais et surtout comment je me comportais en fonction de ce que je ressentais à propos de toi. C'était devenu l'horreur. Je m'arrangeais à l'époque pour qu'il y ait du monde. Freiner, diluer, différer tes appétits et tes tentatives vers moi a été mon activité principale de femme durant plusieurs années.

— J'étais persuadé au contraire que cela te faisait plaisir d'être désirée...

— Au début, oui, car je confondais ton désir avec ton amour. Je croyais que tu m'aimais, que ton désir était l'expression de ton amour pour moi. Au début, car très vite j'ai bien perçu qu'il ne s'agissait que de désir sur moi et non vers moi, que ta véritable demande était « je veux que tu aies du désir pour moi puisque j'en ai pour toi ». Si tu savais la cuisine qu'il y avait dans ma tête à cette époque. J'étais dans la mélasse entre sentiments, désirs et relation. Je mêlais tout, cherchant sur un registre, sur un étage, une réponse qui dépendait d'un autre registre, d'un autre étage. J'aimais ta présence et je te haïssais en même temps !

C'est comme cela que je comprends aujourd'hui comment j'en étais venue à détester faire l'amour avec mon mari, moi qui aimais tellement cela !

— Mon désir est revenu quand j'ai pu le respecter face au tien, quand ton propre désir un peu désespéré vraisemblablement s'est éteint, s'est détourné de moi. Un jour, tu as réappris à m'embrasser. À m'embrasser vraiment avec la langue au lieu de m'aspirer, de me mordiller, de me dévorer comme tu le faisais voracement, impétueusement.

J'ai retrouvé la douceur, l'abandon de laisser fondre mon corps, ce sont mes seins qui pouvaient enfin aller à toi au lieu d'être emprisonnés, pelotés par des mains et une bouche avides.

Attends, attends ne me coupe pas, ce n'est pas tous les jours qu'il est possible de parler avec autant de liberté. Là je te dévoile l'envers du décor, les coulisses. Bien sûr, il n'y avait pas que cela. Mais dans cette période-là, cela occultait tout l'espace de nos rencontres intimes.

Je ne pouvais cependant tout dire à Laurent. Seulement lui parler de ce qui nous concernait directement lui et moi. Je ne pouvais partager mon intimité de survie en dehors de lui.

Oui, intimité de survie pour ne pas couler, pour ne pas le quitter, pour tenter de sauver notre couple, non, mon couple. Car j'avais vraiment le sentiment à l'époque d'être la seule à galérer pour maintenir à flot le couple, la famille.

Durant cette période, le plus grand de mon désespoir venait de ma solitude intérieure. Personne à qui parler de mes ressentis, de mon vécu.

À l'extérieur, un monde d'apparence, de réussite et même de bonheur. Au-dedans, des sentiments glauques, un goût de pourri, d'amer, de pas bon. Je ne savais pas qu'il pouvait exister des lieux de parole. Les thérapies, la psychanalyse, c'était pour des personnes tordues, ravagées, malades de l'esprit. Les relations humaines, c'était une expression qui ne faisait pas partie de mon vocabulaire. Il y avait seulement ce qui allait, ce qui n'allait pas et surtout ce que l'autre aurait dû comprendre, entendre et faire en conséquence. J'étais dans l'illusion que le changement, les solutions étaient chez l'autre, que c'était un dû. Tout cela représentait une certitude absolue, une évidence. Je serais devenue mauvaise, intraitable, pour quelqu'un qui aurait remis en cause ma croyance que si l'autre m'aimait vraiment il aurait dû me comprendre sans que j'aie besoin de dire.

Cela peut donner une idée de l'état d'esprit avec lequel j'ai abordé les premiers stages à la méthode ESPERE. J'ai été outrée, scandalisée et blessée d'entendre l'animateur invoquer le principe « de l'auto-responsabilisation dans toute relation ». Et l'autre alors, il n'a rien à faire, c'est toujours au même d'assurer, de supporter, d'accepter, de comprendre ?

Dans les pauses, j'étais hors de moi, dans le réactionnel, ce type, vraiment, ne savait pas ce qu'il disait ! Il ne fallait pas qu'il me dise ce que je l'ai entendu lancer à une autre : « Oui, qu'est-ce qui est touché en vous quand je dis cela ? Qu'est-ce qui est réveillé, restimulé quand vous découvrez que votre mari vous cache ce qu'il gagne aux courses ? » Moi, dans ce cas, j'aurais voulu comprendre pourquoi mon mari avait besoin de jouer aux courses et pourquoi il m'aurait caché ses gains ! Un point c'est tout. Vouloir comprendre l'autre, pouvoir l'expliquer et ainsi mettre le doigt, avec une précision toute chirurgicale, sur ce qui aurait dû changer... chez lui !

Nous arrivons dans une démarche de changement avec des croyances, des modèles, des certitudes, des habitudes de vie que nous ne souhaitons pas réellement remettre en cause. Nous attendons la solution qui préserve avant tout notre propre position rêvée !

Je n'ai jamais pu dire combien j'ai été déstabilisée au début, angoissée par ces premières formations, car tous mes repères foutaient le camp. Combien je trouvais injustes les propositions de responsabilisation qui me délogeaient de ma position de victime. Je me rends compte que j'ai saboté une grande partie de ma démarche dans un premier temps.

Aujourd'hui, les proches qui me connaissent pensent que je suis une inconditionnelle, ils ne savent pas combien j'ai été critique, rejetante, disqualifiante. Combien de fois ai-je porté des jugements de valeur incroyablement négatifs sur l'animateur ou sur certains participants ? Ce qui aurait dû m'alerter, c'est mon désir de poursuivre. Je le justifiais à mes propres yeux en pensant que je n'allais pas me laisser bourrer le crâne sans réagir, que je n'allais pas laisser passer de telles conneries sans rien faire. Je faisais auprès de mes amies et amis une critique aiguë des premiers enseignements que je recevais. Je fusillais à bout portant les soi-disant règles d'hygiène relationnelle, je torpillais avec mépris les outils, les concepts. Je raillais avec succès sur la symbolisation, déclenchant des rires. Quand tout cela s'est retourné contre moi, quelques mois plus tard, quand j'ai eu à affronter le reflet de ma propre conduite, je n'avais plus aucun humour, aucune distanciation possible. Je prenais de plein fouet, à vif, à cœur, le rejet et la violence disqualificatoires de résistances semblables à celles que j'avais entretenues en moi et auxquelles je me trouvais confrontée chez d'autres. L'apprentissage du changement tient du burlesque, du pathétique et du pathos aussi. Souffrir de changer vers ce qui sera meilleur pour soi est un des paradoxes de toute formation aux relations humaines.

Il est relativement facile de commettre des erreurs, mais les répéter et les entretenir suppose beaucoup de constance et un entraînement de haut niveau.

C'est mon fils Arnaud qui me lance : « Maman, pourrais-tu apprendre à prendre soin de tes inquiétudes plutôt que de vouloir à tout prix prendre soin de notre bonheur ? Tu ne peux pas savoir comme ça me soulage et comme je me sens léger quand je te vois détendue, heureuse, bien dans tes babouches ! On en discute, avec Lucie, le soir quand vous êtes couchés.

— Ah bon, vous discutez de moi ?

— Pas de toi, de nous avec toi quand c'est trop pénible, quand on ne respire plus, tellement c'est tendu.

« Enfin, ça c'était l'an passé ou il y a deux ans. On a cru que vous alliez divorcer, toi et Papa ! Quand tu as commencé tes trucs, que tu voulais tout révolutionner. Quand tu voulais faire le nettoyage relationnel, ça nous a foutu la trouille. Lucie, elle, soutenait Papa qui ne savait plus où donner de la tête, moi, pour faire le contrepoids, je te défendais. C'est moi qui avais le plus de boulot. Simon, lui, ne prenait pas parti, je crois qu'il souffrait, mais il gardait tout pour lui. Je voyais bien qu'il ne dormait pas quand on discutait, Lucie et moi. Il nous écoutait sans se positionner. Il était déchiré, Simon, souviens-toi, à l'époque il se cassait toujours quelque chose. »

J'étais émue de ce reflet de mon fils, j'entendais enfin tout ce qui m'avait échappé dans cette période-là.

« Ce que je ne comprenais pas, Maman, c'est que tu prenais tout pour toi et sur toi. Moi je n'osais plus rien te dire tellement j'avais peur de te blesser, de t'irriter ou de déclencher une catastrophe. J'avais l'impression que je pouvais être à l'origine de l'éclatement de la famille, je me sentais responsable de tout ce qui n'allait pas bien entre nous. Quand je me rongeais les ongles et que j'arrachais mes cheveux par touffes, tu te rappelles ? Eh bien, aujourd'hui, je crois que j'entends enfin toute mon angoisse pour toi et la famille. Il n'y avait pas que ça, j'avais aussi mes salades et mes propres problèmes. »

Arnaud, voyant mes larmes, quand je l'entendais me révéler tout ce qui l'avait habité à l'époque de mon remue-ménage personnel, se hâta de me rassurer.

« De mes propres difficultés, je ne pouvais même pas t'en parler. Par exemple quand Marcel, mon meilleur copain, m'a piqué ma copine Laura, ça me prenait la tête, je n'avais que ça dans la tronche, alors tu penses les maths, la géo, la physique, c'étaient des trucs pourris pour moi ! J'ai rempli tout un cahier de lettres d'amour que je n'ai jamais envoyées. J'allais quand même pas lui faire le cadeau de chialer pour elle, je préférais m'exploser avec mon skate.

« Tu vois, Maman, ce qu'il y a de terrible dans une famille qui s'aime et qui se déchire, c'est qu'on ne trouve personne pour être entendu. Bon, O.K., maintenant ça va mieux, mais des fois on trouve personne à qui parler, à qui se dire. Et surtout être entendu sans que l'autre se sente obligé de répondre. Tu vois, lâcher tout, sans honte, la colère, la tristesse, le caca, la haine, le pas-bon et être accepté avec tout ça ! »

Il resta un moment songeur, puis reprit.

« Il faudrait inventer un signal, un feu rouge pour avertir que là, chez toi, c'est trop sensible, que c'est ras-le-bol ! Qu'il faut, à ce moment-là, ralentir, se décoincer un peu de la vie apparente, se dégourdir un peu les jambes, respirer, laisser le ciel descendre un peu sur nous. Comme quand Papa plaisante avec sa décapotable et qu'il dit à Simon, qui est encore le seul à le croire : "Tu vois, quand j'ouvre ma capote, le ciel entier entre dans ma voiture, elle est remplie à plein bord. Je conduis en prenant un bain de ciel !" Je crois que Simon il a raison de le croire. Ce que je peux te dire quand même, Maman, c'est qu'on est une sacrée famille. Je ne sais pas ce que vivent les autres, mais je suis sûr que c'est pas la moitié de nos histoires. Allez, je t'ai assez bousculée pour aujourd'hui, on peut faire le plein ! »

Là, j'ai pas hésité. Faire le plein est une invention du père d'une de ses copines. Dans cette famille-là, chaque fois qu'ils se quittaient pour un bout de temps, ils se prenaient l'un et l'autre dans les bras. Puis sans parler, sans bouger, « en respirant à plein », m'a recommandé Arnaud, ils faisaient le plein de tendresse, d'espérance, de bon. Ils s'acceptaient comme ils étaient !

Le premier qui dort réveille l'autre.

Dicton postamoureux

Mon mari, qui reste quand même prudent, je veux dire par là qu'il n'a pas l'enthousiasme débordant que nous avons, mes amies et moi, peut me dire combien il apprécie cette liberté de paroles qui circule entre nous, depuis plus d'une année. « J'ai le sentiment, malgré quelques dérapages, qu'un espace d'échange existe entre toi et moi. Cet espace me rassure en quelque sorte, il m'autorise à m'exprimer sans que je sente que ce soit préjudiciable pour moi. Puis-je d'ailleurs te dire un ressenti par rapport à ce qui s'est passé dernièrement entre mon père et toi ? »

Devant mon sourcil déjà levé, il s'est aussitôt écrié.

— Non, non, je ne veux pas me mêler de votre relation, mais cela m'a permis de mieux entendre quelque chose pour moi-même. C'est pour cela que je veux t'en parler. Je crois que tu lui as rendu la violence que t'avait faite une de ses remarques à l'emporte-pièce, qu'il diffuse, je le sais, avec un plaisir un peu suspect. Et je crois qu'il t'a répondu : « Ce que vous pouvez être susceptible alors ! Je veux pas être emmerdé avec votre susceptibilité. » Ce qui t'a, j'imagine, irritée et un peu plus fermée contre lui.

— Tout à fait, et je vais continuer à régler ça avec ton père, mon beau-père, t'inquiète pas !

— Je ne m'inquiète pas, je m'interroge. Je crois que dans cette situation, il suffisait de lui restituer la phrase d'origine qui t'avait blessée. Tu m'as souvent répété que c'est celui qui reçoit le message qui lui donne un sens. Le récepteur est lui aussi responsable de ce qu'il ressent comme une violence. L'émetteur est responsable du message, pas du sens et de l'intentionnalité qui seront attribués à son message !

Je retrouve là mon Laurent et sa vigilante rigueur. Son désir aussi de concilier les inconciliables, de rapprocher les bords de la plaie pour mieux la cicatriser.

— Oui, et alors ?

— Mon point de vue serait qu'il conviendrait de restituer le message ou la phrase en ces termes, sans plus : « Ce que j'entends là n'est pas bon pour moi, je préfère le laisser chez vous ! » Sans introduire le mot de violence, car il fait déjà violence à lui tout seul ! Quand je sais, et j'imagine le reste, tout ce qu'a vécu mon père en camp de concentration, au Viêt-nam, en Algérie, le mot violence recouvre des manifestations et des expériences autrement violentes et traumatisantes pour lui ! Et j'imagine que tes expressions l'irritent et lui paraissent vaines, il a envie de te descendre en flammes !

— Je te rejoins tout à fait. J'avais déjà remarqué cela et je me trouvais coincée entre ce que je ressentais et la compréhension que j'avais de lui. Te rappelles-tu l'autre jour quand tu m'as demandé : « Es-tu heureuse ? » et que j'ai osé te répondre cette fois-là, pour moi et non pour toi, pour te rassurer comme je le faisais souvent autrefois : « Non, pas en ce moment ! » Tu as reçu ma réponse aussi comme une violence, car elle ne correspondait pas à ta propre attente, si j'ai bien saisi, à tout ce que toi-même tentais de me dire en espérant que je sois heureuse. Si tu prends la liberté de me questionner ou de m'interroger, tu prends aussi le risque de ma réponse. Ma réponse, ce jour-là et à ce moment-là, était que je ne me sentais pas heureuse, pas satisfaite de notre relation, sans trop savoir d'ailleurs sur quoi portait mon inconfort. Je prenais la liberté d'exprimer mon malaise, il n'était pas nécessaire ni obligatoire que tu te l'attribues.

— C'est vrai, c'est vrai ! Avec toi, moi qui autrefois étais si sûr de moi, je me mets à douter. J'en viens à espérer quelquefois, comme Jean, le mari de Fabienne, qui me disait : « Moi, je voudrais simplement qu'elle redevienne comme avant, je ne lui demande pas beaucoup, simplement qu'elle redevienne comme avant. Avant, tout allait bien, aujourd'hui je ne comprends pas la moitié de ce qu'elle veut. Je vis avec quelqu'un que je ne connais plus ! » Des fois je suis comme Jean, le mot avant est «devenu magique». Je sais qu'il est un leurre, mais il se présente souvent à moi. Avant, c'était mieux ! Avant, on ne discutait pas de tout, c'était moins dérangeant ! Avant, je me sentais moins remis en question, tout paraissait plus clair. Ce que je faisais avant était bien pour moi. Avant, ah ! Avanti… !

Il est super, Laurent, quand il prend un peu d'altitude avec son humour, il décante, clarifie, bonifie ce qui pourrait rester merdique. J'aime cet homme pour sa richesse et ses maladresses. Je l'aime surtout pour sa ténacité ; il ne reste jamais au fond du trou. Il a plein de défauts, si différents des miens, mais il ne m'entraîne pas dans sa déprime, comme j'ai tendance à le faire avec lui !

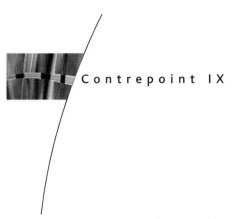

Contrepoint IX

À la maison, il y a comme un état de grâce. Papa et Maman semblent dans une lune de miel retrouvée. Lucie est dans les nuages, je crois qu'elle est amoureuse ; Simon a découvert de nouveaux jeux sur Internet, il dialogue avec des gosses de son âge et moi je songe aux prochaines vacances, mais surtout à Myriam à qui j'ai osé dire que je voulais la fréquenter sérieusement !

Les tempêtes autour de la communication familiale s'apaisent, mais je sens que c'est toujours à vif. Le grand sujet de discussion, qui ressurgit comme un serpent de mer au cours des week-ends, parce que là on a un peu plus de temps pour discuter, c'est : « Comment peut-on enseigner la communication à l'école, si les professeurs eux-mêmes restent des handicapés de la communication ? Comment sensibiliser le maximum de parents pour qu'ils soient partie prenante sur cette question ? Comment faire prendre conscience qu'il n'est plus possible de continuer comme cela (ça c'est Maman et son messianisme à fleur de peau) ? Comment s'engager dans une action cohérente, qui ne soit pas récupérée par des partis ou par l'institution (ça c'est Papa qui a toujours un regard large, et de préférence d'en haut, sur les événements et les péripéties du quotidien) ? »

C'est drôle, depuis quelque temps je commence à imaginer mon avenir. Je pense à l'action humanitaire, je trouve qu'il y a vraiment trop d'injustices, de souffrances et de violences dans le monde.

Il y a des mots en état de grâce. Des mots qui sauvent, qui nous permettent de retrouver notre verticalité. Des mots qui font respirer, qui nous rendent plus beaux.

Je reçois cette lettre de Marie, qui nous a quittés pour aller vivre à Bordeaux. Quand elle nous avait annoncé la nouvelle, beaucoup d'agitation avait été soulevée en nous, entre nous.

— Oui, oui, je sais, vous allez crier à la dépendance, à l'injustice, à l'horreur. D'accord, mon mari est nommé procureur à Bordeaux. D'abord, c'est une promotion et je vais le suivre. Oui, je vais le suivre avec plaisir. C'est avec lui que j'aime vivre. D'accord, je quitte mes amis, vous, mon boulot, ma famille proche. Je quitte tout pour le suivre. Je l'ai déjà fait à 20 ans, je le fais 20 ans plus tard avec le même enthousiasme. Avec une différence aujourd'hui, c'est que je sais qu'il me faudra faire le deuil de certaines choses pour ne pas emporter tout cela à Bordeaux et me polluer avec. J'ai pas envie de finir ma vie avec des lumbagos et des sciatiques à répétition.

Là, Marie faisait allusion à Laurence qui elle aussi a suivi son mari à Lyon, mais à contre-cœur, à contre-vie, à contre-respect d'elle-même. Marie était partie depuis deux mois, elle nous manquait. Sa lettre était un cadeau.

Refaire, l'espace-temps d'une lettre, le parcours d'expériences-naissances engendrées depuis mon départ. Vous dire d'abord à chacune que ce fut bon de vous rencontrer, de découvrir tout au long de nos échanges, de nos confidences, toutes les résonances et les chemins possibles pour tâtonner, pour apprivoiser ensemble la méthode ESPERE. Ce fut pour moi comme une seconde naissance, avec la découverte d'une communication plus vraie, dans une énergie nouvelle, avec une tendresse jusque-là inconnue, à partager et à recevoir.

J'ai reçu et je reçois encore le bon de vous-mêmes, à distance. J'avais gardé, avant de vous rencontrer, tant de cicatrices en moi, tant de blessures ouvertes, de plaies béantes parfois, tant de souffrances entretenues (je le sais) et masquées par des sourires et parfois de la douceur !

Vous m'avez aidée à prendre conscience de toute cette énergie dépensée et gaspillée à taire, à étouffer ce qui n'avait pas été bon pour moi de 0 à 39 ans !

Ce ne fut pas toujours simple d'entrer dans le changement, de commencer ce qui allait être, pour ma vie de femme, d'épouse et de fille, une révolution. La réactivation du système SAPPE, les conflits relationnels douloureux avec mes proches, surtout avec ma fille, ont duré longtemps, me laissant souvent démunie. J'avais symbolisé mon « démuni » par une « coloquinte » que je posais alors sur la table près de mon assiette, quand cela explosait entre nous. J'avais aussi une grosse pierre pour mon inquiétude face à ses résultats scolaires...

Et puis petit à petit, par à-coups, mon positionnement pour ne plus entrer dans son système qui réactivait sans cesse le mien ! C'était étrange, car elle était très « ESPERE » dans ses relations personnelles. Et avec moi, c'était toujours... « C'est de ta faute... tu... » Chez elle ? Chez moi ? Qu'importe ? C'est moi qui vous parle. Et avec le temps, avec votre soutien, ce fut à cette rentrée scolaire 1997 que quelque chose a, je puis dire, lâché ! Lâcher-prise chez moi, chez elle ?

Il n'y a plus en moi cette sorte de «boule-colère» qui envahissait mon corps. Chez elle, je sens bien qu'elle établit une relation plus fiable avec moi. Elle la nourrit, elle peut même dire des choses que jusqu'alors elle n'aurait jamais osé partager. Je sens que pour ma part, la relation entre nous devient vivante, pleine, plus légère.

Pour ses 18 ans, en juin, j'ai reconstruit «symboliquement» les étapes de sa vie dans un album photo, avec des citations personnelles, des anecdotes sur son enfance, des citations aussi d'auteurs que j'aime, des paroles-tendresse. J'ai tenté d'être encore un peu maman avec elle, qui me rejetait sans pitié dans une position de mère. C'était certes difficile, car à cette période, rien n'allait dans notre relation. «Tout est mauvais, caca, comme elle disait, quoi que tu fasses, tu ne comprendras rien à ce que je suis!» Elle était d'une habileté incroyable pour me plonger dans un désespoir qui semblait sans issue.

Il y eut quelque chose d'important en moi, d'indéfinissable mais bon, car la relation que j'ai avec Delphine a changé, elle est plus ouverte vers de multiples «possibles». Ici à Bordeaux, je sens que je vais commencer des ateliers de communication relationnelle, près d'une Maison des jeunes et de la culture. J'ai commencé une sensibilisation avec des jeunes et avec des adultes. La moitié de ce groupe est très motivée, et c'est vrai que les visages ont changé, leurs yeux se sont éclairés. J'ai vraiment le sentiment qu'ils peuvent, grâce à l'application active-participative de la méthode ESPERE, récupérer des énergies de vie, et que déjà en eux, cela se voit, se sent. Je trouve cette tâche, qui consiste à accompagner un apprentissage possible de la communication, merveilleuse, enrichissante et constructive. C'est bon pour moi de partager cet enthousiasme.

Il y a eu cette œuvre commune vécue durant plusieurs mois de nos rencontres où nous buvions du thé, du light et le plaisir de pouvoir parler ensemble, de se co-former, de me construire avec vous. C'est bon pour moi de vous dire merci, je savais que la vie contenait beaucoup de cadeaux, je sais aussi que ma rencontre avec chacune d'entre vous a été un cadeau tendre et bon.

Bien sûr, de temps à autre, il m'arrive encore de douter, surtout parfois avant de partir pour de nouvelles rencontres. Suis-je réellement capable de proposer une autre manière de communiquer, d'écouter, de ne pas me laisser entraîner dans les difficultés relationnelles de chacun ? Suis-je suffisamment une bonne compagne pour moi-même, pour pouvoir être une bonne partenaire avec mon mari, avec ma fille ? Et puis quand ce questionnement a travaillé en moi, il s'estompe, ne dure pas !.... J'ai toujours au fond de ma poche une petite pierre lumineuse, symbole de mes ressources possibles.

Je suis émerveillée de découvrir les capacités créatives qui sommeillent en chacun. Je suis simplement heureuse, et c'est bon de vous le dire et de le partager avec vous.

La missive de Marie a circulé entre nous. Certaines l'ont gardée plusieurs jours. Cette lettre nous a donné un sentiment d'appartenance, elle a renforcé notre cohésion tout en mettant en évidence quelques-unes de nos contradictions. Nous ne sommes pas toutes dans ce groupe informel sur la même longueur d'onde ni avec les mêmes attentes. Il y a chez quelques-unes une forte demande implicite, et même explicite, de thérapie, je devrais dire de pseudo-thérapie. Car aucune d'entre nous, à l'exception de Rosane et de Pétra qui sont médecins, n'a de formation thérapeutique. Cette question a été abordée et nous avons pris le risque d'éclater, de nous perdre si nous n'acceptions pas quelques balises communes. Nous avons commencé à élaborer une minicharte autour de nos rencontres.

Nous avons créé l'expression oasis relationnelle. L'oasis relationnelle serait un lieu où nous pourrions nous retrouver, échanger, nous ressourcer, apprendre en commun à partir de notre vécu, de notre histoire passée et de notre histoire actuelle. Seule règle retenue au départ : la confidentialité des échanges. Moins facile à respecter qu'il n'y paraît, car chacune a un ami, une amie, un conjoint avec lequel elle souhaite partager ses découvertes. Une autre règle a fait son apparition dernièrement : l'implication personnelle, qui consiste à parler de soi, seulement de soi. Arrêter les discours généralisants, ne plus mijoter dans la dénonciation de ce qui ne va pas ou la plainte, mais témoigner. Notre groupe reste informel, ouvert, avec une autorégulation des unes et des autres. Je fais un peu figure de leader puisque j'ai initié cette approche. Il y a bien sûr quelques rivalités potentielles, des amours-propres qui se réveillent, des prises de pouvoir dans le domaine de l'organisation. Cependant, ce dont je me méfie le plus, c'est du « syndrome de Mère Teresa » qui agite certaines dans le vouloir faire le bien à tout prix, se précipiter sur la souffrance humaine pour l'éradiquer. Comme la demande d'aide est forte, il y a toujours une âme sœur qui se veut consolante et protectrice. Je ne sais combien de temps notre groupe va pouvoir durer avant que ne se révèlent nos limites ou des malaises. Il me semble pour l'instant que le positif des échanges domine.

> L'indicible, c'est quand je ne peux même pas me dire... à moi-même.

Une de mes cousines, Marion, est remariée avec Philippe. Couple reconstitué sur les débris, je n'ose dire les restes, de deux couples blessés, détruits par beaucoup de violences affectives, amoureuses et relationnelles antérieures. Sa belle-fille est revenue dans la ville où ils vivent et chaque 15 jours, elle vient rendre visite à son père. Dans sa lettre, Marion précise :

> Ce n'est pas moi qu'elle vient voir, je sens que je suis un peu de trop, pas trop mais quand même un peu ! Elle vient essentiellement voir son père, mon mari ! Et je vois sous mes yeux les retrouvailles idylliques d'une fille avec son père. Je ne supporte pas ces scènes. Je suis chaque fois renvoyée à un manque, à une situation inachevée entre mon père et moi.
>
> Il est parti trop tôt et je lui en veux encore 15 ans après ! Chaque fois que Helyette vient, elle s'appelle Helyette, elle a quelque chose d'aérien, de soyeux, de léger qui dépoussière un peu son père. Je devrais en être ravie, mais non. Chaque fois qu'elle arrive, c'est l'horreur en moi. D'être renvoyée ainsi à mon manque me ronge et me détruit. Finalement, quand j'étais dans une conduite d'addiction (discours de mon analyste pour désigner une conduite de dépendance par rapport à une personne ou à un produit toxique) avec mes recherches et mes rencontres d'amants, j'étais peut-être dans la répétition, dans le transfert, mais j'étais comblée !

Même si j'étais dans la compensation, avec ma recherche sans fin (sans faim) de « substituts » (dixit mon analyste), j'étais au moins rassurée, j'existais, j'avais quand même du plaisir. Et ça, le plaisir, merde quand même, c'est pas rien ! Jamais un thérapeute, un analyste ne pourra m'apporter ce plaisir. Et si ça me plaisait à moi, de m'entretenir dans le « leurre » de la répétition « compensation » ou le « transfert », j'avais au moins le « pep », l'ivresse de vivre. En analyse, au fond, on chipote sur la qualité et l'origine du nectar !

Certains êtres vibrent à la moindre stimulation de leur libido. Chez moi, la libido se loge partout. Elle irise et embrase tout mon être. D'autres se blindent ou s'anesthésient. J'ai essayé, je deviens sinistre, perverse, car je rends le monde entier responsable de ne pas venir à moi, pour m'aimer gratuitement, sans contrepartie, sans que je n'aie rien à donner.

Pour en revenir à Helyette, je supporte mal le plaisir de son père à la rencontrer et surtout le moyen qu'il trouve de réparer dans ces quelques rencontres toutes ses absences et toutes ses carences passées. Il est vraiment un papa avec elle, après avoir été un père monolithique ou absent ! En plus, ces dimanches où elle vient, je n'ai plus de mari, ça n'arrête pas de me violenter sur tous les plans : ma vie actuelle avec mes besoins de femme et ma vie passée avec mes besoins de petite fille...

Avec Philippe, je sais que nous avons beaucoup d'amour l'un envers l'autre, mais aussi tant de blessures à colmater, tant de manques à combler. Il est attentionné et patient avec moi. J'ai bien conscience de le soumettre à des hauts et des bas entre mes désespoirs ponctuels, mes élans vers un ailleurs qui me semble toujours meilleur « cette compulsion, cette fuite en avant » (dixit l'analyste toujours) qui me dévore soudain, qui me pousse à consommer les hommes, c'est-à-dire, en fait, à rêver un peu avec eux d'un miracle !

Actuellement, je pars, je marche, je me fixe un but, une escale, puis je reviens, épuisée, haletante mais non comblée. Et puis il y a encore le contentieux avec ma mère toujours vivante, elle, présente, exigeante dans ses attentes, réclamant toujours plus de marques d'amour, d'attention, de soins ! Mais j'ai encore trop de ressentiments contre elle. Je ne peux les lâcher, ils me consolident même s'ils me bouffent des énergies. Ton Salomé, il a beau dire que le ressentiment est un ressenti qui ment, le mien est nécessaire. Quand je pense à elle, tout remonte d'un seul coup.

Je lui en veux et j'ai encore besoin de lui en vouloir pour m'avoir diminuée, écrasée, empêchée de m'affirmer. Pour m'avoir contrainte dans un rapport de force où elle était toujours la plus forte, irrémédiablement la plus puissante.

Toute tentative d'affirmation, chez moi, se solde par un étranglement et une oppression respiratoire invalidante, « séquelles hystéroïdiques » (re-dixit mon analyste !).

Le pire à avouer et que je n'avoue qu'à toi, car je ferais rire, je deviendrais suspecte, c'est que je me forme (supervision, analyse didactique) pour être thérapeute. C'est là que le balancier a les plus grandes amplitudes. Par moments, c'est d'une évidence sacrée : « Je serai thérapeute, c'est ma voie, c'est là que je pourrai offrir le meilleur de moi. Avec tout ce que j'ai traversé, je me sens capable d'affronter tous les malheurs des autres ! » Et à d'autres moments, c'est le marasme, la dégringolade, le gouffre sans fond. C'est complètement débile, malsain, moi qui merdoie dans tellement de problèmes, vouloir en plus aider quelqu'un ! C'est de la folie !

Oui, c'est de la folie, mais une folie stimulante quand même, ouverte, pleine d'imprévisibles et de combats. Et puis, toujours en moi, un troisième larron, qui se manifeste de temps en temps. Lui, il aspire à la retraite, à une vie contemplative avec sa peinture et ses sculptures. Car celui-là, autre aspect de ma personnalité, peint, sculpte, prépare et fait des expositions. Se fait reconnaître à travers ses œuvres… oui, oui, se laisse valoriser (quelquefois), rêve de toucher un critique enthousiaste, un public.

Je ne sais pas si vous voyez, les amies, la vie multiple de celle que vous fréquentez ! J'ai pas tout dit (et loin s'en faut). J'ai peur que l'analyse détruise mon couple. Ça, c'est la peur que je garde en réserve quand je veux tout arrêter ! Je la ressors de temps à autre, cette peur. Là, je stoppe le temps, les problèmes restent un court instant en suspens. J'ai le sentiment que je n'ai plus besoin de maîtriser quoi que ce soit. Je plane. Après, bien sûr, le flot intarissable de mes questions, les contradictions de mon histoire reprennent le dessus.

Voilà, je t'avais écrit pour te parler d'Helyette, la fille de mon mari.

Ainsi Marion peut me dire ce qu'elle cache depuis longtemps : elle aspire à devenir thérapeute. Elle veut s'oublier un peu dans l'écoute des autres. Ce constat peut sembler dément dans un premier temps, mais combien de fois n'ai-je entendu dire qu'il fallait avoir rencontré et traversé la souffrance mentale, frôlé la folie, être tombé dans le marasme le plus noir pour acquérir cette humanitude, cette sensibilité rare et précieuse qui nous permet d'entendre, d'accueillir la part de souffrance ou de folie chez les autres.

La vie n'a qu'un but ; elle ne sert qu'à entretenir et à produire de la vie.

Nous travaillons beaucoup ces temps derniers sur la question de la perte. La perte d'un être cher et proche, d'un être chair, d'un enfant.

Chacun d'entre nous, comme tout être humain, a vécu un jour l'abandon, la séparation, la mort de quelqu'un de significatif. Comme je l'ai découvert avec vous, ces situations nous renvoient aux blessures les plus archaïques, les plus anciennes en nous, et elles font remonter des peurs et des violences inouïes.

Julie nous a toutes réveillées en nous parlant des associations qu'elle a pu faire à partir de la naissance de Lucas, le fils de son fils.

Cet enfant que je chérissais avant même qu'il ne soit né, au risque de provoquer quelque jalousie chez ma belle-fille, a provoqué une telle angoisse en moi que j'ai dû quand même m'interroger.

À ma première visite, quelques heures à peine après sa naissance, je n'ai pu quitter la maternité. J'y restais, comme engluée, allant et venant dans le couloir. Il était évident que je ne pouvais laisser cet enfant, mon petit-fils Lucas, avec sa mère. J'étais persuadée qu'il allait lui arriver quelque chose et que cette femme ne saurait pas faire. C'était irraisonné, irrationnel, complètement délirant mais je ne pouvais pas partir et laisser faire cela ! Ce à quoi je pensais... je ne sais d'ailleurs pas ce que c'était. Mais ce devait être terrible et surtout, j'avais le sentiment que j'aurais été responsable de quelque chose de terrifiant si j'étais partie !

J'étais arrivée en début d'après-midi et à 9 heures du soir, j'errais encore dans les couloirs, n'osant revenir dans la chambre et ne pouvant me résoudre à partir.

Et puis soudain, vers 10 heures, j'ai enfin entendu. J'avais cru mes blessures bien cicatrisées depuis bientôt 30 ans, mais non, elles étaient restées bien ouvertes, latentes, et bien présentes en moi.

J'avais 22 ans à ma première fausse couche et moins de 25 pour les 2 suivantes. Fausses couches spontanées qui m'avaient déchirée après 8 à 10 semaines de gestation. Je m'étais consolée, je le croyais, avec l'arrivée de Michaël, le futur père de Lucas.

Tout est remonté d'un seul coup, je découvrais à 53 ans l'incroyable violence que j'avais vécue et accumulée à travers ces pertes successives.

Dans mon imaginaire, ces enfants jamais nés, je les voyais comme des petites filles que j'avais nommées avec des prénoms bien à elles, Delphine, Valérie et Claire. Mais au fond, je leur en voulais. C'est le plus difficile à reconnaître, à accepter : oser me dire que j'en voulais à de petits embryons de quelques semaines, oser reconnaître que je leur reprochais, depuis plus de 30 ans, de m'avoir quittée, de ne pas m'avoir fait confiance, de m'avoir abandonnée. Toute seule là, dans le couloir de cette maternité hypersophistiquée où rien n'avait été prévu pour entendre et pour accueillir la détresse, la régression d'une quinquagénaire venue accueillir son petit-fils de quelques heures. Savent-ils, les pédiatres, les « gynécos », tous ces spécialistes de la vie, ce qui peut se réactiver, se réveiller à la naissance d'un enfant, d'un petit-enfant, d'un descendant ?

Il était 11 heures du soir quand je suis revenue chez moi. J'ai travaillé jusqu'à 2 heures du matin. Sur des feuillets de couleurs différentes, j'ai dessiné, raturé, craché la violence que m'avaient faite Delphine, Valérie et Claire, ces enfants qui s'étaient évadés de mon ventre, qui avaient à leur façon refusé d'être accueillis. Puis j'ai souhaité pouvoir donner à chacune sa place en intercalant un petit dessin de fœtus, demi-poupons tels que je les imaginais, dans l'album de famille. Puis j'ai eu besoin (surtout après leur avoir rendu la violence que leur départ avait déposée en moi), de témoigner de tout l'amour que j'éprouvais pour chacune.

Un amour bleu ciel pour Delphine, partie à 45 jours de grossesse, en décembre 1965. Car la jeune femme que j'étais rêvait à cette époque de voyage à Delphes, à Thèbes, à Olympie.

Un amour bouton d'or pour Valérie, partie, elle, à 50 jours de grossesse en mai 1967. Période où j'apprenais la flore de montagne, où je m'exilais déjà, par des fugues mentales, d'une relation conjugale qui me pesait, mais que j'espérais chaque fois, à chaque retrouvailles, possible et porteuse de bonheur à construire ensemble.

Un amour turquoise vert d'eau pour Claire, partie à quatre mois de grossesse, en octobre 1968, période où je découvrais la Savoie, ses glaciers, ses névés, ses sources claires et glacées. À ce moment-là, j'avais renoncé à changer mon mari. Je savais que je ne pouvais le quitter, aussi je construisais une relation quasi symbiotique avec la nature. Je m'évadais dans les prairies, les forêts et les torrents pour trouver la force de survivre. Quelques années plus tard, j'ai dû faire l'amour avec un arbre, car je n'ai jamais su comment j'étais devenue enceinte. En dormant certainement. Ce fut la naissance de mon fils, le seul enfant vivant sur lequel j'ai déposé bien sûr toutes mes angoisses de le perdre, sur lequel j'ai reporté tout l'amour inemployé que je n'avais pu offrir à mes trois filles. À la fin de l'allaitement, mes règles se sont taries. « Aménorrhée précoce », ont déclaré doctement les médecins.

Et aujourd'hui, en cette fin du jour, après avoir terminé mes papiers, bleu, bouton d'or et turquoise, après avoir décidé de faire trois petites tombes symboliques dans un petit coin tranquille de Savoie, surprise, émotion ! Une tache ronde d'un magnifique rouge vif ornait le blanc de ma culotte. Mon sang affluait en même temps que ce flux de la vie qui se remettait à circuler en moi.

Je me suis mise à rire, toute rouge, joyeuse.

Je sais maintenant que je viens d'achever quelque chose d'important. La vie est là, elle coule, elle est donnée. Mon histoire a moins de nuit et plus de soleil. J'ai surtout une conscience plus vive. Une naissance nouvelle à mes possibles.

Julie, par son récit, m'a réveillée tout personnellement en me renvoyant à un avortement mal vécu, mal commencé, mal fini, pour tout dire inachevé. J'ai aussi à travailler là-dessus. Il faudra bien que j'accepte un jour de médiatiser cette perte, et surtout la violence occasionnée par l'absence, par l'abandon, et cela à l'aide d'un symbole.

Mon travail le plus essentiel est d'inviter chacun à respecter la vie qui est en lui et qui lui a été confiée. C'est par la qualité des relations et le respect de soi que cette vie sera vivifiée.

Anne-Marie enseigne le catéchisme à une douzaine d'enfants de 7 à 10 ans. C'est sa passion depuis plus de 15 ans.

Elle a suivi toutes les réformes, intégré dans sa pratique les modifications, les aménagements de l'enseignement actuel des évangiles. Elle pratique le nouveau catéchisme, mais ce qu'elle tente de transmettre surtout, c'est la communication. La communication nouvelle, comme elle l'appelle.

Les enfants qui pigent tout de suite, ils intériorisent la notion de la différence et de la tolérance grâce à l'écharpe relationnelle. J'ai bricolé des foulards sur lesquels j'ai brodé à chaque bout recto et verso : toi/moi.

Quand c'est moi qui leur parle, j'ai le « toi » en face de « moi », à l'autre bout, quand ils me répondent en tournant l'écharpe c'est bien le « moi » qui apparaît, et si je tourne aussi l'écharpe, c'est le « toi » que je suis devenue pour eux qui apparaît alors.

Si je ne la tourne pas et que je garde l'extrémité « moi », l'écharpe est vrillée, c'est donc deux « moi » qui tentent de s'affronter et le conflit forcément, n'est pas loin. C'est génial. « On peut pas être pareil que l'autre », m'a dit un mouflet de sept ans !

Anne-Marie est une passionnée. Chrétienne des premiers temps, elle témoigne de sa foi à chaque instant. Elle vit les évangiles au quotidien. Son prosélytisme nous fait sourire et nous émeut à la fois, sa sincérité et son engagement ont rapproché plusieurs d'entre nous du Dieu de leur enfance.

Je m'appuie sur huit règles d'hygiène relationnelle, ce sont mes huit commandements à moi. Il y a aussi des règles humaines qui me semblent universelles. Le respect des personnes, des lieux, des temps, des idées. Celles qui nous permettent de vivre ensemble en étant bien avec soi-même. Au début, je leur apprends le truc de l'écharpe. Puis, je leur propose les outils de l'approche ESPERE (bâton de parole, visualisation) et certaines des règles qui en découlent.

1. Les deux extrémités de l'écharpe me rappellent ma double responsabilité, celle de ce qui se passe à mon bout pour ce que je dis, ce que je sens, fais et envoie à l'autre. Et celle de ce que je fais avec ce que je reçois de l'autre.

2. J'invite à parler à la première personne, à partir d'un « je » de témoignage. Je déconseille aux enfants de parler sur l'autre et je les invite à parler d'eux-mêmes.

3. J'accueille la parole de l'autre comme la sienne propre, je ne m'en empare pas, je ne la rejette pas, et je pose la mienne à côté. J'ai d'ailleurs imaginé une petite boîte ronde qui circule, elle représente la parole de quelqu'un. Écouter, c'est être silencieux en ouvrant la boîte pour accueillir, pour regarder ce qui y est déposé.

4. Dans un échange en réciprocité, je confirme l'autre dans ce qu'il dit, dans ce qu'il sent, dans ce qu'il pense. Tout ce qu'il évoque lui appartient en propre et je me positionne par rapport à mes propres idées ou ressentis. Je ne garde pas un message négatif envoyé par l'autre, je le visualise et de façon symbolique, je le remets chez celui qui me l'envoie, car ce message lui appartient.

5. J'écoute mes peurs, car elles cachent des désirs.

6. J'écoute et j'apprends ainsi à reconnaître mes désirs.

7. J'écoute mes émotions pour pouvoir entendre ce qui est touché chez moi.

Avec ces balises, je déclenche beaucoup d'intérêt et de participation des enfants à la vie du groupe.

Mercredi dernier, Morgan m'a confié : « Anne-Marie, j'aime le caté avec toi. »

— Oui, j'entends bien et peux-tu me dire ce qui te plaît ici ?

— La bougie que j'allume, les marque-pages que tu nous donnes, le bâton de parole... j'aime sa couleur bleue, quand je le prends à mon tour, je peux parler, tu m'écoutes et les autres ils ne rient pas de moi.

— Oui, Morgan, ils ne rient pas de ce que tu dis, chacun et chacune te donnent leur écoute et accueillent ce que tu dis, ce que tu sens, ta parole est à toi.

— J'emporte à la maison les coquillages qui sont le bon que j'ai reçu au caté.

Je lisais de l'étonnement dans son regard, de la douceur dans son sourire et je me suis sentie envahie par une joie paisible. Morgan, qu'on m'avait présenté comme un enfant « insupportable », « violent » et « bagarreur », et qui porte en lui tant d'accueil à la tendresse !

J'ai vraiment le sentiment de leur enseigner, au-delà des mystères de la religion, une approche possible du divin en eux. Laetitia m'a dit : « Depuis que je viens au caté, je me sens meilleure. J'ai plein de bonnes choses en moi que je peux donner sans qu'on me rejette. Avant, je croyais que j'étais mauvaise... »

Anne-Marie, dans nos échanges, est un peu notre garante. Elle est devenue notre conscience face à la méthode et à nos tâtonnements. Elle n'hésite pas à nous rappeler les règles de votre approche. Elle représente un point de référence qui balise nos propres difficultés ou contradictions.

Il y a quelque chose de rassurant à pouvoir s'appuyer sur des points de repère incontournables et fiables. J'ai bien saisi que beaucoup de problèmes, de difficultés relationnelles ont pour origine une transgression, un non-respect ou une non-application de ces règles simples et évidentes.

Ainsi, tout dernièrement, en allant à Paris avec mes deux garçons, Arnaud a décidé de rester chez des amis pendant que j'allais visiter les châteaux de la Loire avec le benjamin. Mon amie Roxane, à qui j'en parlais, s'écria aussitôt : « Tu es inconsciente de laisser ainsi ton fils tout seul à Paris, avec les histoires de drogue... » Ces propos se déposaient à nouveau sur moi, comme un rappel de Laurent et de sa propre angoisse. Quand j'entends le père Salomé rappeler sans arrêt « ne jamais prendre dans une relation ce qui appartient à une autre », je me demande ce qui fait qu'on n'enseigne pas ces principes élémentaires à l'école. J'ai arrêté tout de suite Roxane. « J'entends ton inquiétude, mais je ne souhaite pas la prendre sur moi. Arnaud rencontre aussi la drogue à Lyon. Il est informé, il sait quelle est ma position, celle de son père, et je crois connaître la sienne. » Ma copine n'a pas très bien pris ce discours. « Bon, bon si tu prends le risque, c'est ton fils après tout ! » Mais le pire c'est qu'elle n'a pu s'empêcher de déposer à nouveau son inquiétude chez Laurent, qu'elle a eu au téléphone, en lui demandant d'intervenir, « de faire revenir Arnaud à Lyon, puisque je ne voulais pas de lui pour les châteaux de la Loire »...

Escalade de la pollution, spirale de l'angoisse qui cherche à se diluer dans le besoin de faire.

Laurent m'appelle à son tour : « Qu'est-ce que cette histoire de drogue ? Tu es au courant pour Arnaud ? Faut-il que je vienne le chercher ? »

J'ai senti là combien Laurent, qui n'a pas su laisser chez Roxane sa propre angoisse, s'était laissé polluer à mort ! Et l'horreur, c'est que tout me revenait amplifié et déformé.

Avec quelle habileté je blessais autrefois le meilleur de moi en moi. Je n'avais pas cette obligation de conscience qui m'habite aujourd'hui et me rend exigeant surtout avec moi-même.

Je fais sourire mes amis et franchement rire ceux qui prétendent être près de moi, quand je parle de Midinette. Il y a un an, une chatte tricolore s'est invitée dans ma maison, je l'ai acceptée, car je me suis sentie choisie. J'en ai d'ailleurs eu la confirmation quelques semaines après son arrivée.

Elle avait auparavant tenté plusieurs essais chez des voisins proches, y restant de deux à trois jours, puis s'éclipsant à l'accepter, car le premier jour la cohabitation n'a pas été facile. « D'où viens-tu ? Tu appartiens à quelqu'un, tes maîtres vont te rechercher, je ne vais pas te garder, ils auront trop de peine… »

Pour toute réponse, elle s'est frottée à mes jambes. Le soir même, j'ai trouvé une de mes combinaisons qui séchait sur l'étendoir du jardin, à terre, toute roulée en boule, avec un mulot dedans. Quand j'ai raconté cette histoire à table, pas contente du tout, Simon m'a tout de suite dit : « Elle t'a fait un cadeau, elle t'a adoptée. » Depuis, c'est un vrai cadeau, cette chatte. Elle se nettoie toujours, c'est pourquoi je l'ai baptisée Midinette. Moi qui connais un peu la langue des chiens, je découvre avec elle la langue des chats, je lui parle chat ! Elle m'entend, me répond, me renvoie toujours un écho à ma présence.

J'ai tenté dès le début de l'initier au bouddhisme, c'est-à-dire de lui enseigner à respecter la vie sous toutes ses formes et particulièrement celle des oiseaux et des mulots qui abondent dans mon jardin. Le premier cadeau de Midinette, je lui ai montré carrément qu'il ne me convenait pas. Avec le bouddhisme, je lui ai appris le respect des territoires. Au début, elle s'installait partout, bergère, fauteuil, canapé surtout, sur le canapé beige clair sur lequel elle laissait des traces de boue impitoyables, des traces de terre humide qui collaient, des brindilles, tout ce qu'elle rapportait de la campagne, du dehors! J'ai nettoyé, frotté, aspiré, parlementé, menacé, tempêté, bloqué les issues, occupé l'espace avec des livres et des objets. Rien n'y faisait, elle trouvait toujours un espace pour elle. Je me sentais vaincue, épuisée, hagarde devant ce combat sans fin.

Un jour, j'ai pris le mors aux dents, je l'ai saisie sous le ventre, je lui ai montré successivement les fauteuils, la bergère et le canapé avec une parole ferme mais pas forte, je n'ai pas crié ni hurlé comme à mon habitude. Arnaud, qui assista à la scène et la raconta à son père le soir même, relata ainsi l'histoire: «Maman tenait Midinette sous le bras et lui disait "ce canapé est à moi, c'est mon territoire, ce n'est pas le tien", pareil avec les fauteuils, toujours la chatte sous le bras "ce fauteuil est à moi". Midinette miaulait chaque fois, elle commentait le discours de Maman, les oreilles basses. Puis, devant le vieux Voltaire tout pourri: "là, ce fauteuil il est à toi, rien qu'à toi". Elle l'a déposée dessus.»

Du jour au lendemain, Midinette n'est plus retournée sur le canapé ou les fauteuils et le salon a repris son aspect habituel. Le contrat a été tenu. Midinette respecte le territoire. Pour l'apprentissage du bouddhisme, c'est plus difficile, le discours ne suffit pas, Gautama le Bouddha le soulignait déjà: «la pratique, la pratique, l'expérience directe».

Chaque fois que j'ouvre le frigo, elle se précipite, renifle. Je lui dis toujours: «Il n'y a rien pour toi, je suis végétarienne. Je mange seulement des légumes.» D'ailleurs, je ne la nourris pas avec des boîtes ou des trucs agglomérés. J'achète des poissons du pays, du poulet frais de plein air, je respecte avec elle les mêmes règles que j'ai adoptées pour moi. Je ne lui donne pas de viande rouge, quand même, on n'a jamais vu un chat sauter sur un bœuf!

Mais là, l'instinct chez elle semble encore dominer sur l'aspiration bouddhique! Je sens bien que c'est ma propre croyance que je tente de lui transmettre. Je le reconnais et je peux imaginer qu'il y a beaucoup de choses qui se dégradent aujourd'hui chez beaucoup d'animaux. Les ours du Canada, qui ne savent plus se nourrir seuls et qui viennent quémander la patte tendue aux portières des voitures, les vaches qui se laissent mourir, toujours au Québec, lors de la tempête de verglas de cet hiver. Elles étaient habituées à la trayeuse électrique, la panne gigantesque qui a paralysé une partie de la province durant deux semaines et plus, à certains endroits, ne permettait plus de les traire autrement qu'à la main. Ce qu'elles refusaient ! Je peux imaginer un peu ce qui nous est arrivé à nous, les humains. Combien d'instincts, de sens et de ressources avons-nous perdus avec le chauffage électrique, l'eau courante, le surgelé... Bon passons, revenons à ma vie.

Les êtres humains sont aussi là pour aider les animaux à évoluer, même si nous pensons que ce sont les animaux qui nous apportent beaucoup.

Ma démarche personnelle vise, au-delà d'une amélioration possible des relations humaines, à changer, à modifier mon taux vibratoire, ma relation énergétique avec l'univers. Si nous acceptons ce résultat que tout est vibration, un des enjeux de la vie est d'être harmonisé avec la vibration de la terre sur laquelle nous habitons. Cela commence par notre relation à la nourriture, par notre façon de nous habiller, de marcher de temps en temps pieds nus pour retrouver le contact avec les énergies terrestres. Je fais sourire mes enfants quand je les invite à pratiquer de petits exercices de respiration, de concentration, de contact, tout simplement d'éveil avec la nature, avec cette part d'eux-mêmes qui me semble centrale.

Être en vibration avec l'instant, avec l'infini, avec le tout. Notre nourriture éclatée, nos modes de vie ne permettent plus l'enracinement.

Quand j'imagine l'objet nourriture qui sert de support à des transactions énormes sur certains marchés mondiaux, le maïs transgénétique, les mutations... Le cours des haricots, du beurre, du blé, du sucre est coupé de tout respect, de toute connaissance réelle. Les haricots de mon enfance, qui arrivaient sur notre table enveloppés dans le journal de la veille, portés par Henri le voisin qui venait de les ramasser et qui se massait le dos et les poignets pendant que ma mère comptait la monnaie, ces haricots avaient une odeur, un goût et un impact relationnel importants. « Henri se fait vieux, après lui, je ne sais pas qui ramassera les haricots. Vous avez vu ses doigts pleins de rhumatismes ? »

Et moi aujourd'hui, en souvenir d'Henri, au marché je me sers chez Auguste, vieux paysan rhumatisant. J'aime la façon dont ses doigts prennent une pomme, une poire, une pêche, comment sa paume accueille le fruit quelques secondes, comment il le dépose dans le sac en papier, entièrement centré sur cette tâche de me servir. J'ai aussi remarqué comment, après avoir reçu mon argent, ma monnaie, il s'essuie les mains avant de recommencer à choisir un fruit, le prendre et le déposer dans un sac en papier. « Le plastique n'est pas bon pour le duvet d'une pêche », l'ai-je entendu dire un jour. Le jardin d'Henri a disparu, des immeubles l'ont terrassé. Les haricots viennent du supermarché, du surgelé ou des conteneurs à légumes.

Cette nostalgie me donne le courage d'insister pour apprendre quelques préceptes bouddhiques à ma chatte. Depuis plusieurs mois, je remarque qu'elle résiste à la tentation, elle ne rapporte plus rien. Plus de souris et plus de mulot déposés en cadeau dans ma cuisine ou près de mon sac à main. Chaque fois, j'avais appris à lui dire : « Je sais que tu penses me faire un cadeau, mais je n'aime pas du tout ce style de cadeau, je n'en veux pas du tout. » Je sais que ce n'est pas totalement gagné, qu'elle transgresse. Je retrouve des plumes dans le jardin, des traces de poil et de sang. Je me permets un peu de morale sappienne avec elle : « Je veux que tu évolues », puis je me reprends : « Je te demande d'évoluer, tu entends, d'évoluer. » C'est dur pour elle. « Tu n'as pas choisi cette maison pour rien, c'est ton karma. C'est bien toi qui es venue de toi-même, portée par tes quatre pattes jusque dans cette maison. Tu venais de loin, malade, maigre, décharnée, hagarde, mais tellement joyeuse de me trouver, de te frotter à mes jambes ! »

Je ne me décourage pas, je sème chaque jour la graine bouddhique sur elle, comme sur mes enfants ou sur mon entourage. Les amis en sourient, les autres se moquent de moi. Mais je ne me laisse perturber en rien. Je ne tombe pas dans le prosélytisme, je témoigne, j'essaie surtout d'être cohérente, en accord avec ce que je ressens. Petits pas en direction de plus d'amour et de congruence avec ceux qui croisent ma vie. Ce sont de toutes petites actions. Si nous sommes des millions à en faire autant, ce sera une force.

Il faut quand même être vigilant, obstiné, et parfois ça complique la vie. Les repas en ville, ça va, le pli est pris. Dans mes achats, dans mes courses, quand je ne veux pas cautionner, bien sûr je choisis, je demande, j'interpelle le vendeur. C'est plus simple d'aller à la grande surface, de tout fourrer dans son chariot sans se poser de questions. Moi, je boycotte certains produits. Pour le maquillage par exemple, j'évite les produits de beauté qui sont expérimentés sur les animaux, pour tester allergie et tolérance. C'est comme avec les poubelles. J'ai quatre poubelles.

- Ce qui ne se recycle pas.
- Ce qui se recycle.
- L'alimentaire, le compost. C'est issu de la terre, cela retourne à la terre, je le rends à la terre.
- Le verre, aller le déposer en ville.

Petits gestes, petites actions, belle intention. Pour les journaux et les magazines, qui abondent chez nous, je stocke et je dépose pour une vieille dame qui passe avec une poussette d'enfant.

Des petits gestes, des intentions limitées, irréversibles, multipliés par des millions, bientôt par des milliards. Je résiste. Je ne veux pas sombrer dans le défaitisme morose ambiant, l'accablement de l'impuissance que je ressens autour de moi, qui me colle à la peau malgré moi. Si l'organe Terre ne va pas bien, se blesse ou est maltraité, c'est tout l'organisme cosmos qui est atteint !

Quand j'ai changé mon alimentation, il y a près de 10 ans, brutalement, du jour au lendemain, durant trois jours mon corps a manifesté. Une fièvre, des palpitations, une transpiration énorme, le matelas transpercé avec la marque de mon corps sur la planche ! Le médecin voulait m'hospitaliser, j'ai résisté : « C'est normal, c'est le changement de nourriture, mon corps se lave, se nettoie, il expulse le mauvais. »

Laurent et les enfants s'accrochaient désespérément au régime carnivore comme s'ils avaient peur de manquer.

J'ai des coups de cœur qui me correspondent, je suis fidèle à ces coups de cœur ! Je ne bifurque pas tellement, car j'imagine qu'ils arrivent dans ma vie quand je peux les accueillir. Cela dit, que de contradictions encore dans mon existence, que d'incohérences conscientes ou inconscientes ! Chaque soir avant de m'endormir je me pose la question : « As-tu maltraité ou blessé la vivance de la vie aujourd'hui ? » Avant chaque repas, un petit rituel simple, je ferme les yeux, je respire, je me relie posi-tivement à ce que je vais manger, déposer et accueillir dans mon corps : « Mon corps, j'essaie de te donner du bon, du savoureux. C'est bien moi qui ai choisi tout cela pour toi. » Oh, je n'en fais pas un modèle, seulement quelques repères pour garder mon enthousiasme et ma joie de vivre.

Contrepoint X

À l'école, nous parlons peu de nous. Je sens que chaque garçon et chaque fille de la classe a une vie personnelle plus ou moins chaotique, pas toujours facile, avec des jours sombres et avec des jours plus ensoleillés, mais souvent grisâtres. Il y a tout ce qui est montré et puis tout le reste, le profond, le sensible qui se cache.

Même avec mon meilleur copain, Olivier, il me faut deviner. C'est pareil pour moi, je ne raconte rien de ce qui se passe à la maison. Je laisse croire que j'ai des parents normaux, enfin presque. Des ABMI, adultes bizarres mal identifiés. Des parents chouettes, c'est mal vu. Il y a un fossé immense entre les adultes et les enfants, à croire qu'on ne vit pas sur la même planète. La semaine dernière, un petit de cinquième s'est suicidé. Personne n'avait rien pressenti, sa copine a simplement dit : « Il m'avait dit qu'un jour il se ferait sauter le caisson, mais j'ai pensé qu'il plaisantait, je ne l'ai pas cru... » Un professeur a commenté : « Ils commencent de plus en plus jeune cette année ! » On ne nous apprend pas la valeur, la richesse de la vie.

C'est difficile de parler vrai. On a tendance à utiliser des phrases toutes faites, des mots fétiches, la grosse batterie des grossièretés ordinaires. Notre technique, c'est de poser des questions. « Tu crois pas que... » ou « Qu'est-ce que tu penses, toi, de... » Mais en fait c'est pas de vraies questions, c'est ce qu'on veut dire à travers elles qui est important. On voudrait le faire passer en étant sûr que l'autre nous entendra vraiment, mais la certitude qu'il va nous déformer nous fait ravaler le tout. Et pourtant on se croit obligé de répondre, par une astuce, une pirouette, ou une surenchère. Chacun à sa façon, on s'est créé une carapace, un personnage. C'est le personnage qu'on envoie en première ligne. C'est pas vivifiant comme milieu, l'école. Je voudrais en sortir vite, mais je m'aperçois que je suis plus marqué que je ne le croyais. Parfois j'ai peur de devenir comme les secondes ou les premières que je croise à la cafétéria. Ils ont réponse à tout avec une suffisance puante. Les filles me semblent plus réelles que nous, plus authentiques. Parfois, je capte quelques bribes d'échanges, mais elles n'aiment pas quand les garçons écoutent.

J'ai peur de devenir médiocre ou raplapla, c'est-à-dire sans désirs, sans vouloir. Ce qui me sauve un peu cette année, c'est le nouveau prof d'histoire. Avec lui j'ai l'impression que je peux discuter, parler de ce qui m'intéresse vraiment. Je vais essayer de le rencontrer un peu plus. Je sens que je vieillis plus vite que l'an dernier…

Il y a des découvertes extraordinaires, en voilà une. Cultiver la bonté vis-à-vis de soi-même. On peut avoir du plaisir, sans jamais oser aller jusqu'au plaisir !

Grâce à l'exemple de Monica, j'ai mieux perçu que l'erreur n'est pas dans la question, mais le plus souvent dans la nature même de la réponse. Le piège ne vient pas du besoin ou de l'attente, mais du choix qu'on s'impose soi-même de satisfaire le besoin ou de minimiser l'attente.

Quand je suis seule dans mon appartement, quand j'ai besoin de présence, de chaleur d'écoute, et que j'appelle Salvina, perdue dans ses incohérences d'alcoolique impénitente, elle va aussitôt déverser sur moi ses difficultés. Je me piège moi-même, je sors épuisée de cet échange, je m'endors insatisfaite de moi et du monde entier. Quelques jours plus tard, je recommence. Est-ce le fait de vérifier que Salvina va plus mal que moi qui me rassure ?

De même que c'est bien moi qui place dans mon caddy les biscuits, les chocolats et même les calissons que je prétends acheter pour Alexandre, mon petit-fils.

Et quand le lendemain je me précipite de nouveau sur les rayons pour refaire mes réserves, c'est à nouveau moi et ma mauvaise foi à l'encontre de moi-même qui justifient ces achats, toujours pour mon petit-fils, de façon que je puisse l'accueillir et le gâter, comme une grand-mère chaleureuse, généreuse et digne de ce nom. Je sais par avance que j'aurai dévoré et vidé 10 fois

tous mes placards avant qu'il ne profite d'un paquet de chocolats oublié...

Parfois, quand je suis seule devant ma télé, je me lève d'un
seul coup, somnanbulesque, je vais au buffet, j'ouvre le paquet de
chips gros modèle, j'ai beaucoup de réceptions... et je plonge dedans.

Je déchire avec les dents, j'arrache avec la main, je croque et
ainsi ma bouche ne se videra pas durant 30 à 40 minutes. J'enfourne,
je suis ailleurs, en état second, l'automatisme est bien réglé. Ce
qui se passe à la télé est sans valeur, sans intérêt. Les images ne
me servent à ce moment que pour me faire oublier le paquet de
chips qui descend, se vide. Je ne laisse que quelques morceaux
cassés au fond du sac, des miettes trop salées. Chaque fois, j'énonce
avec sincérité, et c'est vrai en plus, mon jugement favori : « c'est
dégueulasse ». Parfois je me permets un commentaire technique :
« c'est fait avec de l'huile de vidange, des patates pourries, c'est franchement mauvais avec tous ces conservateurs ! » Alors je sais déjà
que je recommencerai le lendemain, avec des biscuits au fromage !

Monica, Virginie, Laurence ou Armande me rappellent toutes la
femme que je fus durant 10 ans. Je n'en tire ni honte ni gloire, juste un
peu d'amertume mêlée d'ironie. Je me retrouve dans le combat au quotidien de la bouffe à circonscrire autour de la table familiale, dans la bataille
pour la vêture, au-delà des coups de tête ou des coups de cœur, dans le
management de guérillas autour du travail ménager où rien, vraiment,
n'était ni obligatoire ni tellement urgent, et que je m'obligeais à faire. Tout
comme je me retrouve dans ma passivité face à l'envahissement des appels
téléphoniques qui s'imposent, qui durent, qui polluent longtemps après,
et l'hémorragie des soirées perdues en invitations nulles, en figurations ou
en représentations débiles, en films idiots présentés comme des chefs-
d'œuvre par de vagues connaissances ou des collègues de travail !

J'ai été longtemps environnée et assaillie de situations, de petits faits,
de sollicitations qui m'usaient, me dévoraient, ravageaient les heures
magiques de la vie. Au fond, à l'écoute des fausses réponses, nous pouvons mieux entendre la nature de la question ou l'enjeu réel de notre
demande.

Contrepoint XI

Ne confondons pas spiritualité et spiritualisme

L'aventure cosmique intérieure, l'ouverture spirituelle, la recherche et le voyage métaphysique ainsi que la plongée dans le mystique se portent bien, en cette fin de siècle. Qui n'a pas été tenté de dialoguer avec son ange gardien, d'écouter son guide intérieur ou de « chanellingphaser » avec des entités bienveillantes, des ancêtres ou des proches décédés ? Qui n'a pas suivi un week-end de marche sur le feu, un séminaire intensif d'illumination ou de nettoyage aigu des chakras ? Qui n'a pas espéré retrouver l'unité et la réconciliation de soi par la vision en temps réel de ses vies antérieures ? Qui n'a pas essayé d'exercer auprès de ses proches quelques pouvoirs chamaniques ou encore de développer son cerveau droit et par là l'éveil de sa créativité, et qui n'a pas été tenté par quelques transes africaines mâtinées Brésil via Californie ou Poona ?

Les remises en question fusent tous azimuts, elles partent dans tous les sens, touchent tous les domaines. Elles émergent dans le désordre sur fond d'angoisse et d'insécurité avec le plus souvent une naïveté à toute épreuve. Elles sont soutenues par la volonté farouche de ne pas passer à côté de l'essentiel, de ne pas se tromper de bonheur, de ne pas rester en rade au bord des autoroutes du développement personnel !

Dans ce vaste bazar ouvert qu'est devenu le marché de l'intimité, les possibles d'une véritable sagesse et d'un savoir sublime voisinent la crédulité et la candeur voire l'immaturité la plus sincère. Un credo qui marche bien : « Développer son soi, aller à la rencontre du divin, veiller à la vitalité de son corps, positiver, retrouver plus d'énergie, s'ouvrir à l'amour universel. » Bien sûr ce sont certainement des enjeux essentiels. Si le but est louable, les moyens le sont moins !

Les innombrables démarches proposées sous forme de stages, d'ateliers, de séminaires ou de voyages, qui sont offertes dans de nombreuses revues sous des titres alléchants et prometteurs, ne sont pas toujours à la hauteur des aspirations ainsi reconnues.

L'insatisfaction grandissante face à la matérialité d'une vie vouée à la consommation, les croyances de plus en plus opaques, les valeurs de vie peu fiables, les engagements bousculés, remis en cause et dévastés ouvrent la voie à un retour vers le magique, vers l'irrationnel trop souvent confondu avec le spirituel. Pour la plupart, l'engagement dans une démarche de changement personnel est sincère, dynamique et même enthousiasmante au départ, avec parfois des prises de conscience qui semblent illuminer l'instant, dénouer les contradictions immédiates et inviter à une évolution… qui reste ensuite à construire. La lumière entrevue, l'illumination approchée, la révélation accessible, la vérité à atteindre à tout prix et à consommer sur place remplacent trop fréquemment la recherche, le travail sur soi, la réflexion et l'intériorisation.

Le besoin de se relier au divin, à cette part immémoriale et éternelle de l'homme, est fort et puissant chez beaucoup. Chez certains, il devient impérieux, il peut ainsi friser l'idolâtrie. L'aspiration à retrouver et à cultiver le merveilleux dans la grisaille d'une vie en survie devient de plus en plus urgente. La spiritualité de plaisance fait ainsi les beaux jours des centres de rencontres ou d'éveil.

Ces confusions et ces amalgames sont à la mesure du manque de sources et d'ancrage, d'absence de valeurs ou de rencontres nourrissantes et structurantes. Dénoncer, critiquer et gloser est certes facile mais me laisse un goût d'amertume et de regrets. Au-delà des désillusions et des erreurs demeure en moi la foi en l'homme et la certitude de ses ressources fabuleuses, plus extraordinaires et profondes que quelques flashes mirifiques surgis dans la nuit ou dans le chaos d'une recherche trop éclatée, trop morcelée. Ce qui fait, au passage, l'affaire des sectes et des gourous de tout poil !

Ce que je remets ici en cause n'est pas l'aspiration de chacun à découvrir et à agrandir le meilleur de soi, mais la nature et la forme des chemins proposés, le peu de rigueur, le mélange et la collusion induits par les réponses apportées, vendues, glorifiées aux étalages de l'ésotérisme, dans les salons du Mieux-Être, dans les barquettes « librairie » et les rayons des supermarchés. Les « maîtres à messages » ne manquent pas, les disciples non plus. Ce qui fait défaut, ce sont les instructeurs, les transmetteurs, les relais entre les aspirations et les chemins. Dans la recherche de la réponse, ne pas faire l'économie du Chemin, de la Voie, c'est-à-dire d'un Enseignement.

Aujourd'hui, la voix remplace trop souvent la Voie, la séduction des mots et la magie du discours font écran à la beauté et à l'appel du message. Puis-je dire sans risquer de trop tomber dans les pièges que je tente de démystifier : osez écouter, entendre et reconnaître votre aspiration, osez le risque de la recherche, osez le temps des tâtonnements et de l'errance, celui de la confrontation et celui de l'engagement, avec comme règle de vie à ne pas transgresser celle de garder le respect de vous-même et d'accepter de devenir l'écoutant et parfois le disciple de toute rencontre avec le divin qui est en vous, quand elle est proposée dans la rigueur, la tolérance et l'amour.

La secte la plus dangereuse est la secte du moi. Celle qui se nourrit de la toute-puissance infantile que nous cultivons.

J'ai observé autour de moi quelques dérives sérieuses vers des croyances et des démarches que je ressens comme sectaires, ou trop coupées de la vie. Parmi mes connaissances, beaucoup flirtent avec la spiritualité, je veux dire que certains de mes amis tentent de faire l'économie d'un travail personnel en fonçant, en s'emballant pour un maître, je n'ose dire un gourou. Ils découvrent d'un seul coup, comme une révélation, l'importance de certains exercices tels que yoga, méditation, channeling, mantras, rituels et offrandes. Et ils s'engouffrent vers des pratiques qui le plus souvent m'éloignent d'eux. J'ai remarqué que les échanges sur les croyances stérilisent la communication.

Certains de mes amis se sont découvert des guides intérieurs ou extérieurs qui les accompagnent et planifient même leurs choix de vie.

> Je me mets en état alpha et là je vois clairement un vieillard vêtu de blanc qui répond à mes questions. Je pense que je peux l'interroger sur tout, je sais qu'il me donnera de bons conseils. Il m'a déconseillé dernièrement d'aller en Égypte et tu as vu ce qui est arrivé à Louxor !

Guide, ange, tarots, jeux divinatoires, consultations de médiums, de voyants, de magnétiseurs…, je perçois à travers ces pratiques une dérive de la spiritualité vers le spiritualisme.

Au cours d'un rebirth, j'ai régressé dans des vies antérieures, j'étais une prêtresse dans les Andes. Je sacrifiais des enfants pour apaiser un dieu en colère. Remarque, je comprends mieux aujourd'hui qu'est-ce qui fait que j'ai envie de tuer mes enfants quand ils m'envahissent de leur vitalité. Je ne sais pas s'il y a un lien dans tout ça! Une autre fois, je suivais une caravane perdue dans le désert. J'étais rejetée par la tribu, le soir, je n'avais pas le droit de m'approcher du feu, on venait me jeter des restes de nourriture. Je crois que j'avais osé faire l'amour pendant mes règles, quelqu'un m'avait dénoncée. Je me rappelle même que la nuit venue, des hommes venaient me rejoindre à la limite du camp pour faire l'amour avec moi. De jeunes chameliers impétueux qui ne se laissaient pas arrêter par l'interdit dont j'étais l'objet.

Marylin semble tout à fait convaincue que son vécu a bien été une réalité. Cette réduction de l'imaginaire à la réalité me consterne. J'ai du mal à accrocher. Je n'adhère pas et je me sens en plus à la limite d'une intolérance qui m'étonne. Je ne peux faire miens ces partages, car je n'ai aucune expérience similaire et en plus, je ne peux les intégrer dans ma vie et en tirer un enseignement concret. Quand je vois tout ce qu'ont pu m'apporter les témoignages de notre groupe de parole, d'amis ou de parents, tout ce que j'ai appris, combien j'ai pu être éclairée, dynamisée et changée dans ma propre vie par ces morceaux de réalité, le dialogue avec les anges, avec les guides ou le retour dans des vies antérieures me semblent hors existence.

Ma vie actuelle, concrète, enracinée ou en déroute dans mon quotidien, je l'affronte avec mes ressources et mes limites. Je n'éprouve pas le besoin de faire appel à des entités ou à des extraterrestres censés m'apporter lumière, connaissances ou nouveaux pouvoirs. Georges, scientifique de haut niveau, est très convaincant quand il affirme tranquillement :

Je voulais vérifier comment se reproduisaient certains mollusques, il y a 350 millions d'années, et après un court entraînement aux rêves éveillés autodirigés, je me sens projeté dans un voyage mental à cette période. Et j'ai vu ce que j'avais anticipé, que ces mollusques se reproduisaient par perforation.

J'ai oublié le terme technique utilisé par Georges. Je trouve réjouissant que des scientifiques se laissent ainsi aller avec les possibles de leurs cerveaux droits, abandonnant les idées officielles pour s'aventurer vers plus d'irrationnel.

Pour en revenir à des témoignages plus fréquents, comme celui de Marina qui prétend ne rien faire sans consulter son ange gardien… « C'est une entité qui a fréquenté les Esséniens », m'a dit Marina, et qui s'est révélée à elle au cours d'une méditation dans un groupe dont je n'ai pas retenu le sigle. Il paraît que Jésus aurait été initié par eux. Marina me semble avoir les pieds sur terre, la tête bien accrochée au cou, un abattage professionnel redoutable et une réussite affective certaine, et cependant, quand elle me parle de ses échanges avec AGRIAL, c'est le nom de son ange, j'ai le sentiment d'être dans un film de science-fiction.

Pour elle, tout est clair et limpide, il y a des entités mauvaises, des sociétés secrètes qui œuvrent au malheur des humains. Le mal lui semble une réalité aussi présente que l'eau, le feu ou l'air.

Nous sommes trop démunis, me dit-elle, nous avons besoin d'aide, il faut avoir l'humilité de la demander, de l'accepter…

Marina mène en quelque sorte une double vie. Une existence matérielle rationnelle, logique, hyperadaptée à la société d'aujourd'hui, et parallèlement, ou en même temps, une existence spiritualiste, irrationnelle et à connotation magique.

Quand je vois et que j'entends l'impact de certaines sectes et l'influence de quelques gourous, je peux imaginer combien ils répondent à une attente, à un besoin de se relier à une toute-puissance bienveillante contre l'angoisse ordinaire du quotidien.

Paul, lui, est un économiste renommé, il croit à la théorie d'un troisième monde, un monde souterrain au cœur de la Terre. Il y aurait dans plusieurs montagnes sacrées des entrées et des sorties pour se relier à ce monde. En se branchant sur le réseau Internet, il a repéré au-delà

de 700 articles sur cette question. Il n'est donc pas le seul à s'y intéresser.

Je me heurte là à une de mes limites en matière de communication, celle qui porte sur les croyances. Je pense que c'est une porte ouverte
sur toutes les dérives, sur toutes les errances, mais là, je le sens, ce doit
être mon cerveau gauche qui prend le dessus. Il ne semble pas possible
de communiquer, de mettre en commun la part d'irrationnel ou de
folie qui nous habite, on peut seulement en témoigner. Quand un bou-
lon et une carotte se rencontrent, que peuvent-ils partager ? Ils ne peuvent que témoigner de leur unicité et de leur fonction.

Pauvres mots, pauvres nains, je vous aime quand même...... et je vous cherche.

Il m'a dit : « Tu te rappelles ? » De surprise heureuse, le cœur me manqua. J'ai chuchoté : « Oui, oh ! oui ! » C'est ici que nous nous étions pris la première fois. La mémoire en restait gravée dans chacun de mes pores, dans chaque goutte de mon sang. La brusque extase. La révélation de la joie. Cette source d'un bonheur sans mélange jaillissait d'un sentiment de paix, d'accomplissement.

Oui, toute ma vie, tout le mauvais et le bon, le fade et l'amer, le doux et le violent m'avaient conduite inévitablement à cet endroit, à ce moment de notre rencontre. Succès, souffrance, frustration, tout avait abouti à lui et s'en trouvait justifié.

Jamais je n'avais été aussi consciente de son corps. Cette peau douce et odorante, ma main confiante dans la sienne, simplement posée comme un oiseau qui dort.

L'intimité de ce contact délicat, insondable, un espace de lumière unique, ineffable. Mon corps, libéré de toute tension, de toute peur, s'était détaché du présent comme de l'avenir, conscient à la fois de lui-même et de cette autre présence, de l'odeur salée du sable, de la couleur de l'eau, de la lumière du ciel.

Dans ce grand calme en moi, la vie enfin me montrait le meilleur d'elle. En moi, glorieuse, joyeuse, heureuse, gaie et bondissante, la vie vivante montait et se répandait en frémissements dont je m'étonnais et qui vinrent s'ajouter à l'immense bonheur d'être accueillie par lui.

Libre enfin, je vivais cet amour approfondi, le ressentant comme étrangement tissé de la fougue des jeunes amants et de la tendresse éprouvée par les couples unis depuis des années. C'est ce jour-là, 12 ans après notre mariage, que je me suis engagée avec Laurent, le père de mes enfants.

J'ai failli me laisser croire que c'était toi qui me manquais,
alors que c'était moi qui me faisais défaut.
Entendu de la bouche d'un homme dans un café parisien

Je viens d'avoir au téléphone un long échange troublant avec Jean-Paul. Après avoir longuement insisté pour me rencontrer seul à seule et m'avoir assuré « qu'il cherchait seulement à pouvoir se dire, sans attendre autre chose qu'une écoute », il a accepté mon refus. Je ne peux pas devenir la dépositaire de toutes les interrogations, les problèmes et les remue-ménage intérieurs qui traversent mes connaissances. Je ne me sens ni la formation ni le désir d'entretenir une relation d'accompagnement d'aide ou de soutien avec les amis de mes amis qui, sachant mon intérêt pour la communication, voudraient m'entraîner dans une position qui ne correspond pas à mes choix de vie. J'ai cependant été touchée en recevant la lettre ci-dessous de cet homme rencontré dans une soirée, et avec lequel je n'avais eu que de brefs échanges.

Je vous connais depuis peu par l'intermédiaire d'amis qui participent à des groupes de partages. J'ai été tenté de venir à votre dernière rencontre, mais je n'ai pas osé, car je crois qu'il y a une majorité de femmes dans votre groupe et j'aurais été gêné. Cependant, je ressens le besoin de vous écrire aujourd'hui, car ma vie vient d'être bouleversée.

J'ai 40 ans, je suis marié, j'ai 3 enfants, je vivais mon couple comme la partie stable et équilibrée de ma vie. Mon épouse vient de m'apprendre qu'elle a une relation avec un autre homme. Relation récente mais déjà très engagée semble-t-il.

Pour elle, c'est l'amour fou, la passion.

Après 20 ans de vie commune (ou presque), cette relation lui permet de faire le constat qu'elle ne m'a jamais aimé, que ce qu'elle croyait être de l'amour pour moi n'en était pas, au regard de ce qu'elle éprouve maintenant pour un autre homme. Je me sens perdu, car sa sincérité me semble réelle et terrible à la fois. « Maintenant, j'en aime un autre, je ne pense qu'à être avec lui. » Elle parle de cela avec une telle évidence que je me sens démuni, hors de mes repères habituels. Je ne savais pas que le « tout se dire » auquel nous nous étions engagés pouvait être si douloureux. J'ai ressenti d'abord une grande souffrance, liée je crois à un sentiment d'abandon, d'injustice, de trahison. La phrase qui trotta de façon lancinante plusieurs jours dans ma tête fut : « Ce n'est pas juste, je ne méritais pas cela... »

Nous avons alterné ces dernières semaines les périodes de crises (agressions verbales de ma part) et les périodes de véritable communication où chacun a pu parler de son vécu et de son ressenti au cours de ces années passées ensemble.

J'ai constaté avec stupeur que jusqu'alors, nous n'avions jamais échangé sur notre vécu et que nous vivions l'un et l'autre dans l'illusion de vivre et de ressentir la même chose. Puisque nous vivions ensemble, que nous partagions le même espace, le même temps, il ne devait pas y avoir de décalages entre nous !

J'ai enfin compris, ces jours derniers, comment j'ai alimenté ma relation à elle avec beaucoup de conduites et de comportements négatifs. Avec un besoin de toujours contrôler, par peur d'être envahi ou soumis. Avec une dévalorisation quasi permanente de mon épouse (c'était ma mère la meilleure en ce domaine). En fait, pendant des années je lui ai proposé une petite vie morne, routinière, restrictive. J'ai toujours cherché à minimiser le potentiel de vie et d'enthousiasme que je sentais en elle.

Je pense également avoir eu une croyance subtilement paralysante : il m'est interdit d'être vraiment heureux sinon je vais tomber malade. Et puis je risque de faire de la peine à ma mère (à mon père ?), car le bonheur fait très peur à l'un et à l'autre. J'ai aussi d'autres mythologies parasitaires. Il vaut mieux éviter les grands bonheurs, cela évite les grands malheurs. S'emballer, s'extasier, c'est prendre le risque d'être déçu, donc nécessité de banaliser, d'égaliser, d'uniformiser le présent.

Je ne lui disais jamais que je l'aimais, qu'elle était belle. Je négligeais les cadeaux et les compliments. Je n'éprouvais pas le besoin d'être gratifiant et valorisant avec elle. J'étais là, cela était suffisant ! Aujourd'hui cela me paraît monstrueux mais jusqu'alors, je ne voyais rien. Avec la peur de trop donner, d'être privé, de m'engloutir ou de me perdre en l'autre, je vivais au ralenti, *a minima*.

Mon épouse, durant des années, s'est peu positionnée, a peu exprimé ses sentiments, son ressenti, elle se conformait, « s'ajustait », comme elle m'a dit récemment. Nous vivions, elle vivait en fonction de mes désirs. Elle n'exprimait pas les siens, je pensais que tout allait bien, que c'était dans l'ordre des choses, que c'était notre équilibre à nous. Quand, autour de nous, je voyais des couples en crise, je pensais « ils n'ont pas su trouver les moyens évidents et simples de notre couple ». Je me vivais, c'est fou de le reconnaître aujourd'hui, comme un modèle.

Je sens maintenant combien je me suis trompé de lien en confondant lien filial et lien conjugal. Je pensais au fond de moi qu'il était impossible qu'elle me quitte un jour. Encore aujourd'hui, le fait qu'elle puisse ne plus m'aimer me semble irréel. C'est comme si on me disait que ma mère avait décidé de ne plus m'aimer, c'est impossible, impensable... et donc impansable !

À 40 ans, je découvre que le modèle de l'amour inculqué aux enfants est celui de l'amour parental que nous transposons sans interrogation, comme étant le plus fiable, au domaine amoureux. Aujourd'hui je ne sais plus où j'en suis. Est-ce que je dois déjà faire le deuil de notre relation et comment le faire ? Nous partageons toujours le quotidien et j'ai toujours en moi l'espoir de la récupérer. La récupérer, oui, quel mot horrible ! Avec une utopie infantile « la récupérer, la retrouver comme avant ». Je me sens prêt à oublier, à recommencer. Et puis en lisant, en réfléchissant quand la tempête de mes sens s'apaise un peu, j'en arrive à penser que les périodes de crise comme celle-ci sont également des choses à saisir pour évoluer et ne plus tomber dans les répétitions liées à sa propre histoire. Mais pour saisir cette chance d'évolution, faut-il quitter ma partenaire ou au contraire tenter de renouer avec elle, reprendre la relation sur d'autres bases ?

Je découvre aujourd'hui que ma relation conjugale est au bord du précipice, qu'elle est à construire en catastrophe. Que je me suis escroqué moi-même en me laissant aller à la quiétude molle des sentiments, à l'illusion que je pouvais contrôler les deux bouts d'une relation, à l'aveuglement provoqué par des croyances périmées.

Je suis aussi interrogatif sur mes sentiments. Est-ce que j'aime cette femme ? Ce qui m'attache encore à elle n'est-il que ma peur de l'abandon et la peur de me retrouver seul ? Actuellement, je m'accroche de toutes mes forces pour ne pas entrer dans le réactionnel, pour ne pas cultiver ma victimisation et ma tendance à l'autopersécution. Je vais très certainement demander un accompagnement psychologique, un soutien émotionnel, car il m'arrive de sangloter, de pleurer comme je n'ai jamais pu le faire jusqu'alors. Je me sens à la fois fragile et fort dans cette épreuve. La béance qui s'ouvre devant moi m'a réveillé, je me sens tiré en avant. Même si le soir je me sens angoissé, au petit matin je vois plein de chemins qui scintillent.

J'ai eu beaucoup de plaisir et de joie à vous écrire, je vous remercie de votre lecture.

J'ai éprouvé le besoin de répondre à cet homme et, peut-être, au travers de ma réponse, de me dire à moi-même combien j'aurais aimé que Laurent puisse exprimer de telles choses s'il venait à découvrir ma relation passée avec Julien.

Bonjour à vous,

Je vous remercie avec beaucoup de gratitude de votre confiance et surtout, surtout de tout le courage de votre lucidité reflété par votre écrit. J'ai trouvé votre lettre merveilleuse de sensibilité et de justesse.

Contrairement à ce que j'ai souvent vu autour de moi en de semblables circonstances, vous ne restez ni dans l'accusation ni dans la dévalorisation de l'autre. Vous semblez ainsi échapper à la victimisation complaisante. J'ai senti chez vous une réelle remise en question de vous-même et des relations essentielles de votre existence.

Puis-je vous dire que j'imagine souvent que c'est cela la fonction cachée du couple : un incroyable creuset de changement, de mutation et de révolution pour chacun des protagonistes ? Avec cependant un écueil de base : nous ne changeons pas au même moment ni dans la même direction !

Vous êtes pour l'instant dans la phase de crise, de remise en cause et d'errances. Je vous invite, comme vous l'envisagez vous-même, à en profiter et donc à poursuivre votre démarche d'introspection. À quoi vous renvoie le fait de découvrir que votre femme en aime un autre ? Quelles blessures anciennes sont réveillées ? Quels renoncements cela entraînera-t-il chez vous ? Quels réaménagements de vos croyances, de vos valeurs ou de vos certitudes sont nécessaires ?

Pour l'instant, vos sentiments sont bousculés ; je crois entendre cependant que vous avez gardé pour elle des sentiments forts. Vous n'avez pas, comme chacun d'entre nous, de pouvoir sur les sentiments de votre partenaire, ses sentiments lui appartiennent. Ils ne sont pas tous tournés vers vous, pour l'instant. Il vous revient peut-être de rester discret, non contrôlant ou non envahissant par rapport à ce qu'elle peut vivre en dehors de vous.

L'enjeu pour vous le plus actuel me semble être le suivant : avez-vous une distanciation suffisante pour garder une relation vivante et légère avec elle, pour préserver vos sentiments des poisons de l'imaginaire (qu'est-ce qu'elle vit avec l'autre ?) ou des tentations de la récupérer par une manipulation sur les enfants, sur l'argent ou autour de la sécurité matérielle... Si vous traversez ce passage, peut-être s'ouvrira-t-il sur une mutation de la relation tierce qu'elle est en train de vivre qui vous surprendra.

Elle aussi aura à affronter des pièges, des interrogations et des remises en cause. Il lui faudra certainement du temps pour les traverser. Peut-être cela vous permettra-t-il de construire dans quelques mois ou quelques années une relation autre, plus ancrée, avec votre partenaire qui, comme vous, mais pas avec les mêmes moyens, aura changé après ce tremblement de terre. Peut-être aussi vous faudra-t-il renoncer à cette relation. Cela je ne le sais pas, mais c'est à vous de sentir votre propre engagement et votre fidélité à vous-même.

Bien à vous, sur ce chemin de liberté et de respect de soi dans le respect de l'autre.

Après avoir envoyé ma lettre, j'ai bien entendu tout ce qu'il y avait de projections possibles avec ma propre histoire. Je n'ai pas l'étoffe d'une vraie aidante, détachée, distancée et uniquement centrée sur l'autre.

Je me sentais trop engagée. Quand je lui ai écrit cette phrase sur les mutations possibles et surprenantes de la relation tierce, je me revoyais quelques années en arrière, après ma rupture avec Julien, à la fois déboussolée et toute neuve pour poursuivre mon chemin. Julien m'avait écrit une longue lettre, un an après la rupture, lettre dont j'ai gardé l'amertume. Je n'ai pas répondu à Julien ; il est allé son chemin pour affronter ses propres découvertes.

Au début de notre relation, j'allais vers toi, déposant des murmures de baisers pour ne pas t'effrayer, puis tu as su m'emporter, me libérer et me garder si présent, si intense dans chaque instant. Aujourd'hui, avec mon cœur tout plein de toi et mon corps orphelin de ta présence, je navigue incertain dans l'immensité des jours.

Je me sais absent de tes caresses, de tes regards, de ta respiration et de tes élans. Aussi je m'entraîne à m'anesthésier chaque jour un peu plus. Je n'ai pas noué de nouvelle relation, je respecte mes sentiments et mon corps en ne faisant pas l'amour. Ce serait absurde et dérisoire, d'ailleurs, je n'ai pas le désir d'autres femmes. C'est ainsi pour l'instant. J'ai juste un peu de peur, peur de devenir froid et sec...

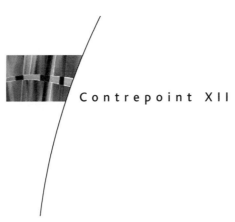

Contrepoint XII

À la maison c'est de nouveau l'effervescence. Je trouve que les groupes de parole de Maman prennent trop de place, trop d'importance. Toutes ces bonnes femmes qui viennent « s'interroger sur leurs relations et leurs histoires de cœur ou de petites filles », c'est trop. Bon d'accord il y a quelques hommes, mais ils restent discrets, pas très loquaces, « ils ont du mal à se dire » (dixit Maman quand elle parle avec Papa).

Maman reste discrète d'accord, mais je sens bien que ça rejaillit le soir ou les jours suivants. Elle reste habitée longtemps par ce qu'elle a entendu des autres et surtout, ce qu'elle a compris pour elle. Elle tente, je le vois bien, de nous faire prendre conscience, de nous éveiller à l'importance d'une communication plus vraie. C'est méritoire de sa part, mais je trouve ça nul de vouloir faire prendre conscience à quelqu'un qui n'a pas vécu, qui devra vivre ses propres découvertes avec ses moyens à lui.

La vie c'est comme un fouillis, qu'il faut défricher à coups d'improvisations. Au fond de moi, je trouve les parents vachement démunis et impuissants par rapport à tout ce qui peut nous arriver, à nous les enfants. On n'est pas sur les mêmes chemins, on ne fréquente pas les mêmes sentiers, on ne circule pas sur les mêmes autoroutes de la vie. Je me demande parfois comment la cohabitation de tant de solitudes peut se faire dans une famille. Il y a un liant, c'est l'amour. Je m'accroche à ça, mais même l'amour évolue. Je le sens bien, je n'aime pas ma sœur aujourd'hui comme je la détestais hier ! Ce qui reste stable, chez mes parents, c'est leur présence et quelque chose de subtil comme une permanence, une confiance inconditionnelle, la certitude qu'ils ne me veulent pas de mal.

Et puis moi, je trouve que la vie n'est pas marrante, que je ne maîtrise pratiquement rien, que je n'ai pas beaucoup de prise sur elle. En plus on ne dispose pas des mêmes ressources, l'inégalité relationnelle domine. Quand je vois comment Simon se débrouille tout seul, affronte sa scolarité, fait face aux parents et à la famille, ne demande pratiquement jamais rien et trace sa route de mouflet de 11 ans... je suis un peu jaloux. Depuis quelque temps, j'éprouve le besoin de parler, mais je ne sais pas à qui. Je me demande si pour se dire, une vie suffit. Une vie à se dire, c'est trop peu.

Plus je m'occupe de mes besoins et je prends soin d'eux et moins j'ai besoin de nourrir mes manques.

Enfants nous entendons des mots, des phrases, des expressions que nous recevons avec un sens différent de celui donné par l'émetteur. Actuellement, nous explorons ce thème dans notre groupe et partageons, ébahis, la façon dont nous avons enregistré des bouts de phrases banales dans notre imaginaire et surtout, ce que nous en avons fait. Virginie, nouvelle venue dans notre groupe, a commencé.

Petite fille, j'ai entendu ma mère, infirmière, parler à une amie d'un patient. « Vous vous rendez compte, il s'est complètement vidé ! » Et cette petite phrase m'a sidérée, choquée. Je n'en ai parlé à personne, mais j'en ai été angoissée longtemps. Les jours suivants, je ne pouvais pas aller aux toilettes, persuadée que tout ce qu'il y avait dans mon ventre et même dans mon corps allait sortir. Chaque fois que j'allais à la selle, je retenais le plus possible. J'établis aujourd'hui un lien direct entre cette retenue et les douleurs, ainsi que le combat que j'ai vécu à chacun de mes accouchements. Je voulais à la fois que mes bébés sortent et naissent, et en même temps, je voulais tout retenir.

Je fais aussi d'autres reliances, celles-ci liées à ma conception. Mes parents ont eu un premier enfant, Tristan, puis deux jumelles,

Ève et Aude, mortes deux jours après leur naissance. Puis je suis née. Je ne suis donc pas la deuxième, mais la quatrième! Mes instituteurs croyaient toujours que j'étais distraite en calcul, je ne savais ni additionner ni soustraire, je mélangeais la valeur des chiffres! J'entends mieux aujourd'hui que je comptais juste, mais pas avec les mêmes références de départ, en ne partant pas de l'origine définie par l'arithmétique et supposée être acquise par moi aux yeux de mes enseignants.

Petite, j'ai souvent demandé à Maman: «Mais si elles n'étaient pas mortes, moi je ne serais certainement pas là!» «Mais non, cela n'a rien à voir», répondait ma mère. Et cette réponse me laissait un goût de fausseté. Le sentiment de ne pas être entendue. Il y avait entre mes parents et moi deux petites filles dont ils n'avaient pas fait le deuil. Quand je recevais un compliment, une marque d'attention positive, je ressentais physiquement que c'était adressé à quelqu'un d'autre derrière moi. J'avais toujours envie de me retourner pour vérifier, pour savoir qui était là. Aujourd'hui je le sais.

Virginie nous parlera souvent des synchronicités qui ont jalonné sa vie, des coïncidences et des « hasards » qui s'emboîtaient les uns dans les autres pour faire apparaître un dessein, un ensemble qui devenait soudain cohérent, sensé, c'est-à-dire accessible aux sens.

Une autre fois, Virginie nous a parlé de son amie de cœur, Dane, qui habite à Paris, 15, rue de l'Égalité, dans le 14e.

Lorsque j'allais chez elle, j'étais toujours fascinée par un beau bâtiment blanc du XVIIIe siècle situé juste en face de ses fenêtres, une ancienne maternité, m'a confirmé Dane.

L'an dernier, après le décès brutal de mon père, lorsque j'ai signé les papiers de la succession chez le notaire, il m'a tendu mon acte de naissance et là je n'ai vu qu'une chose: Née au 22, rue de l'Égalité. C'est bien la maternité qui est en face de chez Dane, elle dont le métier est sage-femme.

Cette femme m'a mise au monde, il y a plusieurs années. Quand je l'ai rencontrée, la relation que nous avons eue fut plus charnelle que sexuelle. J'ai vécu avec elle une véritable rencontre avec mon corps. Elle m'a réconciliée avec ma féminité. Puis-je donner encore un dernier signe ? Aux dernières vacances, Dane est venue chez moi avec ses filleules, des jumelles de six ans. Quel choc quand elle me les a présentées. Marie-Ève et Aude-Hélène. Les mêmes prénoms que mes sœurs jumelles décédées.

Quand le père Salomé dit que les jumelles ça sert à voir au loin, je vais finir par le croire !

Jasmine, médecin d'origine algérienne, se débat dans plusieurs conflits intrapersonnels. Elle nous dira qu'elle a pu tout dernièrement « sortir » sa mère âgée de 64 ans du ghetto familial, en l'invitant seule au restaurant.

Pour la première fois elle m'a raconté comment elle avait été mariée à 12 ans avec mon père qui en avait 40, déjà 2 fois veuf. Ce ne fut d'ailleurs pas dramatique pour elle. Elle nous le précisait à mes sœurs et à moi-même, chaque fois qu'elle voyait notre effarement. Elle avait une confiance absolue en sa propre mère. J'ai d'ailleurs toujours été étonnée par la complicité chaleureuse, joyeuse et pleine de ressources que toutes ces femmes de culture maghrébine avaient entre elles.

Mais l'autre jour, elle m'a vraiment surprise. Elle m'a téléphoné en me demandant : « Réexplique-moi la technique (elle cherchait le mot en arabe) du foulard de M. Salomé. J'aurais besoin d'en parler à ton père (92 ans). »

Allons, tout n'est pas perdu dans cette famille. Si ma mère ose enfin interpeller mon père, il y a beaucoup d'espoir chez les femmes algériennes.

Moi aussi je pense qu'il y a un espoir formidable chaque fois qu'une femme ose se définir, ose se positionner, se dire, s'affirmer et envoyer à son partenaire une invitation à faire de même ! Florence, une copine d'enfance perdue de vue, puis retrouvée, et qui ressurgit dans les moments les plus inattendus de ma vie, s'emballe au téléphone.

— J'ai un portable, c'est chouette, je me relie ainsi à tout instant à qui je veux. Tu sais j'ai rencontré un homme extraordinaire, il me fait rire.

— Seulement rire ?

— Oui, c'est le seul homme que j'aie rencontré qui sache rire et me faire rire en faisant l'amour ! Tu ne peux pas savoir combien c'est fabuleux quand ton sexe rit avec celui de ton partenaire. Tout devient vibration...

Florence, continuant de me vanter les mérites du rire érotico-vibratoire, me laisse songeuse. Elle a le chic pour déranger ma quiétude, pour bousculer mes certitudes. Est-ce que je ris dans l'amour avec Laurent ? Non, irrémédiablement non. J'entre dans le plaisir comme dans un songe, mais je ne ris pas. Je capte au passage encore un peu de Florence.

— Quand je suis avec lui, c'est fou, il me regarde comme une merveille et je ris, au-dedans, de me sentir si belle dans ses yeux, dans ses mains, dans ses gémissements.

— Là, tu me fais le coup de Marguerite.

— Sans hésiter, c'est mon Faust à moi, il m'a rajeunie, restructurée et redonné une forme. Tout le monde me trouve resplendissante. Avec lui, il m'arrive une chose extraordinaire, je vis au présent. Je ne me fais pas souffrir avec l'anticipation hasardeuse d'un avenir à deux, je reste bien centrée dans l'éternité de l'instant. Les moments passés avec lui, je les bois, je les savoure à pleine vie, sans regret, sans pollution avant ou après. Cet homme me permet d'accéder à une qualité de vie joyeuse pleine, déliée...

J'écoute Florence, mi-amusée, mi-curieuse. Il me semble parfois, de courts instants, approcher ou vivre ce dont elle parle, mais comme les clins d'œil d'un bonheur fugace. Nous nous promettons de nous voir, d'en parler, d'échanger, de trouver des moyens de nous transmettre nos découvertes, les siennes surtout.

Ce soir-là, Laurent s'est soudain mis à rire en me faisant l'amour. Est-ce contagieux ?

Odile nous raconte la démarche qu'elle a entreprise pour réparer et respecter la petite fille de 10 ans qu'elle fut il y a plus de 30 ans.

J'étais en CM2 à 10 ans et je devais recevoir un prix remis solennellement par le directeur devant tous les instituteurs et les parents réunis. Malheureusement, le jour de la distribution, une partie de pêche était prévue avec mes grands-parents maternels et mon père ne voulait pas décevoir son beau-père, son coéquipier du jour. Je n'ai jamais eu mon prix, il fut remis ou donné à un autre en mon absence, pendant que je regardais mon père pêcher.

Récemment, le journal du coin a organisé le concours de la plus belle lettre d'amour et, surprise des surprises, j'ai gagné le premier prix. Il fallait se rendre à la ville, au siège du journal, pour la remise des récompenses, un livre d'art. Mon mari m'a interdit d'y aller : « Tu ne vas pas perdre ton temps pour un bouquin, ça fait 220 kilomètres aller-retour ! » Sur le moment, j'ai adhéré, ou plutôt je me suis laissé convaincre. La nuit de ma pseudo-acceptation, je me suis réveillée en pleurs. Une fois de plus j'allais être frustrée d'une récompense, d'une reconnaissance, d'une marque de valeur qui me revenait. C'était trop, inacceptable et injuste.

Le samedi suivant, contre la volonté de mon mari, j'ai fait les kilomètres interdits et surtout, j'ai lu ma lettre d'amour en public. J'avais le cœur serré sur chaque mot et des palpitations à chaque phrase. Sur le chemin du retour, j'étais dans une tristesse si vive qu'elle paralysait une partie de mon corps. Je découvrais aussi malheureusement que personne dans ma vie ne pouvait être le destinataire de ma lettre d'amour. J'avais écrit la plus belle lettre d'amour de mon département, et je ne connaissais personne qui aurait été susceptible de la recevoir, pas même mon mari. Personne. J'avais réparé la petite fille de 10 ans en sortant de l'interdit, de la privation, mais j'avais mis à jour la femme de 40 ans blessée, dont les mots et les élans ne peuvent être ni accueillis ni amplifiés et valorisés par celui avec qui elle vit.

Je suis rentrée tard ce soir-là et je suis allée directement à la chambre d'amis. Je voulais dormir seule. Je ne me sentais pas capable d'affronter auprès de mon mari l'immense distance entre nos deux corps. Je ne dormais pas quand il est entré dans la chambre avec une bougie et qu'il m'a demandé : « J'aimerais que tu me lises ta lettre d'amour, comme si elle m'était adressée... j'aimerais vraiment. »

« Je ne vais pas vous raconter la suite », a-t-elle ajouté en devenant soudain toute rouge.

Chacune d'entre nous sent bien comment nous nous débattons avec nos espoirs et nos pièges, nos leurres et nos contradictions, mais combien aussi nous avançons têtues, inflexibles et passionnées sur ces chemins si nouveaux du respect de soi.

Ah, j'aime la liberté et la pudeur qui existent entre nous, j'apprécie l'imprévisible de nos possibles quand nous savons leur laisser une place, un espace, un temps de vie.

Ce qu'il faut de toute urgence à la victime, c'est l'impossible, mais vraiment l'impossible inaccessible.

Il y a aussi dans notre groupe, il faut le dire, les éternelles victimes, ceux ou celles qui se vivent comme des persécutées, des incomprises, des mal-aimées. Je sens d'ailleurs mon seuil de tolérance très bas à leur égard. Je n'éprouve ni compassion ni désir de progresser avec elles, je me démobilise facilement, elles déclenchent chez moi des hémorragies énergétiques graves qui me laissent épuisée. Je les redoute, je les crains, je les fuis, mais elles me pourchassent, me harcèlent et, horreur, me transforment en victime ! Martine nous détaille bien ce processus dans lequel elle s'enferme avec son mari.

Malgré mon assurance de l'aider le lundi matin, il a décidé d'aller travailler dans sa vigne le dimanche. Je sais bien que le travail est un rempart pour lui, un refuge, et cependant, à son retour, épuisé, il me reproche d'avoir été obligé de travailler «... tout un dimanche. Je ne me sens pas aidé, si tu m'avais accompagné au lieu de me contredire, la vigne serait maintenant entièrement taillée et moi, moins fatigué. Tu m'as gâché mon dimanche », ose-t-il me dire. Et même si je sais que c'est bien lui qui a fait ce choix, je ne peux m'empêcher de penser que j'aurais dû, soit réussir à le convaincre de ne pas y aller, soit, en cas d'échec, l'accompagner et l'aider quand même. Dans les deux cas je suis toujours coincée et coupable.

Je ne peux pas faire de projets, la moindre proposition de ma part est vécue comme une contrainte, une imposition : « Tu es trop exigeante et toujours insatisfaite, me dit-il, tu ne peux te contenter de ce que tu as, il te faut toujours autre chose... » Chaque tentative d'échange débouche sur un scénario bien rodé de phrases fétiches toutes faites, s'appliquant et s'emboîtant à toute situation pour rendre la communication impossible. Nous ne pouvons parler sur nos sentiments ou sur nos ressentis, seulement sur les faits. Et les faits, il les manipule et les organise autour de ses peurs et de ses désirs.

Où que j'aille, quoi que je fasse, rien ne trouve grâce à ses yeux. Je pratique de la gym aquatique, c'est grotesque ! Je suis des cours d'anglais, c'est des bizarreries inutiles ! Je vais au cinéma, quel temps perdu ! Si j'entreprends une promenade à vélo, c'est dangereux et je suis complètement inconsciente avec tout ce qui arrive aujourd'hui ! Je regarde la télé, bourrage de crâne, bien sûr, mensonges ! Que j'invite des amis, que j'accepte une invitation, tout est critiqué.

En écoutant Martine, je m'interroge sur son besoin d'obtenir ainsi l'approbation de son mari. La demande implicite qui est la sienne, d'avoir l'accord de son mari, son aval, son soutien, une perception bienveillante ou positive de sa part sur ce qu'elle fait... elle ne la reçoit pas de son mari. Peut-être pourrait-elle s'en passer ! Peut-être pourrait-elle négliger les commentaires, laisser chez l'autre ses remarques critiques ou ses propos négatifs ! La victimisation se nourrit bien de notre propre collaboration, quand nous donnons prise à tout ce qui blesse, violente ou disqualifie notre personne. Quand un système relationnel est bien rodé, quand chacun tient ses positions en étant persuadé de leur bien-fondé, convaincu que c'est l'autre qui a tort, qu'il devrait comprendre, accepter ou soutenir, faire ou ne pas faire, alors le système est bien entretenu dans le « toujours plus de la même chose » et verrouillé pour empêcher l'un ou l'autre de sortir de sa propre position relationnelle.

Martine, qui semble une experte en ce domaine, me confirme bien les mécanismes du processus. Elle nous dira qu'elle a reçu une lettre culpabilisante de sa sœur aînée. Elle y répond, se justifie, explique, demande un changement de point de vue chez sa sœur et garde cependant la lettre, « qui est un véritable poison pour elle ». « Je photocopie les lettres de ma sœur et je lui renvoie l'original avec des annotations. » Ce scénario dure depuis des années. Pour la dernière lettre reçue : « J'ai quand même décidé, cette fois, d'arrêter les photocopies et de lui renvoyer simplement les trois pages de sa lettre. J'avais décidé d'attendre quatre jours, le temps de me calmer pour le faire non réactionnellement. Mais le matin du deuxième jour j'étais couverte de ganglions. À midi, je suis rentrée chez moi et j'ai mis la lettre de ma sœur dans une enveloppe avec un simple mot d'accompagnement. "Le contenu de cette lettre n'est pas bon pour moi, je te la renvoie." Le soir même, mes ganglions avaient disparu. » Ainsi j'avais espéré que cet événement donnerait à Martine une confirmation et donc la piste d'un changement d'attitude… La disparition des ganglions aurait dû l'éclairer ! Hélas ! la fois suivante elle se débattait avec deux lettres de sa sœur « qu'elle n'avait pas renvoyées de crainte de lui faire de la peine ».

Il y a aussi ce que j'appelle la poésie déroutante de la vie. Bernard raconte qu'au cinéma, en passant devant l'écran pour aller aux toilettes, il a fait une génuflexion, vieux réflexe d'enfant de chœur.

> Ensuite, pour tenter de m'en sortir, de masquer mon trouble ou de justifier mon geste aux yeux de quelques hypothétiques spectateurs non distraits qui auraient pu me voir, j'ai fait semblant de lacer mes chaussures alors que je portais des mocassins !

Robert est à l'hôtel avec son beau-frère, dans la même chambre. Il dépose ses lentilles dans un verre. Quelques minutes après, il voit son beau-frère avec un verre à la main dans lequel bouillonnait un comprimé effervescent :

> — Tu en veux un ?
> — Oui, ça me fera du bien.

— J'ai avalé ainsi mes lentilles, nous dira-t-il au milieu de nos rires, sans pouvoir reprocher à mon beau-frère quoi que ce soit. C'était pourtant bien lui qui m'avait proposé le verre !

Muriel a pris la décision de parler à son fils Paul.

Nous étions seuls, lui et moi, dans l'appartement. Je lui ai tout d'abord demandé son écoute : « Si tu peux me dessiner deux oreilles et mettre le dessin devant toi, comme ça je vois ton écoute. » Je lui ai dit que j'avais porté quatre fois la vie dans mon ventre avant sa naissance. Il m'a tout de suite confirmé : « Je suis donc le cinquième ! » Comme s'il l'avait su depuis toujours et qu'il n'attendait que cette confirmation. Ah ! j'aurais aimé avoir ses frères et sœurs présents à cet instant ! Et lui qui écrivait tous ses chiffres à l'envers, n'a plus aucun problème depuis.

Josée éprouve le besoin de revenir sur son premier grand amour.

C'est en voyant *Une femme française* à la télévision que j'ai été renvoyée à l'amour de ma jeunesse qui n'avait pas été reçu. Il s'appelait Thierry, j'avais 17 ans et lui 20 ans. Il faisait des études d'architecte et il m'a comblée, pas sexuellement, mais esthétiquement. Il était créatif, passionné, enthousiaste envers la beauté. Je me suis éveillée au beau à son contact. C'était une relation de rencontre, je le voyais seulement en week-end. En semaine je batifolais, j'aimais faire l'amour, le sida n'existait pas ni la pilule, je me sentais libre d'aller avec d'autres hommes, justement parce qu'il existait.

J'ai dû avorter deux fois, chaque fois terrifiée et seule. Après le deuxième avortement, Thierry m'a annoncé qu'il aimait une autre femme « qui avait de plus jolies jambes » ! Devant cet argument imparable, je lui ai « rendu sa liberté ».

En fait je l'excusais. C'était normal qu'il me quitte, je m'étais mal conduite, puisque j'avais eu d'autres relations. Lui aussi, mais lui, il avait le droit. S'il rencontrait une femme avec une plus belle poitrine, une dentition parfaite ou des fesses plus rondes, c'était normal.

Tout au fond de moi, c'était insupportable de ne plus être aimée de lui, alors j'ai tranché, sans anesthésie. La phrase m'est apparue telle une vision et elle est tombée comme un couperet : « L'amour, de toute façon, ça n'existe pas. »

Ensuite, pendant des années, je me suis confortée dans ce paradoxe que même si l'amour n'existe pas, moi j'avais su l'aimer, que c'était par amour que je l'avais laissé partir sans faire d'histoires, sans chercher à le retenir ou à le culpabiliser d'en aimer, lui, une autre !

Et puis ces derniers temps quelque chose de plus pervers a surgi. Je me suis rendu compte que 20 ans après, j'attendais toujours son retour, j'espérais encore, après toutes ces années, qu'il revienne. J'avais construit cette attente à partir d'une petite phrase qu'il avait déposée lors de notre dernière rencontre. « De toute façon, je t'ai rencontrée trop tôt ! » Si c'était trop tôt à l'époque, ce n'était plus le cas aujourd'hui ! Et dire que j'ai vécu sur cette mythologie toute une partie de ma vie. Je comprends pourquoi je ne pouvais m'engager, m'allier avec mon mari, malgré l'alliance qu'il avait fabriquée lui-même, il est bijoutier ! Je me sentais toujours en retrait avec lui, comme pas concernée. J'étais restée prisonnière de mon attente implicite : « Aujourd'hui, il ne serait pas trop tôt pour enfin se rencontrer et vivre ensemble ! » Je me sens maintenant capable de terminer cette situation inachevée ! Je vais lui renvoyer sa phrase et me positionner mieux vis-à-vis de cet homme, en reconnaissant tout d'abord que j'éprouve toujours de l'amour pour lui, même si j'ai maltraité ce sentiment, mais que ce n'est pas avec lui que j'ai envie de vivre.

Là, plusieurs d'entre nous ont vivement réagi. « Mais comment peut-on aimer et ne pas avoir envie de vivre cet amour avec celui qui en est l'objet ? » Nous nous sommes apaisées autour d'un des axiomes moult fois entendu en formation : « Ne pas mélanger sentiments et relation »,

« Avec les meilleurs sentiments du monde, on peut se proposer une relation invivable », « Il ne suffit pas d'aimer, encore faut-il savoir vivifier,
nourrir, amplifier cet amour par des relations de qualité… » Nous tour-
nicotons toutes, à différents degrés, autour de ces questions vitales et
essentielles pour certaines.

Nous avons été confrontées aussi aux situations inachevées qui
jalonnent notre vie. Situations en suspens, non réglées, qui cristallisent
autour d'elles beaucoup d'énergie et de souffrance.

La conquête de l'autonomie affective semble passer par le dépas-
sement et même le renoncement à garder et à entretenir en nous tant
de vieux trucs dont nous n'avons plus le besoin et l'usage. Nous res-
semblons les unes et les autres à des greniers, à des caves bourrées de
situations qui nous encombrent et qu'il conviendrait de lâcher ou de restituer.

Avec lui, il faut s'attendre à tout, y compris à rien.

PROPOS ENTENDUS CHEZ LE COIFFEUR

D'UNE FEMME PARLANT DE SON MARI

Un comble, il m'arrive parfois d'être consultée comme si j'étais une experte en communication intime ! Certains doivent me confondre avec vous. Oui, oui, je continue mine de rien à m'adresser à vous dans ces écrits si personnels. Sachant que vous n'aurez jamais l'occasion de me lire, j'en profite pour tester un peu ma pratique, confirmer en même temps mes enthousiasmes, et aussi exercer ma critique ! Cette lettre reçue en est l'illustration.

Je vois de plus en plus de personnes qui tentent de gérer le système SAPPE avec la méthode ESPERE. Quand les prémisses sont erronées, votre approche est caduque (j'allais écrire nulle !). Voici la lettre.

> Après avoir assisté à une conférence à Lille, écouté des cassettes, lu des ouvrages sur l'amour et le couple, et après avoir découvert la méthode ESPERE, je viens vers vous pour que vous nous aidiez à comprendre et à surmonter les questions que nous nous posons sur notre couple, et plus particulièrement sur notre sexualité.

Alors là, déjà l'emploi du nous pointe ma vigilance, mais l'amalgame, la collusion qui suivent me démobilisent. Si c'est Jean qui écrit, ce qui semble être le cas, il lui appartient de se positionner, lui, dans ses questions sur sa propre sexualité, sans la confondre avec celle de sa femme !

Je m'appelle Jean et j'ai 37 ans, j'ai rencontré Jeannette il y a 16 ans, elle a 34 ans aujourd'hui. Nous avons deux enfants de trois ans et demi et de huit mois, Maeva et Emma. L'amour est très présent dans notre couple et nous avons une vie de famille épanouie.
Notre sexualité a toujours été un peu particulière. En effet, comme le disait Coluche, « nous avons des relations sexuelles mais elles ne viennent pas souvent nous voir ». Hormis durant les périodes de conception des enfants, la fréquence de nos rapports sexuels s'établit à environ deux fois par an.

Là, je frémis à l'énoncé de cette « fréquence » !

Cette sexualité peu abondante jusqu'à ce jour a toujours été basée sur un très grand respect mutuel.

Le respect du non-désir chez l'un, du non-désir chez les deux ? Pour l'instant, je n'arrive pas à entendre sur quelle réalité intime entre ces deux êtres peut être fondé ce respect ! Il est énoncé comme une vérité formelle, une allégorie protectrice.

Cependant, depuis de nombreuses années, nous nous posons des questions quant à ce vécu peu banal ! Questions qui révèlent des peurs et des inquiétudes pour l'avenir de notre amour.

Qui se pose les questions ? Et lesquelles, car je suis persuadée que ce ne sont pas les mêmes chez Jean et chez Jeannette ?

Mais notre vie pleine et épanouie compensait très bien ces peurs et ces inquiétudes. Depuis peu, un malaise est né et nous essayons de le vaincre. En effet, Jeannette ne trouve plus son équilibre dans cette situation, la sexualité étant pour moi partie intégrante d'un tout, et les peurs, les inquiétudes, les désirs et les besoins prennent le pas sur les fondations de notre couple. Nous ne savons plus que faire pour comprendre comment rendre notre couple plus fort, plus uni, dans un avenir familial épanoui.

Pour ma part je ne considère pas la sexualité comme un besoin vital pour notre couple, mais je suis bien conscient que la libido de mon épouse est un ciment puissant pour notre couple. J'aimerais pouvoir satisfaire les désirs intenses de sa vie dans notre couple.

Ah ce « notre couple » vicelard qui masque toutes les différences et les vraies questions. Je vais volontairement souligner les nous et les notre pour montrer mon allergie.

Nous ne détaillons pas davantage, compte tenu de la complexité du « problème » (l'écrit nous semble réducteur ici), mais avons réfléchi et dialogué à maintes reprises depuis le début de notre relation (bientôt 16 ans de vie commune), et tout à fait sereinement, de cette particularité de notre couple...

Ces nous que je lis sans arrêt dans cette lettre me semblent terribles. Ils constituent un masque, une protection derrière laquelle cet homme semble se protéger et dans laquelle il enferme aussi sa femme.

Toutefois, nous en avons peu parlé à nos amis, compte tenu de leurs réactions basées presque chaque fois sur l'impossible et l'inconcevable, réactions peu propices à un dialogue constructif et source de gêne et de peur chez ma femme. Aussi nous espérons pouvoir compter sur vous pour nous aider à trouver des réponses en nous communiquant, dans la mesure du possible, la référence de thérapeutes compétents et de qualité, proches de chez nous, le Nord.

Dans l'impatience de vous lire, nous vous assurons de nos sentiments les meilleurs.

Et il va signer des deux noms :

Jean et Jeannette (alias les Jeannaux)

Là, je bute, je déclare forfait, c'est sans espoir. L'opacité de ce nous, de cette confusion, non seulement sur les noms, mais aussi sur les désirs, les peurs, les interrogations qui doivent être nécessairement différents, entre eux, mais qui sont sans arrêt niés dans cette lettre, m'oppressent. Comment favoriser chez cet homme (c'est lui qui écrit) l'accès à une personnalisation, à une individualisation ? Comment inciter cette femme (qui n'écrit pas, mais qui laisse partir une lettre qui l'implique, où son mari signe pour elle) à mieux se définir, à sortir de la collusion ? Je ne sais ce que tout cela touche chez moi, mais dans un premier temps j'ai eu envie de jeter la lettre et de les laisser se noyer dans leur amalgame fusionnel.

Ce matin je me sens plus soulagée, j'ai pris la décision de renvoyer cette lettre à Jean et de lui dire que je suis démunie. Que s'il veut m'écrire personnellement, ouvrir un échange en me parlant de lui, seulement de lui, je pourrai répondre à sa demande d'adresse de thérapeute, sinon compétent du moins de qualité.

Ouf, la lettre déposée, j'ai eu le sentiment qu'un étau se desserrait.

Je crois que j'ai encore à travailler en moi sur ce sentiment d'oppression qui m'envahit quand je perds mon individualité, quand je suis confondue dans un tout où je ne peux me reconnaître et me respecter.

> À l'instant de mourir, j'ai vu, en une seconde, toute ma vie. Je
> n'étais pas dedans.
>
> JAMES CAMERON, réalisateur de *Titanic*

Est-ce que les femmes inscrivent plus souvent dans leur corps, sous forme de mise en maux, le silence ou la défaite des mots en elles ? Je vais finir par le croire quand je vois et j'entends la kyrielle des somatisations que les unes et les autres portons dans nos ventres, nos poitrines, nos sexes ou dans tous les autres lieux sensibles du corps. Une amie psychanalyste a suggéré que les hommes étant plus dans le faire, dans le passage à l'acte (sur les autres, c'est moi qui le rajoute), ils inscrivent moins souvent dans leur corps, semble-t-il, les non-dits, les conflits intrapersonnels, les situations inachevées, les pertes ou les séparations, les messages de fidélité qui jalonnent et balisent toute existence humaine.

Quoi qu'il en soit, les dysfonctionnements, les troubles physiques, l'irruption de maladies graves et moins graves paraissent très présents dans notre vie de femme, dans nos préoccupations. Ce sont des thèmes qui reviennent fréquemment dans nos échanges.

Ainsi l'histoire de Julie, infirmière chevronnée, responsable d'un bloc opératoire au cœur même de la violence, nécessaire ou plus hasardeuse, qui peut être faite à des malades « pour leur bien ». Julie a fini par craquer et se retrouver cassée en deux, la colonne vertébrale coincée en plusieurs endroits autour d'une hernie discale malfaisante et tenace. Je suis allée lui rendre visite à l'hôpital.

Quand je suis allongée sur le dos, dans mon lit, ma colonne ne supporte pas, même couchée, le poids de mon propre corps. Je pense aux paroles de l'une d'entre vous, Françoise, m'avertissant, il y a deux ans : « Ta vie est précieuse, tu l'as vécue jusque-là pour les autres, te dévouant souvent jour et nuit pour secourir, arranger, dénouer la souffrance autour de toi. Aujourd'hui, il serait temps de la vivre pour toi... » À l'époque, je ne pouvais entendre un tel conseil. Je m'anesthésiais dans mon travail et, ces dernières années surtout, dans le soutien à ma mère. Depuis sa mort, c'est comme si mon corps ne servait plus à rien. Toute ma force, mon énergie et ma vitalité en mal d'abnégation et de quelque bonne action sacrificielle à se mettre sous la main sont devenues soudain dépourvues de sens et de finalité parce que sans objet. Elles ont fini par m'encombrer en me confrontant au sentiment de mon inutilité. La présence de mon père m'angoisse. Il est totalement à ma charge, installé dans l'appartement au-dessus du mien. Mon frère, le chirurgien, est trop pris par sa clinique pour être disponible ; ma sœur, directrice à la DASS, est trop engagée dans sa lutte contre l'inceste ; mon autre frère, à Médecins sans frontières, est trop souvent parti, insaisissable depuis toujours. Nous nous sommes tous orientés vers le secteur de la santé, chacun aux abois et moi plus encore, avide d'une vie personnelle qui, avec les années, se dérobe toujours un peu plus.

Tout se passe comme si je me sentais investie d'une mission à accomplir. D'ailleurs cette phrase : « occupe-toi des autres », avec sa variante, « les autres ont besoin de toi » me harcèle. Madame Culpabilité me rappelle à l'ordre quand je tente une incursion hors des autres vers un peu plus de moi-même.

Mon dos a flanché quand j'ai décidé de m'inscrire à un stage dans le désert. Je rêvais depuis des siècles de découvrir le Sahara, d'aller à la rencontre du ciel et du sable, de dialoguer avec le silence et de communier avec le temps ralenti entre lever et coucher du soleil. Mon inscription acceptée, je commençais à préparer mes bagages et m'organisais pour mes plantes durant mon absence. Trois jours avant l'embarquement, deux signes auraient dû m'alerter. Un soir, j'ai retrouvé sur la moquette, le fermoir cassé, la chaîne en or reçue pour ma confirmation. Le lendemain, c'était la chaînette de poignet que je m'étais offerte pour symboliser ma solitude après une séparation amoureuse. Je devrais plutôt dire après une relation et une séparation toutes les deux aussi impossibles l'une que l'autre. La veille du départ, en me penchant pour simplement déplacer mon sac enfin fermé, contenant tout le nécessaire pour ces 15 jours au désert, je me suis cassée. Je me suis baissée, mon mouvement est resté inachevé, je me suis complètement bloquée sans pouvoir me relever. J'étais comme folle, toute seule dans mon appartement, n'osant un seul geste de peur de me briser comme un cristal trop fragile. J'avais envie de hurler un cri immense au fond de ma gorge. Un cri dont je sentais qu'il allait me tuer si je le laissais sortir. Je ne sais combien de temps je suis restée ainsi en attente d'un miracle. C'est à genoux que j'ai réussi à atteindre le téléphone pour appeler l'ambulance.

Julie se débat avec l'impuissance ou la volonté de son corps. Je peux imaginer que les maladies sont aussi des alliées. Mal à dire avec lequel notre corps tente de nous alerter quand il ne se sent plus respecté. Quand je pense à tous les interdits et à toutes les autoprivations que nous nous imposons au détriment de nos propres aspirations, quand je songe aux fidélités, aux loyautés auxquelles nous sommes capables d'obéir avec une ténacité incroyable, et au détriment du respect de nous-mêmes, je peux entendre alors aussi tous les mérites de notre corps qui tente de se dire avec des maux.

Le surgissement et la mise à jour d'un kyste, d'un ulcère ou d'un cancer sont autant de signes avec lesquels le corps, trop longtemps bafoué ou aliéné, essaie de s'exprimer et de se faire entendre. Je ne sais ce que Julie pourra saisir ni surtout ce qu'elle en fera dans sa vie. Aura-t-elle un sursaut de respect pour elle-même, prendra-t-elle l'initiative de changer d'appartement par exemple, celle de demander une mutation dans une autre ville ? Ou simplement osera-t-elle donner moins d'importance à son boulot ? Se permettra-t-elle d'accorder davantage de temps à ses loisirs et à sa vie personnelle ? Nos contradictions sont si souvent paralysantes.

Je pense aussi à Xavier, un des neveux de Laurent, mal marié, je veux dire par là attaché à une femme qui ne lui correspond pas, c'est visible pour tous. Lui sociable, tendre, ouvert, plein d'une affectivité légère, avec un humour plein de gentillesse. Elle, fermée, opaque, silencieuse, fuyante. Elle n'établit aucun contact, ne suscite aucune approche, aucun échange. Elle le coupe, depuis leur mariage il y a cinq ans, de toute relation sociale et amicale, l'enferme dans ses propres silences, l'immobilise dans sa passivité. Alors Xavier prend 60 kilos, fume comme un feu de bois humide mal alimenté, s'entoure d'appareils et se noie dans l'informatique. Il paraît qu'il est devenu un spécialiste de la communication virtuelle. Je sens approcher le jour où Xavier va imploser, éclater et se disloquer pour laisser s'ébattre et folâtrer le vivant de sa vie ligoté, enfermé depuis ces dernières années, petite momie anxieuse de survivre dans le sarcophage dévitalisé de son corps.

Marie-Noëlle m'ébranle chaque fois, car elle touche quelque chose de très sensible en moi. Chacune de ses lettres ou de nos rares rencontres déclenche chez moi des résonances, du retentissement et des tensions. Il y a quelques années, quand elle s'est déclarée amoureuse de moi, je n'ai pas fui, je ne l'ai pas rejetée. Je crois m'être positionnée clairement : « J'entends tes sentiments, je suis touchée et émue, mais je n'éprouve pas d'amour pour toi. » Je me souviens de lui avoir dit et manifesté que j'éprouvais beaucoup de tendresse et d'enthousiasme vers elle, un plaisir fort à la rencontrer, mais aucun désir cependant d'aller au-delà. Et de lui avoir bien précisé que ma sensualité était carrément tournée vers les hommes. Elle est restée longtemps amoureuse avec l'espoir, je crois, que je lâche prise… dans sa direction. Sa dernière lettre tente une fois de plus de faire le point, non sur l'indicible, mais sur le non faisable ou le non possible entre nous.

Anne que je chéris toujours,

Au fil du temps, je vois un peu plus clair en moi et, peu à peu, je fais le deuil de l'espoir d'être aimée de toi qui vivait si intensément dans mon corps. Oui, j'aurais aimé que tu me dises « je t'aime ».

Non pas être aimée d'un amour éternel, mais t'entendre me dire ce que tu aimais en moi et surtout me rassurer sur ce que mon entourage habituel ne semble pas apprécier en moi.

Cette attente rejoint sans doute mon besoin d'être acceptée telle que je suis et non pas pour ce que je fais ou donne. Dans mon quotidien, je ne me sens aimée que dans ce sens-là.

J'ai souvent rêvé d'être aimée « pour rien », gratuitement, sans humiliation et sans violence. Et comme tu m'es apparue te comporter en femme de cœur, j'ai espéré longtemps et fort, toute tournée vers ce que je pensais être ta capacité à recevoir mes espoirs. Ce ne sont pas des reproches que je t'adresse, entends-le bien, mais plutôt le souhait de partager avec toi mes regrets et mes rêves, même s'ils ne sont pas toujours réalistes, je le sais. Au cours de ma vie, j'ai vécu l'amour maternel puis conjugal dans des relations trop souvent humiliantes pour moi où je devais me soumettre, m'adapter et obéir.

Avec toi, je pressentais de la douceur, de l'écoute, de la bonté. L'abandon aussi et parfois une proximité possible pour l'expression inconditionnelle de ma sensualité. Ma mère et mon mari ne sont pas des monstres, mais une relation au quotidien et dans la durée facilite trop de dérapages et de compromissions, elle ouvre souvent la porte à l'abus de pouvoir. Il y a toujours le risque d'un terrorisme affectif dans un couple immature.

J'ai conscience aussi qu'à ces deux époques de ma vie, mon enfance et le début de ma vie adulte, ma vitalité, ma spontanéité, mon esprit rêveur, ma fantaisie et ma lenteur devaient être difficiles à supporter dans certaines situations, pour des gens raisonnables, organisés et conscients comme eux.

Il ne fallait pas s'égarer à rêver. « La vie ne s'invente pas, déclarait ma mère de son air pincé, elle se gagne ! »

Dans une relation de rencontre, comme je l'aurais souhaitée avec toi, la notion de propriété, d'appartenance et d'appropriation aurait été moins présente, bien sûr, et le risque d'être insupportable pour l'autre d'autant plus réduit, plus léger peut-être. Durant ces 18 derniers mois, il m'a fallu du temps pour remettre de l'ordre en moi, retrouver le calme après la tempête qui m'avait si ébranlée. Tempête provoquée par quoi d'ailleurs ? Je voudrais y revenir !

Un ensemble d'éléments a pu y contribuer, je crois. Tout d'abord ton accueil la première fois chez toi, dans ta famille, avec ta présence, ton aisance, ta simplicité, ta liberté. Ta tendresse directe et si joyeuse a remué moult émotions en moi. Te souviens-tu, il y a déjà 10 ans ?

Puis ensuite, quand je t'ai vue donner, offrir à d'autres le même accueil, la même tendresse avec cette liberté étonnante que je ne trouve que chez toi, j'ai commencé à souffrir en te disqualifiant en moi. Si tu donnais si facilement, c'est que c'était sans valeur. Ces femmes qui étaient avec toi, si enthousiastes en ta présence, me confirmaient que notre rencontre n'était pas importante pour toi. Mon incapacité à te dire mon ressenti au moment où nous nous sommes revues et puis bien sûr tout ce que j'avais en moi de rêves et d'espoirs trop violents t'ont fait fuir.

C'est vrai, comme dans le conte[4]. J'ai rêvé que l'amour viendrait me chercher un jour, peut-être pas pour toute la vie, mais au moins une fois. La relation au quotidien peut-elle cohabiter avec un amour de rêve, amour idéalisé ?

Je voulais te proposer plutôt un amour en forme de beau voyage, celui dont on aimerait tant pouvoir se souvenir plus tard. Non pas vieillir ensemble, mais laisser vieillir en nous des souvenirs communs.

Je suis bien consciente de la confusion que je faisais trop souvent entre espoir et attente, quand rêve et réalité se mêlaient, mais c'est important pour moi de pouvoir te le dire.

---

4. Salomé, J., *Contes à guérir, contes à grandir*, p. 30.

En lisant tes rares lettres, si poétiques, je ne m'étais pas aperçue que je nourrissais le rêve tyrannique d'un grand amour. Ce grand amour entré dans ma vie par le biais d'une chanson des Compagnons de la chanson, « Vénus mon amie », entendue dans mon enfance. J'avais 10 ans à peine et je chantais cette chanson sans en saisir tout le sens.

Mon rêve a pris son envol à cette époque-là. Par la suite, ce fut douloureux d'aller rencontrer la vie avec plus de réalisme, d'abandonner ce rêve et de le confronter à la réalité. J'avais l'impression de lui couper les ailes et de ratatiner mon cœur.

Je ne peux conclure cette lettre sans souligner tous les aspects bénéfiques que mon amour pour toi a ouverts dans ma vie. Une énergie grandissante pour m'impliquer en faveur d'une plus grande justice sociale, plus d'amour dans mon existence en direction des petites gens (ce n'est pas péjoratif) surpris parfois par ma compassion et ma patience, ma foi aussi à les stimuler, à les revigorer, eux qui ont si souvent démissionné de leurs aspirations les plus élémentaires.

Je reste cependant prudente à ne pas décider pour eux et je témoigne souvent que la vie est belle, même si elle ne nous apporte pas exactement ce qu'on en espère.

Et puis il y a tout l'apport des stages que j'ai entrepris sur ta suggestion, les clarifications dans ma relation à moi-même, à ma famille et à mon entourage. Ma capacité à me dire et à communiquer n'a plus rien de commun avec la façon dont je me comportais avant de te rencontrer.

Et puis beaucoup d'autres souvenirs heureux, émouvants, tendres ou intenses, qu'il serait trop long d'évoquer ici. Toutefois (humour), si tu le souhaites, je t'en dresse la liste... !

T'ai-je dit que j'ai planté dans mon jardin un arbuste qui symbolise mes sentiments pour toi ? Tout ça me semble long à expliquer en détail mais c'est tellement, tellement riche de prise de conscience, d'éveil. La vie m'a fait cadeau d'un pêcher qui semble bien s'apprivoiser dans le sol de l'Est. Il pousse de façon incroyable avec deux troncs au lieu d'un, plein de ramifications vivantes et alertes. Tout cela me parle, au niveau d'une ambivalence encore trop présente en moi, de mes sentiments, de la multiplicité contradictoire de mes émotions. À l'écoute de cet arbre, j'ai toutefois perçu que je n'avais pas besoin de lutter contre mes sentiments envers toi, même s'ils ne sont pas conventionnels ou ne vont pas dans le sens qu'une femme devrait suivre ! Il y a aussi, dans un autre bout de mon jardin, un cèdre qui représente ma famille, et de l'autre côté, un mirabellier qui symbolise le sentiment que j'éprouvais pour une amie aimée, Jacqueline, décédée il y a longtemps. C'est elle qui m'a initiée à l'amour des femmes et je lui en garde une reconnaissance profonde.

Toutes ces démarches, métaphores de mes expériences de vie les plus profondes, balisent, clarifient, inscrivent plus durablement ce que j'éprouve... et contribuent en plus au reboisement de notre belle planète.

Amie aimée,

Voilà où j'en suis. Je reprends peu à peu mes lectures interrompues fin 1995 et je me structure aussi à ce niveau-là, car je ne savais plus à quoi ou en qui croire.

As-tu lu le dernier Bobin[5], *La plus que vive* ? Et *Rastenberg* de Christiane Singer[6] ? Quelle merveille de sensibilité, quelle écriture miraculée ! J'ai été troublée en lisant *Le traité du désir* de G. Leleu[7]. Ces pages contiennent des messages tellement différents de ceux entendus habituellement dans les médias ; ils font appel à une telle simplicité vraie que j'en suis profondément bouleversée. Le prochain que je lirai sans doute est celui de Jean-Claude Marol[8], *La vie réenfantée.*

5. Bobin, Christian, *La plus que vive*, Paris, Gallimard, 1996.
6. Singer, Christiane, *Rastenberg*, Paris, Albin Michel, 1998.
7. Leleu, Gérard, *Le traité du désir*, Paris, Flammarion, 1997.
8. Marol, Jean-Claude, *La vie réenfantée*, Le Fennec.

Je me sens apaisée d'avoir rédigé cette lettre qui t'éclairera peut-être sur mes hauts et mes bas à ton égard. Une lettre que j'avais surtout besoin d'écrire pour moi. Je me suis perdue il y a deux ans, pendant quelques jours, entre folie, rêve et réalité, entre fantasme et symbolisation.

Il m'a fallu aussi du temps pour admettre que tu étais différente de moi, avec tes valeurs et ton unicité, pour accepter que tu puisses rester précieuse pour moi sans avoir besoin de te détruire en moi.

Je vais m'arrêter là en souhaitant que l'été qui commence dans l'Est se poursuive longtemps chez toi.

Cette longue lettre me prolonge bien au-delà de cette relation. Elle m'ouvre aussi à ma complétude de femme. Ma masculinitude long-temps censurée trouve un espace en moi pour se manifester. Je suis profondément reconnaissante à Marie-Noëlle pour tout ce qu'elle m'a permis d'être à sa façon. Chaque rencontre est plus unique, plus éton-nante que je n'ai jamais pu le croire ou l'imaginer. Chaque être ren-contré se relie et tisse des liens au secret de notre existence, liens qui irrigueront à leur tour d'autres liens et permettront la germination d'une liberté d'être qui débordera le présent du présent.

Ce matin, la vie chante en moi, sereine et pleine, stimulante et nour-ricière.

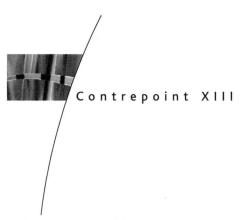

Contrepoint XIII

J'ai trouvé dans un livre de Maman cette citation.

> Je ne sais pas si les parents devinent, s'ils ont la moindre idée que les enfants mènent une vie informelle, souterraine et secrète qui leur échappe. Je ne sais pas s'ils s'en doutent où s'ils préfèrent oublier qu'ils ont été eux-mêmes des enfants. Auraient-ils de bonnes raisons de refouler les souvenirs de leurs frasques ou de leurs bêtises ?

L'an passé, avec ma sœur Lucie, nous nous retrouvions en cachette, quand nos parents étaient endormis. À l'ordre du jour de nos réunions clandestines : comment nous débarrasser de Simon ? Il faut dire que le sale gosse empoisonnait sacrément notre existence par ses exigences, voire son indépendance et aussi par son statut de chouchou. Il paraît que tout petit, il avait été malade, qu'il « était fragile », ce qui avait pour conséquence qu'une fois sur deux, il était trop faible pour laver la table, faire des courses, participer au ménage de la maison, ramasser les feuilles dans le jardin. Il était l'objet d'une attention particulière qui, chez Maman, virait subrepticement du favoritisme à une faiblesse chronique à son égard, et qui, chez Papa, évoluait vers un aveuglement sélectif pour tout ce qui concernait son « dernier-né », vu qu'il n'y en aurait plus d'autres après et qu'avec nous il n'avait pas eu le temps de se rendre compte que le temps était passé si vite. Il s'était donc certainement promis d'en profiter avec le dernier. Tant d'attentions pour un seul nous faisait voir rouge, à Lucie et à moi, et nous donnait des envies de meurtre, d'étranglement, d'étouffement, d'empoisonnement et de mise à la poubelle. Différents scénarios nous venaient à l'esprit. Mais « quand il y avait des invités », on savait se tenir !

Quand nous en parlions, nous étions, ma sœur et moi, très sérieux, très concrets dans nos propos et nos projets. Nous préparions sa disparition, je devrais dire son élimination, sans états d'âme, simplement conscients que ne rien envisager face à une telle situation, c'était prendre le risque qu'elle perdure et s'installe pour l'éternité. Ce que nous ne pouvions envisager comme une simple fatalité.

Nous avons programmé et réalisé en tout trois éliminations. Simon a échappé à toutes mais ça va mieux avec lui. Il nous paraît moins insupportable !

Il y a aussi toutes les enclaves de la vie informelle avec nos copains, escapades diurnes ou nocturnes parfois, discussions interminables autour de la différence des sexes, rituels, expériences physiques (la maison n'a pas brûlé ni explosé, seulement quelques stigmates : un problème de plancher et de tapisserie).

Expériences métaphysiques aussi. Avec un copain, il s'agissait de contrôler nos rêves. À partir d'une procédure simple :

- Premièrement : se donner un nom. Par exemple, pour moi, Mister Phil.
- Deuxièmement : juste avant de s'endormir, penser fortement, imaginer une situation dans laquelle Mister Phil interviendrait, ferait quelque chose de particulier, de précis.
- Troisièmement : le matin, juste avant d'ouvrir les yeux, appeler Mister Phil et lui demander de nous raconter le rêve.

Avec mon copain, on vérifiait, on juxtaposait le rêve imaginé et le rêve rêvé. Parfois, il se trouvait qu'il y avait des points communs. Le hic à notre âge, c'est qu'on a besoin de résultats rapides. Une expérience doit réussir sinon elle n'est pas valable, elle est nulle !

L'autre difficulté, c'est que nous ne pouvions rien dire aux adultes de nos expériences, de nos interrogations ou de nos visions, elles les auraient fait paniquer. Le monde de l'enfance est un univers de solitude masquée. Et les adultes sont parfois tellement inaccessibles avec leur tendance à vouloir tirer la couverture à eux, à expliquer, à convaincre, à se montrer des hyper bons parents, au lieu de nous écouter, simplement nous écouter !

Boris, mon copain, il voudrait devenir éveilleur ou contrôleur de rêves, mais il n'est pas encore tout à fait sûr de son choix ! Et il n'ose pas en parler à ses parents. Il a trop peur qu'ils se croient obligés de lui répondre et que ne sachant pas quoi ni comment, ils se mettent à vouloir l'emmener consulter un psy ou un conseiller d'orientation, comme ont fait les parents du copain d'un autre copain de Boris qui passe sa vie en thérapie.

Ils ont 10 ou 12 ans et deux sujets les obsèdent : la découverte des plaisirs de l'amour et les mystères de la mort. Ils en parlent sans cesse, se posent des questions dont ils trouvent rarement les réponses dans les propos voilés des grandes personnes. Mais les livres dont ils disposent ne font qu'épaissir les mystères et les adultes se dérobent à leur curiosité.

GENEVIÈVE DORMANN

Être non pas maître, mais responsable de sa parole. C'est la seule façon d'être ou de devenir responsable de sa vie. Pour ne plus être une victime, un esclave, un exclu ou un mendiant de l'existence et de l'amour des autres.

Alexandre, qui est le mari de Maryse, une participante assidue de notre groupe du mardi, a tenu à témoigner de ses découvertes et des changements dans sa vie.

Maryse m'a souvent tendu la perche depuis un an pour m'inciter à me dire, à m'exprimer avec mes tripes, avec mes sentiments réels. Combien d'invitations du regard, d'appels du pied ne m'a-t-elle lancés chaque fois que nous nous retrouvions ensemble chez mes parents !

Ce qui m'a éclairé, c'est la péri-arthrite d'enfer qui a bloqué mon bras et mon épaule gauches, me clouant au lit durant deux jours, un début de semaine, justement après un week-end passé dans ma famille. Pendant ces deux jours et ces deux nuits de souffrance, j'ai dû dormir seul pour laisser un peu de repos à ma femme, et j'ai enfin pu accoucher de deux vérités. Deux vérités si vraies, tellement évidentes, que je ne pouvais ni les reconnaître ni les accepter jusqu'alors.

La première, si douloureuse, si inacceptable, c'est que je n'ai jamais eu de papa ! À 45 ans, faire cette découverte ! Ni papa ni amour d'un papa ! J'ai eu des parents extraordinaires que tous mes copains m'enviaient, mais qui étaient surtout un père et une mère irréprochables, parfaits. Figures importantes dans notre milieu, respectables, souvent citées en modèles. Je suis d'origine belge et mon père était conseiller intime du roi. Aujourd'hui, je vis avec lui un paradoxe insupportable, mais j'arrive de mieux en mieux à l'accepter même si je souffre de le voir prodiguer tant d'amour, tant d'attentions et de tendresse, tant de complicité à ses petits-enfants, qui ne sont pas mes enfants mais ceux de ma sœur Catherine et de mon frère Michel.

Mon père, au début de sa vie conjugale, a opté pour un choix qui le regarde seul : celui de vivre pour l'extérieur et à l'extérieur. C'était un homme d'affaires et c'est bien moi qui ai souffert de cette situation contrairement à mes frères. Aujourd'hui encore, je ne peux l'approcher, lui parler, le toucher. À mon âge, il m'en coûte évidemment de me dévoiler, d'oser lui demander « du papa », et de me montrer si faible, si sentimental, si puéril. Lui, toujours si fort, si droit, si distant, lui qui ne parle jamais de lui et qui se félicite d'avoir un point de vue clair et concis sur tout.

J'ai à la fois peur de le découvrir et de le déstabiliser, lui qui a placé sur mes épaules tant d'espoirs, tant de fierté. Je suis le seul de ses enfants qui a poussé loin ses études universitaires, qui s'est lancé officiellement dans la carrière diplomatique alors que lui était plutôt l'homme des missions officieuses, discrètes, celui qui devait toujours rester dans l'ombre.

Ma propre profession me fige, me coince. Je sens que mon choix professionnel est en relation directe avec son propre désir, inabouti chez lui, que je tente de réparer.

J'aspire à pouvoir parler avec lui, à déposer tous les non-dits, à clarifier les sous-entendus, à préciser les messages à double sens que j'ai reçus. Je voudrais balancer ma carrière, ouvrir une petite PME de produits biologiques.

Je ressens comme une urgence en moi. Je n'ai encore rien entrepris dans sa direction, mais tout est là, tout est mûr, tout me pousse à lui parler, à me dire et à développer avec cet homme une relation plus vivante. Je me heurte là à la deuxième difficulté que je dois affronter.

Et puis il reste ma petite sœur Sophie, la dernière, la benjamine, Sophie que j'adore et avec laquelle j'ai le plus d'affinités, de complicité et avec qui je partage le plus de rêves. Aujourd'hui, je la découvre comme une rivale. Elle avait pris, enfant, ma place de cadet, elle m'a volé mon enfance. Le fait que mon frère Michel ait pris sa fonction d'aîné après le décès de ma mère me libère un peu.

J'ai souvent eu l'impression d'être trop au-dehors de moi-même, trop en dehors de ma vie. Je ne m'aime pas. Dans ces moments-là, ce sont les paroles de cette chanson de Starmania qui hurlent en moi.

Au secours... j'ai besoin d'amour...
Au secours... J'ai besoin d'amour...
Pourquoi je vis, pourquoi je meurs
Pourquoi je ris, pourquoi je pleure
Voici le S.O.S. d'un terrien en détresse
J'ai jamais eu les pieds sur terre... j'aimerais mieux être un oiseau
J'suis mal dans ma peau... j'voudrais voir le monde à l'envers
[...] J'ai comme des envies de métamorphoses
Je sens quelque chose qui m'attire, qui m'attire, qui m'attire vers le haut
Au grand Loto de l'univers, j'ai pas tiré l'bon numéro
Je suis mal dans ma peau. Pourquoi je vis, pourquoi je meurs
Pourquoi je crie, pourquoi je pleure...
Je crois capter des ondes venues d'un autre monde
J'ai jamais eu les pieds sur terre...
J'aimerais mieux être un oiseau... je suis mal dans ma peau
J'voudrais voir le monde à l'envers
J'aimerais mieux être un oiseau... dodo l'enfant do !

Alexandre s'arrêta soudain, un peu étonné, comme s'il émergeait d'un rêve. Il se tourna vers Maryse, sa femme.

Je te dois beaucoup. C'est toi qui m'as recentré. J'étais dans les livres, dans les théories sur la communication, je maîtrisais les outils, je m'oubliais sur Internet. Je favorisais en général l'expression des autres, mais ce dont j'avais le plus besoin, c'était d'être écouté, entendu, reconnu dans des aspects de moi, les plus sensibles, pudiques et ombrageux.

Je ne souhaite pas revenir dans votre groupe, ma démarche d'approfondissement m'appartient. Tous les pas que je vais faire, moi seul peux en inventer la forme et la direction. Je me sens tel un prématuré qui va à la recherche de son papa. Cet objectif me semble pour l'instant central. Ensuite, grandir encore et encore.

Nous étions les uns les autres fascinés par la force de conviction de cet homme, quand il ajouta :

J'ai eu l'occasion de prendre des milliers de décisions dans ma vie dont la plupart m'éloignaient de moi. Il est temps que je me rapproche le plus possible de celui qui m'habite.

Ainsi va la marche de la vie, avec ses départs, ses envols, ses temps d'arrêt... D'autres se joignent à nous, prennent le groupe en marche, comme Nicole, une amie de Julia qui nous a rejoints récemment.

J'ai longtemps hésité avant de prendre cette décision. Julia m'avait parlé du groupe, mais j'ai d'abord pensé que je pourrais m'en sortir toute seule. C'était un signe de faiblesse pour moi que d'envisager de venir déballer mes salades personnelles.

Une preuve d'incapacité à faire face. Et puis j'ai tellement vu changer Julia depuis quelques mois, que j'ai commencé à me dire qu'après tout, je pourrais peut-être... Ce qui m'a véritablement amenée à prendre ma décision, c'est ma vie professionnelle : elle représente 80 % de mes centres d'intérêt et de mes énergies, elle tenait à peu près la route jusque-là, je suis une battante, je voulais réussir dans une boîte d'hommes, je suis en haut mais c'est en train de devenir un vrai casse-tête depuis quelque temps. Alors j'ai envie de chercher à comprendre un peu plus...

C'est avec Nicole que nous avons écrit toutes ensemble ce petit texte, que nous offrons à toutes celles et à tous ceux qui travaillent dans des boîtes performantes !

TRAVAILLER DANS UNE ENTREPRISE
QUAND ON EST UNE FEMME ET QU'ON VEUT LE RESTER

Ordonnance relationnelle pour des collaborateurs féminins qui devront faire face à la fois aux crises institutionnelles et aux comportements tenaces de leurs collègues masculins.

En premier lieu, faites confiance (les yeux fermés) à la publicité, très abondante dans ce domaine. « Vous êtes sûre de vous, survoltée, increvable et surtout souriante en toutes circonstances grâce au soutien-gorge Tienbon qui ne vous trahit jamais ! »

Rappelez-vous que votre shampoing (mouvement ravissant de la tête pour faire gonfler vos cheveux) doit attirer non seulement l'attention mais la bienveillance inconditionnelle des hommes, même s'ils sont machos sans le savoir.

Vérifiez si vous n'avez pas oublié le déodorant qui vous rend dynamique, disponible, souriante et chaleureuse, car il constitue, l'avez-vous remarqué, votre carburant de base pour être dans plusieurs endroits à la fois. Déodorant qui alimente donc votre don d'ubiquité (c'est-à-dire votre disponibilité à tous crins) et vous rend inusable jusqu'à des heures avancées de la soirée.

En réunion, en colloque, face à un client important, assurez-vous discrètement sous la table que la serviette super-aspiro vous donne l'assurance d'une femme sûre d'elle et qui ne va pas s'effondrer en sanglots dès qu'elle est naturellement agressée ou simplement disqualifiée, ce qui est, il faut accepter de se le rappeler, la moindre des choses dans une entreprise performante. « On est des battants, nous, on n'est pas des pédés comme ces *golden boys* qui ne foutent rien de toute la journée ! »

Même si vous avez oublié, ce matin-là, votre dentifrice Denkicool, soyez persuadée que votre sourire réglera tous vos problèmes et vous assurera l'écoute, le soutien et parfois la compréhension de chacun autour d'une table de travail.

Si, en plus, vous êtes arrivée au boulot avant l'heure (traversant tous les embouteillages) dans la dernière Twinboum, alors là, plus de problème ! Votre carrière dans cette entreprise ne connaîtra aucune difficulté ni avatar. Chacun reconnaissant en vous une femme qui sait ce qu'elle veut, même si elle n'arrive pas à se faire entendre.

Face à la grossièreté d'un de vos collègues, feignez de croire que c'est occasionnel, que de toute façon ce serait ridicule de se formaliser, puisqu'il vous dira « qu'il est comme ça, que ça ne va pas plus loin… » Il a le droit, lui, d'avoir l'esprit qui s'exprime directement par un des orifices les plus naturels que la nature lui a accordé, même s'il se trompe parfois de diapason !

Ne vous laissez cependant jamais aller à vous exprimer par le même orifice que lui. Il en serait extrêmement gêné, mortifié et peiné pour vous.

Évitez de contredire vos collègues masculins ou de mettre en évidence leurs erreurs ou leurs contradictions trop évidentes. Vous auriez tort et cela nuirait irrémédiablement à votre image de collaboratrice dévouée.

Les hommes aiment s'appuyer sur vous, ne les découragez pas en prenant trop de distance, montrez-vous intéressée, fantaisiste, détendue. Ils ne vous en seront pas reconnaissants, mais éviteront de dire du mal de vous dans votre dos.

Si, malgré tous ces conseils, le malaise persiste, osez reconnaître que vous vous êtes fourrée dans un pétrin vraiment sans issue et qu'il est temps de reconsidérer, non pas votre carrière, mais votre poste de travail dans cette entreprise-là !

Par intérim pour la dernière diplômée arrivée tout récemment dans le service et qui attend impatiemment la suivante pour tester avec elle de nouveaux produits, de nouvelles approches ou tout simplement pour rire ensemble…

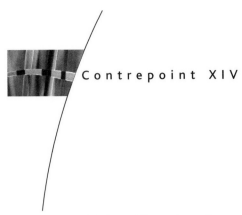

Contrepoint XIV

La fin de semaine a été épique à la maison. Le groupe de parole, ou le groupe de femmes, comme préfère les appeler Papa, a semé ces derniers temps trop d'interrogations, il s'est ouvert sur trop de questions pour qu'on puisse les absorber toutes dans notre malheureuse famille cobaye qui n'est ni « Pampers » ni « Tampax » !

C'est vrai ça ! Nous, on est chaque fois en première ligne. Tout ce qui se discute dans le groupe de Maman a un retentissement direct, immédiat et volcanique à la table familiale ou dans la salle de bain. Ce sont les lieux où on discute le plus chez nous.

Il y a aussi tout ce qui se dit dans la chambre parentale, mais là c'est plus diffus ! Même si Maman reste discrète et ne nomme personne, nous avons droit à tous les coups aux effets secondaires en direct, aux pollutions ou aux stimulations postgroupe. La marge de manœuvre est étroite ! Je me demande si on est une famille type au point de focaliser, de capter tout ce qui se passe dans la famille française en cette fin du XXᵉ siècle ! Enfin, pour l'instant, dans cette navigation à l'estime, nous avons semble-t-il échappé à l'inceste et à la maltraitance pathologique. « Pas à la maltraitance normale », rappelle Lucie. Nous avons évité jusqu'ici la drogue, oui, non. Bon d'accord, j'ai fumé un pétard ! Un seul, promis, juré… c'est dégueulasse comme une herbe avariée !

À la maison, nous avons traversé depuis 10 ans différentes crises conjugales, un licenciement économique (pour Papa) : « J'ai eu deux années sabbatiques », nous rappelle-t-il chaque fois.

Nous avons eu à affronter un déménagement (perte des copains, changement de ville, adaptation en catastrophe aux écoles, au quartier…). Nous avons, quoi encore…, été embringués dans des rivalités familiales avec des tontons, des tatas, des neveux, des nièces, des cousins, des cousines. Nous avons survécu à toutes sortes de vacances, à la mer, à la montagne, au fin fond des Cévennes, nous avons même eu droit à des Villages de Vacances, repas, garderie, pluie, soirées mortifères... forfait de groupe, tarif réduit, tout compris.

Les uns et les autres, petits ou grands, nous avons traversé des révolutions amoureuses, des tremblements de terre affectifs, des typhons de passion. Nous sommes toujours entiers. Les lubies tantriques de Papa, les envolées relationnelles de Maman se sont un peu calmées. L'orientation actuelle la plus stable se maintient en direction du bouddhisme. Attention, j'ai dit « orientation », un intérêt certain, un accord possible autour de quelques repères acceptables par chacun : non-violence, compassion, impermanence, que je suis le seul à appeler relativité. La famille se retrouve, se renforce, me semble-t-il, autour de quelques points forts. Au dernier bulletin météo, je dirais qu'il règne un climat de respect dans notre microcosme familial, sans oublier la fantaisie, l'humour et la tendresse. La tendresse s'implante en force depuis quelques mois, après avoir fait son apparition du côté féminin, v'là qu'elle s'étend maintenant du côté des hommes ! Côte est, côte ouest, ou le contraire... ça dépend. Si on parle des hémisphères du cerveau gauche et droit, ou du côté du corps que ledit cerveau télécommande ! Comme ça, c'est plus facile, je m'en sors bien. Vu que je ne me rappelle jamais si c'est le cerveau droit ou le cerveau gauche qui est plutôt féminin, étant donné que les fils conducteurs se croisent quelque part à la sortie. Même si Maman m'a déjà expliqué plusieurs fois, je ne retiens pas la leçon ! Parce que moi je suis gaucher et c'est plus compliqué à comprendre pour un gaucher non contrarié ! Soi-disant que je tiendrais ça du côté de la branche de l'arbre à Papa. Il a un frère qui est aussi gaucher, tonton Franck, que Papa appelle Francfort, c'est le banquier de la tribu, c'est à lui que l'on demande conseil quand on veut emprunter de l'argent ou placer un peu « pour voir venir ». Moi je ne trouve pas que je lui ressemble.

Quand j'étais petit, Maman a reconnu tout de suite que j'allais être gaucher, quand j'ai commencé à tenir la cuiller tout seul.

Elle ne m'a pas contrarié (elle avait lu Dolto!) mais elle a commencé à se faire du souci, parce qu'à ce moment-là, elle s'intéressait à la pédagogie non directive. Elle avait entendu dire que les gauchers non contrariés risquaient d'avoir plus de problèmes à l'école : écriture, lecture et orthographe surtout. Heureusement, j'ai échappé aux difficultés anticipées. À l'école maternelle, la maîtresse avait remarqué que j'étais « bien latéralisé » (quel jargon pour un gosse!) et que « j'avais un beau graphisme pour un gaucher ». Est-ce qu'on dirait à un borgne qu'il a un beau regard pour un borgne! Maman a juste eu besoin de m'acheter des ciseaux spéciaux. Au foot, je shoote avec le pied gauche, mais je marque avec le pied droit, ça les surprend. Pour viser je regarde avec l'œil gauche. C'est France, la copine de Maman qui est psychomotricienne, qui l'a dit. Un jour, elle m'a fait regarder par le trou de la serrure avec le rond d'un rouleau de papier hygiénique! Tout ça fait que je suis un vrai gaucher, tout à gauche (même pour les idées politiques en herbe qui commencent à pousser en moi).

Le seul problème que j'ai, c'est avec les ouvre-boîtes. Mais ce n'est pas bien grave vu qu'on ne mange pas de conserves et que pour le Cocacola ils ont prévu le truc! Maman remet cette question à plus tard : « On verra bien quand tu seras étudiant et que tu feras ta popote. »

Bref, pour en revenir à la vague de tendresse[9] qui s'est installée sur notre territoire familial comme un début de printemps, disons que ce n'est pas une déferlante, donc pas de surf. Elle est apaisante sur toute la maison. Une qualité du regard, de l'écoute, de la présence et du toucher. Un accord entre le donner et le recevoir. Bon, c'est pas l'ambiance qui règne sur la planète de *La Belle Verte*[10] pour autant. Ça n'exclut pas le coup de gueule de temps en temps, quelques dérapages verbaux ou des portes claquées, mais enfin l'ambiance reste cool. Je veux dire sympa… mais pas fraîche comme les bonbons à la menthe qu'achète Mamie. Je suis donc dans une famille qui, tout compte fait, me convient bien et ne me déçoit pas trop, qui reste ouverte aux changements, surtout aux miens.

---

9. J'ai même entendu dire qu'il y avait aussi des oasis relationnelles et un festival de la tendresse. Maman a réussi à y amener Papa, mais nous, on a préféré rester chez Mamie.
10. Film de Coline Serreau.

La vie ne s'annonce peut-être pas facile pour le siècle à venir mais pour l'année à finir, avant les vacances d'été, j'ai de bons pronostics. Boris, mon copain, me disait qu'enfant, vers sept ans, il n'y a donc pas si longtemps, quand il allait chercher le lait à la ferme voisine : « Il y avait des champs de vers luisants. Avec mon frère on les ramassait par poignées. La sensation dans la main était curieuse, ils étaient velus, pelus. Ma mère hurlait quand, de retour à la lumière, nous les montrions et qu'ils n'étaient plus qu'une poignée d'asticots... »

Je réalise que je vais avoir 15 ans cette année et que je n'ai jamais vu de vers luisants de ma vie. J'ai entendu Woody Allen à la télé. J'ai capté à toute vitesse, parce qu'il a 10 idées à la fois dans sa tête et que chacune veut éliminer sa plus proche voisine : « Eh bien moi, dans la rue, j'ai presque tout le temps envie de voir les femmes nues. J'imagine aussi comment ce serait de vivre avec elles... Je rencontre une femme, puis sa sœur, puis sa mère, et chaque fois j'ai les mêmes pensées. Avant, je me demandais si les autres avaient aussi ce genre d'idées. Et ils les ont ! Les statistiques montrent que les gens pensent au sexe toutes les 4 minutes, ça fait 15 fois par heure ! Alors je ne suis pas fou. En tout cas, pas le seul dingue dans cette vie. »

Voilà ce qu'il racontait, le père Woody ! J'espère cependant qu'en disant 15 fois dans l'heure, Woody Allen parlait d'une moyenne, parce qu'actuellement, dans mon cas et dans celui de la plupart de mes copains, ça doit être 20 à 30 fois par heure. Je me demande si cette proportion va aller en s'amplifiant. Dans cette hypothèse, je crains d'avoir du mal dans mes études l'an prochain ! Sur ces considérations d'une évidente banalité, je file chez un copain tester un nouveau jeu informatique.

La tendresse comme l'amour sont les seules choses au monde qui s'agrandissent en se partageant.

Julia vient de perdre son père. Elle est entrée d'un seul coup dans l'univers immense des orphelins du papa et toute une alchimie inattendue et singulière s'est réveillée pour elle. La mort d'un père chez une femme semble renvoyer fréquemment à ses amours adolescentes ou aux premières amours significatives de sa vie. Ainsi Julia, un mois après la mort de son père, a-t-elle ressenti le besoin d'écrire à Georges qui était avec elle, il y a plus de 18 ans, en terminale à Sainte-Affrique. Sa lettre retrace sa démarche et ses interrogations d'aujourd'hui.

J'en étais follement amoureuse. Il m'en a fait voir de toutes les cœurs (lapsus) couleurs. Il aurait dû être le premier homme avec qui j'aurais dû avoir une relation sexuelle. Mais cette rencontre-là n'a pas eu lieu parce que je l'avais entendu dire à une copine « qu'il n'aimait pas les vierges ». Alors j'ai fait l'amour pour la première fois avec un vieux, plus âgé que moi de 25 ans. Et depuis, je suis restée amoureuse de Georges. Le fait de lui écrire m'a permis de rompre avec mon ami actuel. Depuis la mort de mon père, je ne pouvais plus me laisser toucher par lui. Je ne sais pas comment est fait notre corps, mais il a une drôle de façon de s'exprimer dans les périodes cruciales de notre vie !

Deux jours après ma lettre, Georges m'a répondu, téléphoné, retéléphoné. Il est toujours célibataire, se souvient bien de moi et hop ! week-end ensemble. C'est le pied, je retrouve ma jeunesse, je plane. Moi, j'accroche à nouveau très fort avec lui, c'est un homme d'une incroyable douceur et j'ai beaucoup de plaisir avec lui. Il me réconcilie avec le sexe masculin. Notre relation aura duré six mois et demi. Depuis avril, plus de nouvelles. Il s'échappe, je le relance. Il m'accuse de lui prendre la tête, d'être têtue, trop sérieuse, de tout dramatiser, de ne pas savoir rire. Bref, avec moi, tout est trop grave, chiatique. Il prétend ne pas avoir besoin de vivre cette galère ! Il me proposait une relation de rencontres, de plaisir, pas une relation de continuité et d'asservissement. Il me l'avoue aujourd'hui : « Je n'étais pas dans le registre des sentiments avec toi mais dans un ressenti positif, dans le bon, dans le plaisir. Si la relation n'est plus possible sur ces bases, restons-en là. » Je tombe de haut. C'est vrai, quelques jours à peine après nos retrouvailles, j'avais rêvé de vivre avec lui mais sans le lui dire... d'avoir un enfant, de construire un projet de vie en commun...

Dans ma tête, je m'étais engagée, j'avais enfin trouvé un homme avec qui je pouvais concilier sentiments et relation durable ! Je me suis plantée une fois de plus.

Ainsi Julia, tout au long de sa lettre, me fait découvrir un des malentendus les plus banals de certaines histoires amoureuses : quand l'un vit la rencontre dans le domaine du ressenti et l'autre dans celui des sentiments.

L'un aime, veut s'engager, construire au-delà de la rencontre une relation de durée et l'autre se sent bien, il aime être aimé, il a du plaisir, il manifeste de l'intérêt, propose même des rencontres, mais n'inscrit rien dans le projet, dans la durée. Celui-là est dans le désir de la rencontre et de l'instant, l'autre dans la volonté ou le souhait d'une relation stable et continue.

Nous sentons bien, quand nous en parlons entre amies, que ce sont souvent les hommes qui ont du mal à s'engager. Et même quand ils s'y risquent, leur décision relève plus de la main-mise, de l'appropriation ou d'un forcing consenti que d'un véritable projet de vie à deux. Julia, comme la plupart d'entre nous, veut lier sentiments, désir et engage-

ment. Elle veut sortir des rencontres « où nous consommons une solitude à deux, croyant apaiser notre faim de sécurité ». Julia se rebelle, part
une fois de plus en guerre contre :

> Ces hommes qui ne savent pas imaginer un avenir à deux ! Je
> ne veux pas être condamnée à la répétition, à des relations de ren-
> contres qui n'apaisent jamais mes besoins de m'abandonner, mes
> projets de durée et de rêves partagés. Je ne veux pas blesser mes
> projets chaque fois à mes propres leurres. Avec Georges, je sens bien
> que j'ai tenté de réparer un rêve cassé à 18 ans. Plutôt que de me
> lancer dans une relation avec lui, j'aurais dû le laisser dans cet espace
> de ma vie et lui renvoyer simplement la phrase qui m'avait tant bles-
> sée : « Je ne fais pas l'amour avec des vierges. »
>
> Je crois que je vais m'offrir ce cadeau, lui dire que je le quitte,
> que je renonce à la relation, que c'est moi aujourd'hui qui le laisse.
> Non pas pour me venger, mais parce que j'ai enfin entendu tout
> ce que j'avais déposé chez cet homme ! Je veux lui montrer que
> j'ai un peu grandi, même si cela me coûte. Non pas pour le blesser,
> mais parce que j'ai entendu tout ce que j'avais déposé chez cet
> homme.

En envisageant cette démarche, il me semble que Julia se réappro-
prie la responsabilité de son existence. Dans les périodes de fragilisation
ou de réactivation de nos détresses anciennes, nous devenons incroyablement vulnérables, avec une sensibilité à fleur de peau offerte à la pré-
dation potentielle de l'autre. Nous nous engouffrons sous forme d'abandons passionnels dans un combat inégal avec toujours l'espoir secret
ou avoué d'en modifier l'issue.

Je pense aussi, et là je me réfère aux relations de ma vie avant
mariage, à ma quête d'amour, à mes faims de femme pour les hommes,
je pense qu'il est possible dans toute relation non seulement d'accueillir,
mais de garder le bon, le précieux, le doux, le tendre. D'engranger
justement l'intensité d'un instant, les vibrations, la lumière des
moments incertains du présent quand nous construisons l'éphémère
du bon.

Ce que j'apprends aussi, c'est à ne plus me perdre dans le faire. Dans la pleine conscience de l'être, j'expérimente le renoncement au faire.

Pendant toute mon enfance, je n'étais reconnue et acceptée que lorsque j'avais fait la preuve de…, que j'étais capable d'avoir fait, terminé quelque chose de montrable, de visible. J'étais une guerrière toujours en première ligne. Au catéchisme de mon enfance, le vicaire nous expliquait ce qu'il appelait la parabole de Marthe et de Marie. Marthe était toujours dans le faire, Marie dans l'être. J'étais une vraie Marthe avec tout un jeu pour obtenir l'attachement de l'autre. Pour Marie, c'était acquis, pas besoin de faire la preuve, elle obtenait par sa seule qualité d'être ! Moi j'étais la lettre C à la recherche d'une autre moitié pour faire un O parfait, complet, harmonieux. En seconde, j'avais développé toute une théorie sur la nécessité « du besoin vital de cette recherche d'un cercle complet ».

J'ai évolué depuis et je sais aujourd'hui, quand je suis centrée dans l'être, garder l'essentiel du meilleur surgi de l'imprévisible d'une rencontre, de l'inattendu ou du ponctuel d'une relation.

Je me découvre funambule des relations en tentant d'harmoniser trois types de relations qui semblent le plus souvent se repousser et se rejeter les unes les autres. Ces trois relations qui structurent toute ma vie sont fonctionnelles ou opérationnelles, interpersonnelles ou sociales, intrapersonnelles et intimes. Malheureusement, elles ne font pas très bon ménage et ne s'accordent pas souvent. Non qu'elles soient antagonistes, mais elles semblent s'éviter. Chacune réveille des points sensibles chez l'autre et comme une sorte d'incompatibilité d'humeur, cependant, elles sont interdépendantes les unes des autres.

Entre ces trois types de relations présentes au quotidien de mon existence, tout est sans cesse à réinventer. J'aimerais vraiment accéder à un peu plus d'harmonie entre elles. Cette soif d'harmonie me réveille, me stimule et me fait avancer.

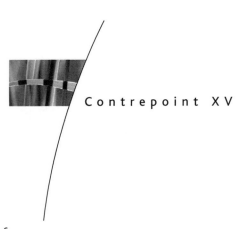

Contrepoint XV

Ô femme
Comment tiens-tu encore debout
Debout depuis l'éternité des larmes
Quand les hommes sont presque à genoux
Car nous sommes le sel et eux la Terre
Il nous reste des hommes à faire.

Chanté par Michel Fugain et le Trio Esperanza

Quand tu échanges un œuf contre un œuf, tu as toujours un œuf. Quand tu échanges une idée contre une autre idée, tu as deux idées. Quand tu échanges de l'énergie avec une autre énergie... tu crées de l'amour.

Établir des reliances semble être à certaines périodes de notre vie une activité à plein temps, tellement des liens surgissent parfois et tissent un aspect nouveau et inattendu de notre histoire. Sonia, en partageant avec nous ses dernières découvertes, nous a permis de progresser même si Jeannine, dans une ultime révolte, s'écria : « Vous appelez progresser ce que je nomme bousculer ! Moi, je n'avance pas dans ce groupe, je me sens effectivement bousculée, déséquilibrée, déstabilisée et le temps que je me redresse et que je retrouve un peu d'assurance et voilà que quelque chose survient qui me jette encore à terre ! » « Oui, pour l'instant c'est comme ça ! » J'ai l'air d'un vrai sage indien quand j'énonce cette réponse. C'est devenu un tic qui déclenche chaque fois des fous rires. « Oui, c'est comme ça pour l'instant ! » Jeannine menace de ne plus revenir, ronchonne qu'elle en a assez de se masturber l'affectivité et l'enfance pour en tirer de si maigres plaisirs. « C'est celui qui reçoit le message qui lui donne un sens ! Nul n'est plus sourd que celui qui entend ! Ce n'est pas tant le résultat qui est important, ce sont les découvertes faites sur le chemin ! » J'ai ainsi un stock d'aphorismes à l'emporte-pièce pour rebaliser nos errances et nos incertitudes. Jeannine est partie en claquant la porte. Ce que nous a dit Sonia cette fois-là la concernait certainement directement. Mais elle ne le découvrit sans doute que plus tard. Conclusion : « Nous sommes les forgerons impitoyables de nos propres chaînes et nous sommes d'habiles artisans. » Quant à moi, le récit de Louise m'a beaucoup éclairée.

Ma relation avec Adrien, mon fils aîné, est difficile. Quand il tape sur son frère, quand il mange comme un cochon, quand il joue dans la boue ou laisse ses affaires merdiques partout, il réveille en moi une violence inouïe. Violence que je dépose sur lui en étant ensuite catastrophée, malheureuse, coupable. Bref, vous connaissez le tableau. Je l'ai entendu 20 fois ici même. J'ai mis du temps à entendre que ma violence était bien en relation directe avec une blessure qui se réveillait et qui souffrait en moi.

Un après-midi où Adrien était à l'école, je me suis revue en 1969 à l'ouverture des écoles de filles et de garçons, au moment de l'instauration de la mixité. J'avais rapporté à la maison un formulaire que mes parents avaient signé. Un matin, le directeur de l'école des garçons était passé dans chaque classe de l'école primaire des filles, désignant quelques noms dont le mien. Et une petite troupe de filles, sans préparation, sans aucune explication, s'est dirigée vers l'école des garçons, croisant d'ailleurs sur son passage une petite troupe de garçons sélectionnés pour aller « chez les filles ». Je me suis retrouvée avec trois ou quatre autres petites filles, dans une classe à majorité de garçons, peut-être y en avait-il une vingtaine?

Les toilettes étaient devenues le lieu le plus angoissant de ce nouveau territoire de vie. Elles avaient été bricolées juste à côté de celles des garçons et souvent je me sentais menacée, épiée. Ma constipation date de cette période. J'entendais des rires de moquerie derrière la porte. J'ai le souvenir d'une grande solitude dans cette cour qui me paraissait immense et où les jeux des garçons ne me plaisaient pas.

Chaque fin de semaine nous écopions d'une frise de petits cochons à colorier, deux gros, deux petits. Un ou deux gros, pour les grosses bêtises, un ou deux petits pour les petites bêtises. Et puis il y a eu la fois de la fessée où je me suis retrouvée déculottée devant tous les garçons de la classe. Ce fut pire que la honte, un désespoir sans fond. Je ne comprenais pas pourquoi cette institutrice avait fait ça. Je devais être vraiment mauvaise. L'absurde, c'est que je retournais l'accusation contre moi. Je me souviens aussi du jour où la maîtresse étant malade, nous avons été répartis dans les autres classes, avec des plus grands.

Mon voisin, un grand CM1, m'avait demandé de plier le bras. Il s'était mis à rire avec tous les autres. J'ai entendu après que pour eux, c'était un jeu grivois. Ils imaginaient voir un sexe de petite fille dans la pliure du coude. Toute l'année, j'ai eu très peur de ce garçon qui me regardait toujours en riant.

À la rentrée suivante, je ne suis pas allée vers l'école de garçons, je suis entrée dans l'école des filles. Après l'appel, il ne restait que moi dans la cour, mais rien au monde ne m'aurait fait retourner à l'école des garçons. J'avais appréhendé cette perspective durant toutes les vacances d'été. Ma mère a été convoquée par la directrice et je suis restée en CE2 chez les filles. C'est l'année où je me sentais bien, apaisée, un peu réconciliée avec moi. J'ai eu le droit d'écrire avec un stylo-plume et non avec un porte-plume ! J'ai reçu plein de billets d'honneur pour ma propreté et ma jolie écriture d'alors. Dans cette classe où il n'y avait que 5 garçons pour 20 filles, je me sentais bien.

J'ai retrouvé dans un vieux cahier le nom de la maîtresse du CE1, celle de la fessée devant tout le monde. J'ai fait un paquet, j'ai mis une cassette sur laquelle j'ai enregistré un rire narquois, celui de mon fils Adrien quand je lui adressais des remarques sur sa tenue. C'est le symbole de la violence que m'a faite le garçon en riant de mon coude plié. J'ai réalisé en pâte à modeler une main, celle de la maîtresse « sadique ». J'ai envoyé le tout avec un mot d'accompagnement. Quelle libération pour moi ! J'ai pu aussi parler à mes parents de leur silence par rapport au changement d'école.

Depuis que j'ai pris cette décision, il y a une force et une énergie extraordinaires en moi. Le comportement d'Adrien a aussi totalement changé. Il cligne de l'œil chaque fois qu'il amorce un geste ou un comportement qui autrefois m'aurait fait hurler, comme s'il voulait me rappeler que tout cela est un jeu. Ce qui m'interroge le plus, c'est la puissance des langages infraverbaux. Faut-il que notre corps ait engrangé et gardé si clairement en lui la trace des violences de l'enfance pour qu'elles soient entendues des dizaines d'années plus tard par nos propres enfants qui, à la fois, les remettent à jour et les dénoncent.

Ainsi, chacun est porteur du reliquat, des comptes affectifs, chacun est marqué par les traces inaltérables d'une infinitude de petits faits accrochés à la vie familiale, à la vie scolaire, à celle du quartier ou du village. Ce que vous appelez dans vos livres les blessures primaires à base d'injustice, d'humiliation et d'impuissance, me semblent les plus présentes et les plus souvent réactivées.

Je peux imaginer chaque enfant tel un infirme tentant de se déplacer, de courir, de jouer, de grandir, d'apprendre à entrer dans la vie avec une sorte de déambulateur à trois pieds : le premier pour l'injustice, le deuxième pour l'humiliation, le troisième pour l'impuissance. À quel âge, à quelle période de sa vie chacun d'entre nous peut-il marcher, vivre, aimer et créer sans ce déambulateur ?

Nous en avons parlé tout un week-end avec les enfants. Ce fut l'occasion de beaucoup d'associations et de rapprochements chez chacun.

Ainsi les impacts lointains ou précoces de notre histoire nous rattrapent, nous sautent à la gorge, nous étranglent jusqu'à ce que raison leur soit rendue. Nathalie, qui a beaucoup lu, beaucoup cherché dans son passé et un peu découvert, nous le confirme.

Je découvre à 34 ans ma peur d'aimer. Je veux dire que je l'entends mieux, que je la reconnais comme puissante et active en moi. C'est ma grand-mère qui m'a raconté dernièrement comment ma mère m'avait confiée à sa garde à l'âge de six mois « juste après le sevrage ».

Quand elle m'a reprise deux ans plus tard, elle était enceinte de trois mois de mon frère. Elle s'est approchée, m'a souri et m'a annoncé tout attendrie : « Je suis ta maman, je viens te reprendre. »

Je lui ai tourné le dos. Ma grand-mère m'a confirmé : « À ce moment-là, j'ai senti que quelque chose était cassé entre elle et toi. C'est à partir de là aussi que tu as commencé à me rejeter, à ne plus accepter mes marques d'amour. Je crois que tu m'en as voulu de t'avoir redonnée à ta mère. Tu t'étais attachée à moi et à mon tour je te laissais enlever par elle. »

J'ai pu dire à ma grand-mère comment j'avais survécu en n'accordant plus aucune confiance en l'amour. J'étais convaincue qu'être aimée était trop dangereux et que l'on risquait d'être ensuite abandonnée, et c'est trop souffrant. Plus tard je me suis construit une fiction protectrice : mes parents m'avaient certainement trouvée, adoptée, c'est pour cela qu'ils ne m'aimaient pas vraiment, ni ma mère ni ma grand-mère. « Ils devaient faire semblant. » J'ai traversé toute mon enfance avec cette croyance !

Nathalie rejoint par ses choix et ses croyances le clan des adeptes de la politique du pire, que nous rencontrons parfois autour de nous. Dans le contrat d'assurance-vie qu'ils ont conclu avec eux-mêmes, ils ont opté pour le scénario « fatalisme », avec pour devise : « Ça risque d'arriver, ça va finir par arriver un jour, alors autant que ce soit tout de suite et que j'en décide moi-même l'heure. » Il leur appartient de pouvoir un jour résilier ce contrat passé avec eux-mêmes des années plus tôt, en s'adressant au petit garçon ou à la petite fille qu'ils ont été. C'est une des formes de ce que vous appelez « l'actualisation[11] ».

Je trouve ce travail sur les reliances remarquable et riche. Il nous permet d'entendre le sens de certains comportements inadaptés que nous ne pouvons pas nous empêcher de produire. Il donne des clés pour ne plus entretenir les répétitions, pour ne plus cultiver l'autoprivation ou l'autoviolence.

---

11. Voir Salomé, J., *Pour ne plus vivre sur la planète Taire*, Paris, Albin Michel, 1997.

Nous sommes les héritiers d'une culture et d'une idéologie fondées sur le positivisme. Dans ce contexte, il reste peu de place dans nos consciences individuelles et collectives pour l'approfondissement d'une recherche personnelle. Peu de place pour le travail de la mémoire, pour l'élaboration du deuil et l'œuvre de transformation des forces du négatif et de l'ombre en énergies de lumière et de création.

Nous avons opté pour des stratégies à court terme et à courte vue (vie!): soumission, devoir, oubli, excuses, pardon, absolution sont autant de planches de salut attrapées au vol par un besoin de tranquillité immédiate manifesté par nos bonnes consciences soucieuses, par-dessus le marché, de rallier le plus grand nombre de voix. Ces violences et ces situations inachevées du passé ne sont pas imprescriptibles. Elles ne sont pas amnésiées ni amnistiées par le seul fait d'être passées. Notre histoire nous en demande compte.

Il serait tellement plus souhaitable à la communauté de pouvoir s'ouvrir aux arcanes de l'archéologie personnelle et familiale... De s'intéresser aux contes et aux croyances de compensation mis en place par les uns et par les autres. Tellement plus sain de se respecter en apprenant à remettre chez l'autre tout ce qui nous a fait violence, venant de lui.

Le travail sur les reliances et les symbolisations me semble être la clé de voûte de tout changement personnel.

La foi est quelque chose de plus profond, de plus essentiel que la croyance.

Ah ! j'en entends de belles sur vous. Un ami universitaire, qui vous aime bien d'ailleurs, même s'il trouve que votre vulgarisation devrait être plus approfondie, a entendu dans une Commission Vie Scolaire, au ministère de l'Éducation nationale, une « diatribe contre ce gourou, ce nouveau pape de la communication (oui, oui, authentique !) qui remplit des salles de 2000 places, qui se prend pour un Freud au petit pied ou une nouvelle Dolto ! ». Cet ami m'a quand même alertée en ajoutant que vous devriez vous méfier des médisants. Le succès et la popularité sont souvent suspects en France et peuvent déclencher des haines féroces. Les cabales sont toujours d'actualité en cette fin du XXᵉ siècle : « Avec la sensibilité un peu paranoïde qui règne autour des sectes, il devrait être vigilant sur les amalgames qui sont faits autour de son nom, y compris avec des relents d'antisémitisme », a-t-il suggéré délicatement. Je vous sais assez grand pour faire face à toutes ces réactions, mais je crois que votre grande utopie d'un enseignement de la communication à l'école reste une utopie ! Vos projets de vidéo et de méthodologie transmissible risquent d'apparaître comme l'équivalent de « dangereuses tentatives de perversion » pour les protecteurs patentés de nos chères têtes blondes !

Et puis, et puis il faut peut-être le dire, dans aucun pays au monde on n'enseigne la communication à l'école. Ce ne peut être l'effet du hasard ! Le jour où on enseignera à se dire, à être entendu, à mettre en commun les ressources et les possibles de chacun, on initiera alors à la vie des citoyens responsables. Or un citoyen nouveau, engagé et conscient, rien de plus dangereux pour un homme politique ! En attendant, j'échange avec cet ami universitaire le temps d'un week-end, et Laurent me soutient.

Edgar est biologiste, il s'intéresse à l'éducation, à la pédagogie, il considère la communication comme un outil, comme une fonction. L'accolement des termes sciences et humaines lui paraît inadéquat, inapproprié et, pour tout dire, inadapté, voire incongru. Cela constitue pour lui un contresens ou une hérésie. Je reconnais bien là l'exemple type de l'ardent défenseur des sciences dites « pures » telles que les mathématiques ou la physique, par opposition aux sciences « molles » que sont les sciences humaines, dans la mesure où leur sujet d'étude et d'observation ne porte pas sur des faits reproductibles mais sur une complexité plus imprévisible et plus irrationnelle.

Edgar se situe dans la droite ligne de la pensée universitaire. Fidèle à sa formation initiale ? à l'institution fondatrice ? à ses maîtres ? Fidèle à quoi et à qui encore pour résister autant ? Pour tout dire, ce qu'il préfère chez vous, ce sont vos poèmes. Nous sommes bien loin de la méthode avec lui ! Il prétend que de vouloir proposer un apprentissage de la communication est très dangereux : pensée unique, expression conformiste, fixations sur le bien faire, nivellement de la pensée, tels sont ses arguments critiques. Je tente de lui rétorquer que vous apportez des balises, des points de repère stables susceptibles de nous aider à mieux aller vers l'autre ou à mieux le recevoir. Je m'évertue à lui répéter que loin de définir un modèle de communication, votre approche se contente de proposer des outils que chacun peut utiliser à son niveau, à sa façon et à son rythme, en développant sa responsabilité et son autonomie... mais rien n'y fait. Edgar est tenace quant à ses positions.

Peut-être d'ailleurs que le terme de « méthode » prête le flanc aux attaques et aux invectives dont vous faites parfois l'objet, compte tenu de la connotation directe au « comportementalisme » qui peut lui être attribuée dans certains milieux comme l'université et les chapelles thérapeutiques. Le risque est toujours d'être entendu par l'autre dans le registre de valeur qui est le sien, dans le système prédominant qui lui sert de référence.

J'établis un parallèle entre les règles du Code de la route qu'il est nécessaire d'apprendre et d'accepter pour pouvoir circuler sans danger sur les routes et les règles d'hygiène relationnelle de base auxquelles il serait souhaitable de pouvoir se référer pour échanger avec son semblable ou avec l'autre, dans sa différence.

Je n'ai pas le sentiment que vos idées passent. Je sens Edgar sincère, curieux, ouvert, mais peu sensible à cette dimension. Ce niveau de réalité ne fait pas partie de ses préoccupations, encore moins de ses priorités. Il me parle de la lutte contre le racisme, contre la pédophilie, contre l'analphabétisme ou encore des mesures à prendre avec les jeunes pour éradiquer la drogue, la violence dans les quartiers, l'absentéisme scolaire, sans entendre tout à fait qu'il y a un lien direct entre ces phénomènes et les carences en matière de communication intra et interpersonnelle.

Je me rends compte de l'immense effort qui est accompli en aval de l'apparition des problèmes, et de l'aveuglement ou de la surdité pour tout ce qui serait à entreprendre en amont, pour ce qui toucherait à une prévention élémentaire de base : apprendre à communiquer autrement, différemment, accepter de renoncer aux modèles dominants dans la vie familiale ou à l'école pour oser d'autres modèles, d'autres références. Je lui parle de nous, de l'évolution de ma relation avec Laurent, avec mes enfants, du groupe du mardi, des témoignages que je reçois. Il ne croit pas notre expérience transposable, elle lui apparaît intéressante mais non transmissible. Grâce à Edgar, j'ai une petite idée des résistances institutionnelles inscrites dans les structures mentales de ceux qui occupent des positions de savoir et de savoir-faire. Découvrir et témoigner ne suffit pas. Tout se passe comme si les prises de conscience et les pratiques de changement qui peuvent en découler se heurtaient à une glace invisible, à un seuil. Tant que le seuil critique n'est pas atteint, le changement personnel ne provoque pas un changement institutionnel.

Je touche aux limites de votre approche. La méthode ESPERE irriguera peut-être quelques individus, elle ne sécrétera pas de changements sociaux visibles. Et je ne vois pas comment peut s'effectuer le passage ou le glissement de l'individuel au collectif.

Je sais bien que je joue l'avocat du diable, que mon désir profond serait au contraire que se développe une sensibilisation, une mise en pratique possible autour de votre approche, voire qu'une analyse critique soit initiée par des chercheurs pour en baliser les contours et ouvrir sur une confrontation.

Tout ce que je viens d'écrire, c'est ce qui se passe en moi quand je me laisse aller à rêver, pour le plaisir de la discussion aussi. Je ne désespère pas totalement d'Edgar. Pour l'instant je suis reprise par l'urgence fatidique du quotidien : s'accrocher, persévérer, garder cohérence et rigueur avec mes proches, avec ceux qui ensoleillent ma vie.

S'il arrive à l'espoir d'être aléatoire, l'espérance, elle,
est certitude.

J'ai déjà parlé de vos aphorismes. J'ai aussi en tête vos jeux sur les mots : « mal à dire » pour « maladie », « soi-niant » ou « soi-nié » pour « soignant » ou « soigné », un « être chair » pour « être cher » ou encore « en saignant » pour « enseignant », le « ressenti ment » pour le « ressentiment ». Et aussi « penser » que vous écrivez avec un « a » et qui devient « panser ».

« Jeux de mots faciles », ironisent certains, douteux prétendent d'autres, contestables surtout pour les puristes, sous prétexte que ces analogies ne sont pas reproductibles dans d'autres langues, qu'elles ne sont pas universelles. « Qu'est-ce que ça peut bien donner "soi-niant" en anglais, en espagnol ou en javanais ? »

À moi, ces jeux de mots me parlent, ils s'adressent à mon inconscient. Au-delà du simple mot d'esprit, j'entends bien l'esprit du mot ou son sens profond. Toutes ces expressions font partie d'un tout, elles forment un ensemble que je perçois cohérent avec vos outils, vos repères, vos propositions et vos positionnements. Au-delà des difficultés que je peux rencontrer dans la mise en pratique de la méthode ESPERE, quand je tombe sur un os (en moi), j'ai maintenant accumulé suffisamment d'expériences personnelles et recueilli suffisamment de témoignages pour être convaincue de tout ce que cette pratique d'une communication relationnelle au quotidien peut changer et pour être lucide en même temps sur sa spécificité et sur les résistances qu'elle suscite inévitablement. Je me souviens toujours à ce propos de cette phrase entendue un jour dans la bouche d'un formateur, à peu près dans ces termes : « Les résistances, c'est une question de mécanique : dès lors qu'une force se déploie, une contre-force se met en branle. C'est vrai en physique, en politique ou ailleurs. » Alors si c'est un phénomène naturel...

Quand il m'arrive de vous entendre à la radio, comme cette semaine, ou encore à la télévision, je perçois bien l'originalité de votre approche, la tonalité différente du propos. Quand je vous entends répondre à un journaliste, c'est comme si je vous voyais installé dans un autre point de vue, totalement différent de celui de tous les lieux communs en matière de relation. En dehors des sentiers battus du système SAPPE en quelque sorte. J'imagine que vous avez fait un pas de côté. Là où vous êtes, à partir de vos références (j'imagine toujours), vous voyez la perspective des habitudes, des pratiques et des enjeux relationnels courants sous un angle différent. Sans entrer dans la guerre ni dans la danse, sans vous laisser entraîner ni dans les pièges de l'affrontement ni dans les leurres de l'idéalisation, je vous vois déjouer les malentendus fréquents de la communication. Vous nous adressez un message d'espoir tout en restant pragmatique. Je vous entends nous proposer des outils, des références, du matériel et des briques, des petits cailloux, des cordes ou des élastiques, des mousquetons, des voiles, des parachutes, de bons freins ou je ne sais quel autre accessoire, au cas où nous serions tentés d'introduire quelques règles d'hygiène relationnelle dans notre vie ou intéressés par la pratique au quotidien de ce sport à risque qu'est parfois la méthode ESPERE...

Autant je peux avoir parfois le sentiment de ramer contre des pesanteurs, autant d'autres fois j'ai l'impression de n'avoir plus qu'à cueillir les fruits de ce que j'ai semé. Que ce soit quand j'entends quelqu'un s'exprimer dans le langage de la vérité ou de l'authenticité qui est celle du parler « je », du parler « du ressenti » et « du retentissement », ou que ce soit quand je reçois un message de confirmation de la part d'un ami ou d'un collègue. Ou quand je croise le regard pétillant et complice d'un enfant que j'ai pu écouter et entendre dans ses questions ou dans ses peurs. Ce sont mes trésors d'expériences ESPERENCIELLES. Ce simple mot d'Hélène ce matin, par exemple : « Je veux te dire merci de ce que tu m'as donné de toi à travers nos échanges qui, chaque fois, m'ont beaucoup apporté. J'apprécie ta façon de comprendre ce que je sens et ce que je vis, sans me questionner. Tes mots, les textes que tu m'as offerts m'ont beaucoup enrichie et éclairée pour avancer sur mon chemin. » Et aussi ce positionnement de Régine, qui fait le nettoyage de printemps dans ses relations. Elle est divorcée et mère d'une adorable petite Marion, six ans. Une enfant qui a compris les principes de la méthode ESPERE depuis longtemps et qui spontanément pose à sa mère des questions du genre « C'est qui ON ? » Quand celle-ci utilise le langage des généralités, la petite fait des remarques comme : « Maman, c'est agaçant, tu parles toujours sur moi ! »

Régine a un petit ami, un collègue de travail. Elle l'invitait jusque-là en cachette de peur que son père et sa sœur, qui habitent à côté et qui gardent sa fille, ne lui adressent des reproches. Depuis, elle a osé dire à son père : « C'est vrai, je m'envoie en l'air avec Patrick même si je sais en même temps que je ne ferai pas ma vie avec lui. Mais c'est comme ça pour l'instant… » Et elle reçoit maintenant cet homme chez elle, en plein jour. Son père n'a rien trouvé à redire et a changé son attitude vis-à-vis d'elle, comme s'il la respectait plus en tant que femme ! L'autonomie sexuelle ne doit pas être confondue avec la libération sexuelle !

C'est vrai que j'ai pris l'habitude d'envoyer de petits textes photocopiés dans vos livres et vos articles, ou de les distribuer pour prolonger un échange, illustrer un propos, proposer une stimulation. C'est ma façon à moi de semer des graines. J'en affiche aussi chez moi, dans les toilettes en particulier, endroit propice à la lecture comme chacun sait, et je m'en entends souvent réclamer copie. « Le texte pour être un bon compagnon pour soi, tu pourrais m'en faire une photocopie ? »

Je me souviens de cette jeune femme venue quelque temps dans le groupe. Elle avait justement affiché ce texte dans la chambre à coucher conjugale. Le verdict de son mari, quand il l'a lu : « C'est la charte du parfait égoïste », et sa déception, elle qui espérait qu'il serait rejoint par ces mots, enthousiaste, comme elle l'avait été, elle… Il m'est arrivé de retrouver ma belle-sœur en pleurs, dans son bureau, devant le texte « Les mamans et les mères ». « J'y arriverai jamais à être une mère, je sais jamais dire non à mes enfants… » se désespérait-elle entre deux sanglots.

«Mais pourquoi n'apprenons-nous pas cela à l'école ou ailleurs ?» se révoltait-elle !

J'ai constitué une bibliographie de vos livres, ils y sont regroupés par thèmes. Je dois la réactualiser souvent, une page ne suffit plus. C'est que vous écrivez tellement… Je la distribue régulièrement. Je le sais, ce sont souvent les femmes qui achètent vos ouvrages et qui les laissent bien en vue avec l'espoir secret que leur mari ou leur compagnon y jettera plus qu'un œil… Mais je connais aussi des hommes qui les offrent à leur amie ou à leur femme, à leur fille. Des hommes soucieux de développer une qualité de relation, et à des hommes capables d'accepter leur féminitude, de descendre dans leurs émotions. Ils existent, j'en ai rencontré. Certains m'avouent prendre des claques à chacune des pages de vos livres sur le couple, «mais des claques tellement salutaires» !

Il m'est aussi arrivé de trouver un de vos livres, dédicacé, dans une foire à la brocante. Il est vrai que c'était *Parle-moi… j'ai des choses à te dire*, paru il y a quelques années déjà… Il a eu le temps, dans sa vie de livre, de connaître quelques déménagements, quelques rangements de greniers ou de caves… Quelques ventes de maisons ou d'appartements… Les couples se séparent si souvent de nos jours, c'est l'occasion de plus de remue-ménage qu'autrefois, les livres en savent sûrement quelque chose ! Les espaces se réduisent avec le changement de situation et de standing, les bibliothèques aussi… Parfois, c'est le choix de se dépouiller du superflu… Ce livre-là, *Parle-moi…*, c'est celui que j'ai lu en premier. Celui qui m'a permis de vous connaître et d'avancer dans quelques-unes des directions que vous proposez.

Me revient aussi en cet instant le souvenir de cet homme, au début du groupe. Il était venu quelquefois, avait emprunté un livre… Ses intentions et ses attentes à participer à ce groupe, constitué essentiellement de femmes, ne tournaient pas qu'autour de la communication. Il ne disait pas à sa compagne qu'il participait à ce groupe de parole, aussi lui a-t-il raconté qu'il avait emprunté ce livre à la bibliothèque. Comme mon nom y figurait en première page ainsi qu'une phrase que vous m'aviez dédicacée lors d'une des premières conférences à laquelle j'avais assisté, il l'a carrément arrachée, proprement certes, mais arrachée… et il me l'a annoncé sans gêne en me le rendant. En plus, il avait souligné les passages qui lui correspondaient ou qui l'avaient touché, pour pouvoir en parler avec moi… J'étais verte, sidérée. J'ai pu lui dire comment j'ai vécu son geste et je n'ai plus prêté de livre auquel je tiens. Il est vrai que c'est bien moi qui avais accepté de le lui prêter, naïvement, dans mon enthousiasme à croire que le monde pouvait changer en cette fin de siècle. C'est bien moi qui avais pris ce risque. Nous avons depuis instauré un petit service de prêt de livres et de cassettes que nous faisons circuler entre nous, moyennant participation financière ne serait-ce que symbolique.

Semer de la graine est à la fois fabuleux et tellement frustrant, car le plus souvent, nous ne savons pas si elle germera, si elle portera des fruits. Semer de la graine pour de meilleures relations humaines est une sorte de sacerdoce en aveugle.

L'amour navigue au plus près entre dépendance et attachement, au plus loin entre liberté et solitude.

Hélène, maman gâteau, m'écrit sur « ses émerveillements relationnels », comme elle les nomme.

Tout d'abord, je voudrais témoigner de tout le merveilleux offert à leurs parents par les enfants. Un soir, ma fille Sarah, huit ans, faisait sa lecture. Elle avait cinq histoires de sorcières à lire. À un moment, elle a lu le mot grimoire qui a déclenché chez elle une immense peur. Elle s'est mise à fermer toutes les portes de la maison et à s'agiter, ne voulant pas continuer sa lecture.

Ma première réaction non exprimée a été « je vais être obligée de la prendre toute la nuit dans mon lit ». C'était pas la joie. Et puis aussitôt un « tilt relationnel ». Je prends ma fille sur mes genoux et lui propose de symboliser la peur que génère le mot grimoire en elle, par un objet de son choix et d'enfermer, si elle le souhaite, cet objet symbolique dans un placard, afin d'extérioriser cette peur. Après une première réaction de refus, Sarah a choisi un objet, et pas n'importe lequel... le vieux *Larousse médical* de ma mère, et l'a enfermé dans un placard, le plaçant sur la dernière étagère et le recouvrant soigneusement de vieux papiers. « Je n'ai plus peur », me dit-elle, et elle a pu tranquillement terminer sa lecture. Sarah a dormi ce soir-là dans sa chambre, sans manifester la moindre angoisse.

Le lendemain, poursuivant sa lecture, elle me dit : « Aujour-d'hui, je n'ai pas peur du tout. » Et moi de lui répondre, « c'est vrai qu'il y a des jours où l'on a peur et d'autres non ». « Mais non, Maman, me dit-elle d'un ton exaspéré, ma peur, elle est dans le placard ! » J'ai trouvé cette dernière réflexion vraiment mer-veilleuse, car elle me rappelait à l'ordre dans ma cohérence. Merci Sarah.

Le *Larousse médical* de ma mère représente toutes les peurs de mon enfance. Au moindre rhume, bobo ou hausse de tempé-rature, ma mère le prenait, s'asseyait à la table de la cuisine, com-pulsait la table des matières et le glossaire, puis nous adminis-trait lavements, ventouses, badigeonnage de la gorge avec du bleu de méthylène qui nous brûlait toute la bouche jusqu'au fond de l'estomac.

Pour poursuivre, j'ai le désir de témoigner d'une tranche de vie.

Il y a 14 ans de cela environ, je me suis fait enlever trois grains de beauté sous la pression de ma mère : « Ça peut devenir cancé-reux... » Depuis ma seconde grossesse, j'ai commencé à sentir la présence d'un de ces grains de beauté comme les gens qui ont un membre fantôme. J'avais aussi depuis plusieurs années de gros caillots pendant mes règles qui, pensais-je alors, étaient dus au stérilet. Le stérilet enlevé, les caillots ont persisté. J'ai eu alors l'occasion d'écouter une conférence À corps et à cris, et j'ai réalisé que j'avais encore un lien avec le grain de beauté enlevé, que j'aimais jouer avec lui, le tripoter. À cette période, je mélangeais beaucoup de démarches, je faisais aussi des stages de magnétisme, pensant que c'était une voie possible. On nous avait demandé de magnétiser un morceau de viande. Une nuit, vers deux heures du matin, je me suis dit « ce morceau de viande, c'est mon grain de beauté » (symbolisation inconsciente ?). J'ai magnétisé ce morceau de viande en me disant que ce faisant, je soignais le lien que j'avais avec ce grain de beauté. Résultat, mes caillots ont diminué et je n'ai plus senti ce grain de beauté qui a en quelque sorte repris sa place.

Un après-midi, au cours d'un stage sur le thème « Écouter les enfants, c'est être aussi à l'écoute de l'enfant en nous », après avoir entendu beaucoup de témoignages, j'ai senti à nouveau la présence de ce grain de beauté, plus fort que jamais. En fait, je le sentais plein de douleur, prêt à exploser. J'ai passé la nuit avec évidemment beaucoup de questionnements. Mon père avait le même grain de beauté, « sa marque de fabrique », comme disait ma mère. J'ai entendu que j'étais bien la fille de mon père. Je me suis alors proposé une démarche : dire à mon père que je le reconnaissais comme mon père, même si cela ne faisait pas plaisir à ma mère.

Curieusement, j'ai associé ma fille à mon problème à la hanche gauche. Dans ma famille, beaucoup de pères ne sont pas les géniteurs, car il y a beaucoup de pères inconnus. Ma fille a huit ans et ne connaît pas du tout son géniteur. Ma mère a un problème à la hanche gauche et un fibrome, ma sœur a aussi des problèmes de hanche et le ventre couvert de cicatrices. Quant à moi, en plus du problème de hanche, j'ai un utérus fibromateux.

Tous ces morceaux de puzzle, avec l'amplification de ma douleur durant tout le stage, j'avais décidé de voir mon père et de lui parler. Trois mois se sont écoulés avant que je ne puisse faire ma démarche. Durant ces trois mois j'ai bien sûr beaucoup réfléchi à tout ce que je découvrais.

J'ai donc fait la démarche auprès de mon père et quand je lui ai dit que je le reconnaissais comme mon père, j'ai alors senti une petite fille sortir de moi, toute légère, bondissant, riant, gesticulant et criant au monde entier : « Je suis la fille de mon papa, je suis la fille de mon papa. » Le bonheur. Le même week-end, j'ai dit à ma fille que j'étais enfin en mesure de l'accompagner vers son père, comme elle m'en avait plusieurs fois fait la demande. La semaine suivante, j'ai perdu plusieurs kilos et le week-end qui a suivi, ma fille de huit ans est allée à la rencontre de son père.

À ce jour, ma hanche ne me fait plus souffrir et mes règles sont redevenues normales. Voilà l'histoire d'un grain de beauté qui avait beaucoup à dire.

Merci à toutes de m'avoir aidée à l'entendre. Je vais vous étonner encore, même si tout cela paraît un peu fou. Aujourd'hui, même mon chien me parle ! En effet, après la naissance de ma fille Sarah, j'avais le désir d'un troisième enfant, mais, sortant d'un divorce, seule avec mes deux enfants, j'ai fait comme si je devais oublier ce désir. Il y a deux ans et demi, j'ai pris une chienne et je disais à mes copines : « Quand me prend l'envie d'un troisième enfant, j'adopte un chien, c'est parfait. » J'avais bien symbolisé mon désir d'un troisième enfant par cette chienne. Cela paraît banal mais là où ça « parle plus loin », c'est que j'ai appelé cette chienne Sally. Et « ça, m'avait dit mon neveu, c'est un nom sale ». Et si Sally symbolisait aussi un désir d'enfant qui a été sali ! J'ai poussé plus loin mon écoute, j'ai fait un lien entre ma fille Sarah et ma chienne Sally. La similitude des prénoms et le fait qu'il m'arrive de les intervertir m'a fait entendre que quelque part Sarah est salie !

Par quoi ma fille et mon désir d'enfant sont-ils ainsi salis ? Pendant ma grossesse de Sarah, j'étais en plein divorce et mon beau-frère, avec qui je travaillais alors, s'est montré d'une grande méchanceté à mon égard et avait notamment dit que je « faisais des enfants pour les pensions alimentaires et que j'avais soi-disant dit que j'allais en faire quatre pour vivre de ces pensions et m'arrêter ainsi de travailler ». Je m'étais sentie salie, oui, humiliée, que l'on puisse me prêter de telles pensées.

Voilà, à mon sens aujourd'hui, d'où vient cette salissure et je vais donc faire une démarche symbolique pour restituer à mon beau-frère la violence, la salissure déposée chez moi par sa remarque.

Merci encore de l'aide que vous m'avez apportée pour toutes ces découvertes. Aujourd'hui, j'entends beaucoup de choses tels des morceaux de puzzle qui s'emboîtent et trouvent enfin leur place.

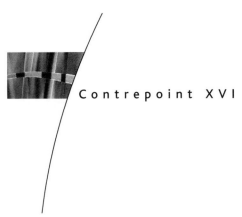

Contrepoint XVI

L'année scolaire se termine. Pour la première fois dans notre famille, nous avons des projets de vacances éclatées. C'est curieux, ça fonctionne pas mal entre nous et cependant nous allons nous séparer pour vivre des rêves différents. C'est peut-être parce qu'il y a actuellement une sécurité suffisante entre nous, nous n'avons pas peur de nous perdre.

Lucie envisage d'aller en Irlande avec Georges, son copain de cœur. Je l'ai entendue parler pilule avec Maman. C'est dur à avaler pour Maman, malgré son libéralisme. « Et avec Adrien (le toujours actuel copain de cœur de Lucie), comment tu fais ? » ne peut-elle s'empêcher de lancer. Lucie refuse de parler d'Adrien. « Ce n'est pas pareil, tu mélanges tout… » À mon avis elle le tient en réserve, elle sait qu'il est fidèle, qu'il ne la lâchera pas, qu'il souffrira en silence des silences et de l'absence de Lucie. Adrien est musicien, il fait des chansons pour ma sœur. Il se meurt d'amour pour une qui se meurt d'amour pour un autre… Les amours gigognes qui s'emboîtent bien sûr, mais pas toujours tournées dans le bon sens !

Simon part au Québec, chez son correspondant de Chicoutimi. Depuis plusieurs semaines il « pense indien ». « D'ailleurs, dit-il, avec la gueule de Papa, je suis sûr qu'il y a du sang indien dans la famille, je vais remonter aux sources ! »

Moi je vais en Corse sur un voilier. Rien de spécial à ajouter, sinon que j'ai envie d'apprendre à barrer un bateau. C'est comme si j'accédais à plus de liberté de savoir cela !

Maman part au Ladakh, à Leh, aux confins du Jammu and Kasmir. On a tous regardé sur la carte où pouvait se trouver le monastère de Ringdom, où sévit le moine Tsewang Jiorgas. C'est lui que Maman veut rencontrer et pas un autre. « Non, non, ce n'est pas un gourou, se défend-elle, je veux seulement me recentrer, écouter un peu plus de silence en moi. Je suis sûr qu'il peut m'aider... »

Papa c'est au Japon qu'il a choisi d'aller. « Je vais faire une cure de beauté. » Lui aussi il veut boire à la source des jardins et des monastères zen. Maman et lui doivent quand même se retrouver pour un « tout petit séjour en Chine ». « On ne sera pas loin l'un de l'autre, a-t-elle commenté, cette année nous avons misé sur l'incertitude de l'étonnement. »

Ainsi tout se passe comme si nous avions besoin les uns et les autres de nous séparer pour mieux nous retrouver. « Plus une relation est vivante, plus il faut un espace de beauté pour la nourrir », dit Maman.

La beauté, chacun d'entre nous semble la chercher au plus loin de notre cadre de vie.

Ce sont les petits bonheurs fragiles du quotidien qui espèrent le plus d'être accueillis pour s'amplifier loin dans la vie de chacun.

Je fourmille de projets de pages à écrire. J'ai les idées et les pensées en ébullition. Je me suis familiarisée avec l'écriture tout au long de ces derniers mois. J'y ai pris goût et y ai découvert un vrai plaisir. Vieille aspiration qui remonte à mes années de collège. Je conjugue l'écriture, cette forme solitaire de l'expression, avec le plaisir de construire un partage, l'écriture comme un lieu intermédiaire entre mon vécu et ma rencontre avec l'autre, lieu d'approfondissement, de ressourcement et de recentration sur moi après le temps que je consacre à l'écoute des autres.

Je ne vais pas cesser d'écrire mais m'orienter vers une forme plus secrète de l'écriture, vers un style plus intimiste et impressionniste, tourné vers ce que je perçois comme valeurs essentielles et prioritaires aujourd'hui. C'est-à-dire une forme d'écoute de moi qui entretienne et énergétise suffisamment ma vie en la maintenant à un seuil d'acceptation tolérable, conforme à mes exigences intérieures. Une forme de relation avec moi-même qui contribue à m'unifier et à me maintenir dans mon axe et dans ma verticalité.

Jusqu'à maintenant, il m'a semblé que l'écoute des autres me permettait de mieux m'entendre, moi. Je sens que ma propre recherche archéologique a besoin de s'affiner et de s'affirmer, mais elle ne constitue pas un but en soi, seulement un moyen.

Mes engagements de vie envers mes enfants, mon mari, ma famille et mon entourage proche demeurent ma finalité pour l'instant. Ils balisent mes journées au présent et anticipent mon futur proche.

Je me suis battue avec le temps à l'intérieur d'un territoire réduit, ma maison, mon quartier, un peu de la ville. Je sens des espaces plus vastes s'ouvrir.

Je sais que je ne vais pas changer le monde, mais que je peux enrichir un peu le terreau de mon coin de vie.

Pour la plupart des gens autour de moi, la réalité est épouvantable. C'est la grogne, les plaintes, les accusations. Je n'entends que souffrance, mensonge, duperie, conflit, absence de communication, violence, inhibition et sentiment de culpabilité. J'ai du mal parfois à voir et à sentir ces énergies dévoyées. Toutes les fausses préoccupations autour du sentiment de culpabilité qui se prête au jeu sournois de l'illusion de toute-puissance. Tous les « je me sens coupable de… », qui ne sont que la forme déguisée de la certitude convaincue dans laquelle nous nous maintenons mordicus, en tout bien tout honneur, d'être responsable de la souffrance, de la peine, ou même du suicide d'un proche. Malgré ce flagrant manque d'humilité régnant, la vie tient le coup, fidèle à son projet.

J'arrive à ne pas me laisser atteindre ou gagner par le défaitisme de circonstance. De toutes ces tranches de vie que mes oreilles écoutent, de leur côté pathétique ou tragique, miraculeux ou ordinaire, de leurs rires ou de leurs pleurs, j'entends monter un hymne et je me sens parcourue par le sentiment d'une urgente nécessité : celle d'un devoir de respect à l'égard de la vie.

J'admire les artistes, les peintres, les sculpteurs et les écrivains, ceux qui réalisent des films en poètes. Les musiciens, les chanteurs et les chantres qui me permettent d'accéder à des registres vibratoires qui me transportent et m'ouvrent à la spiritualité par des niveaux de résonances auxquels les « mots pauvres » ne peuvent pas me conduire. J'aime les humoristes qui savent rire, qui ne ricanent pas d'un rire qui n'est ni cynique ni corrosif. De ce rire que décrit Raymond Devos quand il dit : « Moquons-nous, mais moquons-nous de nous ! » J'aime les rêveurs de vie, les artisans de la beauté et de la tendresse au quotidien. Ceux qui savent transmettre leur sensibilité au cœur de ce qu'ils font, à ceux qui m'ont initiée à percevoir l'âme de toute chose, qui ont le bonheur d'aimer ce qu'ils entreprennent, qui peuvent simplement aimer ce qu'ils font et où ils sont et qui transmettent cette densité vibratoire. Je vois bien la différence de relation que j'entretiens avec mon petit monde familier : mon lave-vaisselle que j'ai tout de suite bien accueilli. Depuis plus de 15 ans, jamais une défaillance, jamais une infidélité… Mon lave-linge aussi, à qui je parle, à qui je demande s'il a assez de poudre, ou trop…

À l'exact inverse, mon magnétophone, plus jeune pourtant, je l'ai tout de suite pris en grippe, je trouvais trop compliqués la programmation et tous ces boutons…

Je ne lui ai pas consacré beaucoup de temps au début, c'était une période de ma vie où je me laissais déborder. Il me joue sans arrêt des tours et m'en fait voir des pendables. Ce n'est pas que je sois idiote pourtant ni que je fasse opposition à la technologie ! À l'informatique, je m'y suis bien mise. Mes enfants se souviennent de mes débuts avec la souris, avec le « mulot » comme dirait l'autre. Ils en sourient encore mais il n'empêche qu'ils sont bien étonnés de voir ce que je réussis à réaliser aujourd'hui. J'arrive même à leur en apprendre parfois !

J'admire aussi tous ceux qui entretiennent les forces de l'amour et qui participent au renouvellement de la vie sur la terre. J'ai acquis la conviction que l'essentiel aujourd'hui ne se situe pas au niveau du bien et du mal, de ce qu'il faut faire ou ne pas faire. L'enjeu est autrement plus vital, il se résume plutôt à la question essentielle de la mort ou de la vie. J'aime tous ceux qui m'aident et m'encouragent à supporter le gris de la vie et à aimer même un jour de pluie comme aujourd'hui, simplement en me faisant découvrir l'air qui me vivifie d'une façon telle que je ne l'avais jamais vu, le ciel qui danse, le feu qui réchauffe. Ceux qui me permettent de découvrir un objet tel qu'une poignée de porte qui ouvre sur plus de liberté d'être.

Chaque jour, me réveiller avec le projet d'ajouter un peu plus de vivance à ma vie pour la pousser plus loin, pour l'agrandir encore un peu.

Je ne crois plus à un monde parfait ni aux lendemains qui chantent pour tous, mais je crois encore en mon pouvoir d'en construire un petit bout, à celui de révéler ou de réveiller chez ceux que j'aime un peu de cette possibilité d'exister autrement.

Ne croyez pas que je pense avoir inventé la vie. Je me suis simplement laissée inventer par elle, dès l'enfance de mes désirs, à l'écoute de ses murmures et de ses cris, de ses souffrances et de ses émerveillements, de ses lassitudes et de ses enthousiasmes, de ses crises et de ses renaissances. C'est bel et bien la vie qui m'a imaginée, non pas au nom d'un postulat déterministe, mais à partir d'un projet. Je m'y suis sentie propulser dès les limbes de mon existence, jusque dans la mémoire du futur, en des bonds désordonnés dont l'élan et l'envol ont été libérés par mes rendez-vous avec le passé, et le mouvement et la vitesse de croisière impulsés par mes naissances successives de femme.

C'est en picorant plutôt qu'en piochant dans l'avenir que ma vie me découvrit en gestation d'espoir, habitée de rêves gigognes : dans mes rêves des projets, dans mes projets des désirs, dans mes désirs des espoirs et dans mes espoirs, des aspirations lumineuses et profondes nuancées par mon goût bleuté de l'absolu. Je n'ai donc pas écrit tellement ce que je fus, ce que je suis, mais ce que je serai. Tout ce devenir comprimé dans un présent trop étroit, je commence à le libérer, à lui donner enfin sa place.

Autres ouvrages de l'auteur

* L'enfant Bouddha - Illustration Cosey *L'enfance d'un maître*	Éditions Albin Michel	1993
* Heureux qui communique *Pour oser se dire et être entendu*	Éditions Albin Michel	1993
* Tarot Relationnel	Éditions Albin Michel	1994
* Paroles d'amour *Poétique amoureuse*	Éditions Albin Michel	1994
* Jamais seuls ensemble *Vivre à deux c'est possible*	Les Éditions de l'Homme	2003
* Charte de vie relationnelle à l'école *Pour mieux communiquer à l'école*	Éditions Albin Michel	1995
* Communiquer pour vivre *Ouvrage collectif*	Éditions Albin Michel	1995
* Roussillon sur le Ciel	Éditions Deladrière	1995
* C'est comme ça, ne discute pas *ou les 36 000 meilleures façons de ne pas* *communiquer avec son enfant*	Éditions Albin Michel	1996
* En amour, l'avenir vient de loin *Poétique amoureuse*	Éditions Albin Michel	1996
* Tous les matins de l'amour… ont un soir *Un roman sur les émerveillements* *et les tempêtes de la vie amoureuse*	Éditions Albin Michel	1997
* Pour ne plus vivre sur la planète Taire *Des outils pour communiquer*	Éditions Albin Michel	1997
* Éloge du couple *Pensées et aphorismes pour vivre à deux*	Éditions Albin Michel	1998

En collaboration avec Sylvie Galland

* Les mémoires de l'oubli *Essai sur le changement et le développement* *personnel à travers l'approche psychodramatique*	Éditions Jouvence	1989

Achevé d'imprimer
au Canada en mai 2003
sur les presses des Imprimeries Transcontinental Inc.,
division Imprimerie Gagné